一快

古龍著

盛期之風貌

臥龍生作品　帶動武俠風潮

《飛燕驚龍》開一代武俠新風

《飛燕驚龍》(1958)爲臥龍生成名作，共48回，約120萬言。此書承《風塵俠隱》之餘烈，首倡「武林九大門派」及「江湖大一統」之說，更早於香港武俠巨匠金庸撰《笑傲江湖》(1967)所稱「千秋萬世，一統」達九年以上。流風所及，臺、港武俠作家無不效尤；而所謂「武林盟主」、「江湖霸業」等新提法，竟成爲社會大眾耳熟能詳的流行術語了。

《飛燕》一書可讀性高，格局甚大。主要是寫江湖群雄爲覬覦傳說中的武林奇書《歸元秘笈》而引起一連串的明爭暗鬥；再以一部假秘笈和萬年火龜爲餌，交插敘述武林九大門派（代表正派）彼此之間的爾虞我詐，以及天龍幫（代表反方）網羅天下奇人異士而與九大門派的對立衝突。其中崑崙派弟子楊夢寰偕師妹沈霞琳行道江湖，卻如夢似幻地成爲巾幗奇人朱若蘭、趙小蝶之絕世武功技驚天龍幫，而海天一叟李滄瀾復接連敗於沈霞琳、楊夢寰之手；致令其爭霸江湖之雄心盡泯，始化解了一場武林浩劫云。

在故事佈局上，本書以「懷璧其罪」（與真、假《歸元秘笈》有關）的楊夢寰屢遭險難，卻每獲武林紅妝垂青爲書膽(明)，又以金環二郎陶玉之嫉才害能，專與楊夢寰作對(暗)爲反派人物總代表。由是一明一暗交織成章，一波未平，一波又起，極盡波譎雲詭之能事。最後天龍幫冰消瓦解，陶玉帶著偷搶來的《歸元秘笈》跳下萬丈懸崖，生死不明，卻予人留下無窮想像空間。三年後，作者再續寫《風雨燕歸來》以交代陶玉重出江湖，爲惡世間，則力不從心，當屬狗尾續貂之作。

在人物塑造方面，臥龍生寫男主角楊夢寰中看不中用，固然乏善可陳，徹底失敗；但寫其他三名女主角如「天使的化身」沈霞琳聖潔無瑕，至情至性，處處惹人憐愛；「正義的女神」朱若蘭氣質高華，冷若冰霜，凜然不可犯；「無影女」李瑤紅則刁蠻任性，甘爲情死等等，均各擅勝場。乃至寫次要人物如「賓中之主」海天一叟李滄瀾之雄才大略，豪邁氣派；玉簫仙子之放蕩不羈，爲愛痴狂；以及八臂神翁聞公泰之老奸巨猾，天龍幫軍師王寒湘之冷傲自負等，亦多有可觀。

與

武俠小說

摘自 葉洪生、林保淳著
《台灣武俠小說發展史》

台港武俠文學

流行天王

臥龍

臥龍生是台灣最著名的武俠小說作家之一，自然也是海外新派武俠小說家中的重要一員。

在台灣武俠小說界，臥龍生曾獨領風騷被稱為「台灣武俠泰斗」。後來司馬翎、諸葛青雲脫穎而出，才與臥龍生並稱台灣俠壇的「三劍客」。那時候古龍還默默無聞。後來古龍名氣漸大，躋身高手之林，與「三劍客」合稱「台灣武俠小說四大家」，但臥龍生仍是深受讀者歡迎的武俠小說作家。

陳墨

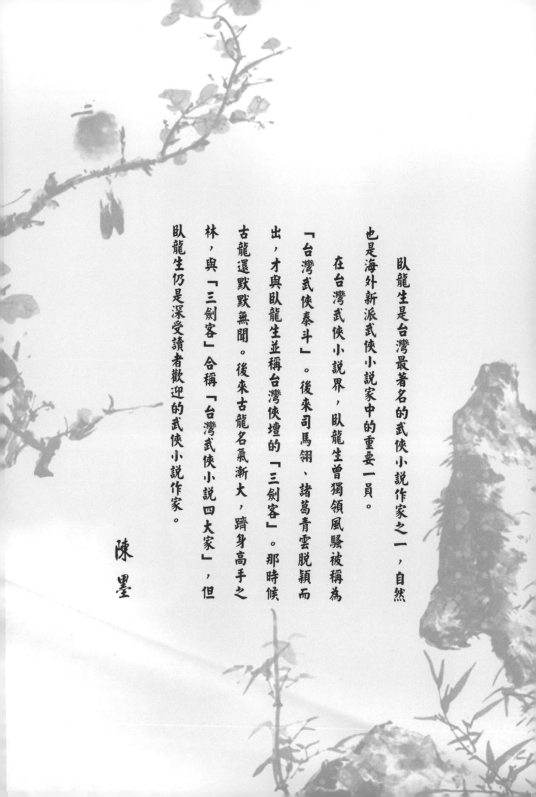

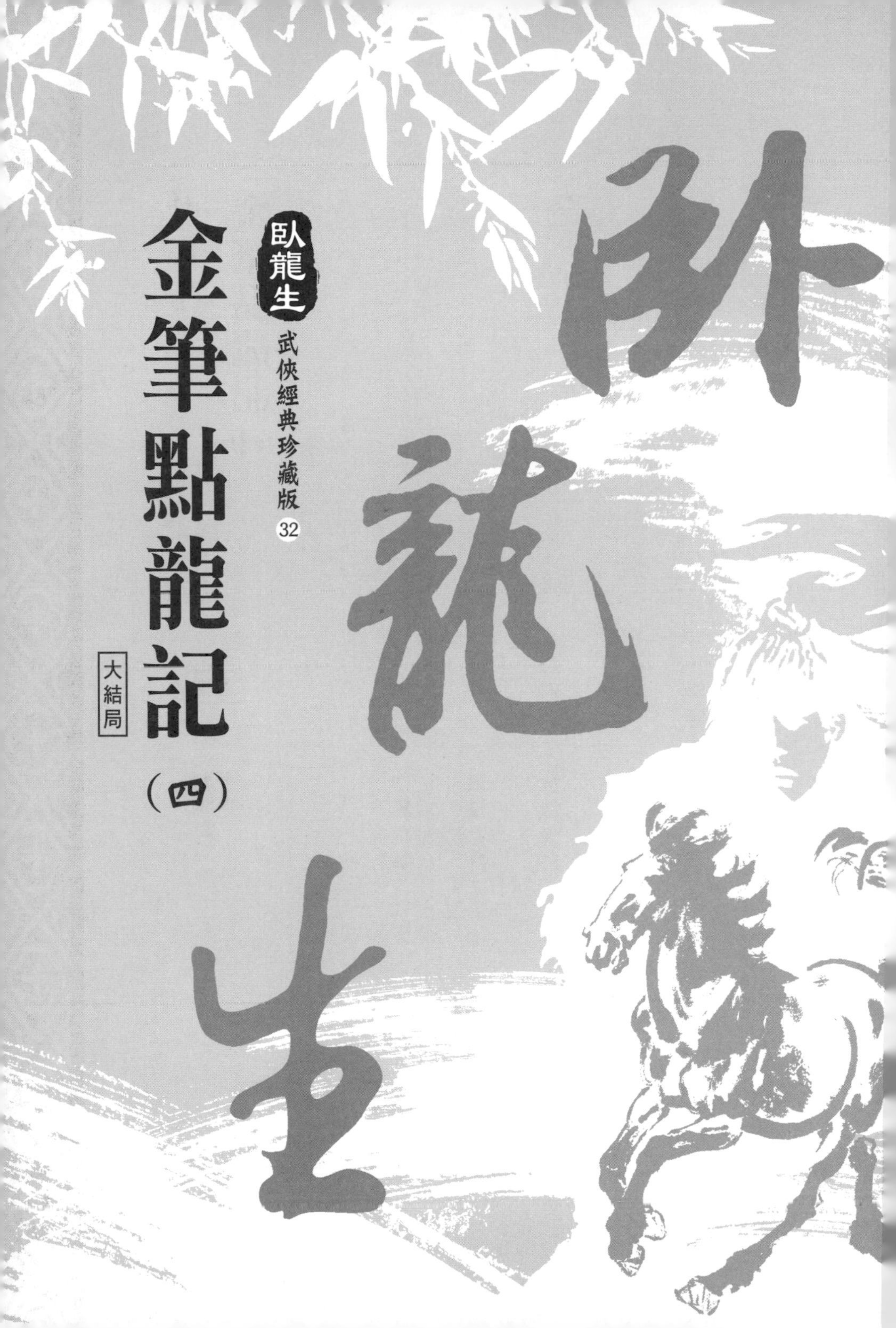
臥龍生
武俠經典珍藏版
32
金筆點龍記
大結局
（四）
臥龍生

臥龍生精品集32

金筆點龍記(四)

目錄

四十　作繭自縛

兩個掌刑大漢，應了一聲，推動刑台。刑台連結在一座滾輪上，立刻有一道高大的刑機，移動過來。眼看十餘鋒利的尖刃，滾移過來，顏成忍不住發出淒厲的慘叫。

他設計這些刑具之時，唯恐它給人的痛苦不大，但卻未想到，自己竟也是這輪刀之下的受刑人。

造化城主哈哈一下，道：「俞少俠，人性之中，確有很多弱點，畏死是其之中一。」

但見輪機帶動著十幾道利刃滾過，顏成立刻變成了一個血人。

對一個會武功的人而言，這些傷不足致命，但它卻疼痛無比。因爲確實只是肌膚之傷，但血流如注，加上全身都是傷痕，想運氣止血，也不是一件容易的事。

心狠手辣、傷人無數的湯蘭，也看得驚心動魄，呆在當地。

俞秀凡皺皺眉頭，道：「湯蘭，放他下來吧！這些創傷，夠一個人忍受了。」

湯蘭也嘆息一聲，道：「這刃劃全身的刑罰，當真是惡毒得很。」

語聲一頓，接道：「解下鐵環，放他下來。」

掌刑人應了一聲，推開輪刃，放下了顏成。顏成臉上也被劃了四個傷痕，只劃入肌膚較淺一些罷了。

輕輕吁一口氣，俞秀凡緩緩說道：「顏成，這座刑室是你設計的，這些傷，是否已使你變成殘廢？」

顏成滿臉鮮血，看不出他的神情如何。但他雙目未傷，鼻口仍全，顯然，這些輪刃，也是經過了特殊的設計。

顏成苦笑一下，緩緩說道：「也許我設計這輪刃，求功之心太切。所以，輪刃長了一些，一個人只怕很難在承受五刑之後，還能活在世上了。」

造化城主冷笑一聲，道：「你是說這金刑能致人於死。」

顏成道：「看來，確實如此了。」

造化城主道：「如是能致人於死，我下令把他亂刀分屍算了，爲什麼還要花費許多財物，建立刑室？」

顏成道：「人都難免有錯，這一次屬下錯了。」

造化城主冷哼一聲，道：「顏成，你……」

俞秀凡接道：「城主，在下記得這位顏刑主，似乎已經由城主撥給在下了。」

造化城主微微一怔，道：「本座說過的話，不會更改。」

俞秀凡道：「好！這位顏刑主，似乎是不用再聽你造化城主之命。」

造化城主道：「除了湯蘭、顏成之外，你還可帶十八個人走。但你不要忘了約定的事。」

俞秀凡接道：「我知道，我畫押的約書，是俞某人今生一世無法改變的事。」

造化城主冷冷說道：「有約言就應該有個時限。」

俞秀凡道：「俞秀凡不會賴，三年之內，定會覆命。」

造化城主仰天打個哈哈，道：「我希望愈快愈好。」
俞秀凡冷冷說道：「你是希望俞某人死呢，還是希望我能殺死艾九靈？」
造化城主道：「就本座個人私願來說，應該讓艾九靈死，但他如南山老松，成材已定，你卻是正在成長，無可限量。不過，三年內，諒你也還無法成爲經天緯地的大材。」
俞秀凡一揮手，接道：「夠了。不論我和艾大俠，哪一個活著，都會和你一決生死。」
造化城主仰天大笑三聲，道：「俞秀凡，希望你在造化城帶走的二十名鐵騎勇士，都對你有一份幫助，你一離開造化城後，本座就會提供你艾九靈的行蹤消息。」言罷，轉身而去。
俞秀凡高聲說道：「站住！」
造化城主呆了一呆，停下腳步，道：「什麼事？」
俞秀凡道：「你縮居深宮，咱們立約的重大事故，你不在場，何人能夠作主？」
造化城主道：「你離開金刑室後，自會有人接引於你，讓你乘輪車直到前山。不過俞少俠，希望你合作，能叫人蒙上雙目。」
俞秀凡道：「如是在下不合作呢？」
造化城主道：「苦的還是閣下，你如不合作，我們會在途中放出一些煙氣，那會使你們雙目難睜，一路上嗆咳不已。」
俞秀凡冷哼一聲，未作答覆。
造化城主道：「雖然你蒙著雙目，但只憑聽覺，也會感覺到這造化城中的造化之奇，下輪車之後，有人會引導你們進入一座貴賓行館，那時，你要什麼人，只管向他們提出。」
俞秀凡道：「除了人數之外，我還能要些什麼？」

造化城主道：「只要你不是故意刁難，我會盡量讓他們滿足你其他方面的需要。」

俞秀凡一揮手，道：「閣下請便吧！」

造化城主大笑聲中緩步而去。他似是對自己的傑作，十分得意，笑聲中充滿了真正的歡悅。

直待造化城主的笑聲消失不聞，顏成才長長吁一口氣，道：「他是真正的高興，在下自入造化城，數年以來，從未有聽過他如此得意的笑聲。」

俞秀凡冷冷說道：「顏成，你籌劃建立這座刑室，造孽不少吧？」

顏成道：「我知道。好的是九刑室剛剛完工，更巧的是我這策劃人，卻是最先受刑的人。」

俞秀凡道：「現在，你有些什麼感想？」

顏成道：「沒有。在下只想求證一件事。俞少俠，你是否真準備把在下帶離此地？」

俞秀凡道：「我已經答應過了，就只好帶你走了。」

顏成道：「多謝俞少俠！」

湯蘭道：「顏成，像你這滿身傷痕的人，如何能夠行走？」

顏成道：「我會敷上最好的金創藥，三、五日內，使傷勢完好如初。」

湯蘭道：「你現在能不能行動？」

顏成挺身而起，道：「這是皮肉之傷。苦則苦矣，但卻不會對一個人妨害的太多。」

湯蘭輕輕吁一口氣，道：「敷藥去吧！我們不會等你太久的時間。」

顏成應了一聲，舉步行去。

等約頓飯工夫，顏成全身包著白紗行了過來。雙手中，各提一個布袋。
湯蘭道：「是兩袋什麼東西？」
顏成道：「金創藥。」
突然放低了聲音，接道：「這藥粉之下，藏有九刑室的建築全圖。」
俞秀凡道：「哦！」
顏成道：「我已破壞了主要樞紐，帶走此圖，他們就無法修復了。」
俞秀凡道：「你破壞九刑室，造化城主豈會放過你麼？」
顏成道：「就道義上講，他應該放過我。」
俞秀凡道：「說說看。」
顏成道：「在下被俞少俠由造化門下要了出來，自然是俞少俠的人了，俞少俠和造化城爲敵，在下自然可以助俞少俠對付造化城了。」
俞秀凡道：「原來如此曲折。」
湯蘭道：「看來，你的好惡之心，都是強烈得很。」
顏成道：「姑娘想一想，你何嘗不是如此？」
湯蘭微微一笑，道：「我替你提著兩袋藥粉。」
顏成傷口還在痛疼，也不客氣，交給了湯蘭，道：「多謝姑娘。」
湯蘭接過了兩袋藥粉，只覺十分沉重，每一袋都該在二十斤以上，忍不住問道：「你拿了多少藥粉？」
顏成道：「十之七、八。」

湯蘭道：「你沒有一下取完，倒還算有點良心了。」

顏成冷笑一聲，道：「無毒不丈夫，我對他忠誠無比，想不到他竟如此待我，那是逼我對他心生怨恨了。」

湯蘭道：「造化城主如石柱，你如淳螃蟳蝣，你又如何撼動得了他？」

顏成道：「咱們離開此地再談吧！俞少俠救了我一命，我會讓他感覺到很値得。」

湯蘭皺皺眉頭，道：「你能夠走麼？」

顏成雙目神光湛湛，凝注在湯蘭的身上，道：「多謝姑娘，在下可以行動。」

湯蘭望望手中提著的兩袋藥物，道：「這藥物眞有如此靈驗麼？能使一個人全身傷口，頃刻而癒。」

顏成道：「不可能，這藥物雖具神效，但也需兩個時辰，才能收口止疼，不過，在下倒是發覺了另一種治傷藥物。」

湯蘭道：「什麼藥物？」

顏成道：「感激和仇恨加起來，可以使人忘去傷勢的痛苦。」

俞秀凡道：「咱們不太急，你如需要一段時間休息，咱們可以等一會兒再走。」

顏成道：「這些年來，我從沒有過這樣舒暢的心情，也從沒有過這樣深沉的仇恨，我一面嘗試到人間溫暖，一面體會到仇恨的深刻。」

語聲一頓，笑道：「在下替俞少俠和湯姑娘帶路。」舉步向外行去。

俞秀凡、湯蘭緊隨身後，行出了金刑室。只見四個大漢，抬著一輛輪車，早已放在洞外。

一個全身青衣的少女，一欠身，緩緩說道：「諸位，請上車吧！」

車上有四個座位，俞秀凡也未多問，當先登上了輪車。

顏成回顧一眼，舉步跨上輪車。這一來，有數處傷口迸裂，鮮血由衣服滴了出來。但他暗裏咬牙，連眉頭也未皺一下。

三人登上輪車，那青衣少女又接著說道：「三位，請蒙上眼睛。」

取出三個黑布帶，蒙住了三人的眼睛，接道：「三位請把雙手伸出。」

俞秀凡等依言伸出了雙手，被扣在了輪車之上。

湯蘭右手一抬，掙動了一下。

耳際間響起那青衣少女的聲音，道：「三位聽著，這鐵銬也許銬不住三位的雙手，不過，這是一個很嚴重的約束，如是發覺三位有一個掙斷了手銬，三位隨時就可能被處死。」

俞秀凡道：「知道了。」

青衣少女道：「城主再三的交代，對三位盡量忍耐，但掙斷車上手銬，取下蒙臉的黑布，是必死之罪。而且權在途中各卡，城主也無法保護諸位。」

俞秀凡道：「我們知道了，姑娘不用再多吩咐！」

青衣少女道：「好！抬他們進入車道。」

俞秀凡雙目被黑布遮往，無法見物，只覺座下輪車，被放了下去，輪車似乎是被放在一定軌道上，緩緩向前滑動，由慢而快，逐漸有著一種奔馳如飛的感覺。

經過了近一個時辰的飛奔之後，輪車終於停下。感覺著有人伸過手來，解下三人雙目上的黑布，又打開了手銬。

眼前景物，竟然是一座寬敞的廳堂。十二個手持針筒的黑衣人，環圍在輪車的三面。正前方卻站著一個三十多歲的中年婦人，穿著一件杏黃衫，腰繫杏黃羅裙，面目姣好。一種徐娘風韻，托襯出她的圓熟和精明。

只見她欠欠身，道：「俞少俠，你的大名，我桑花娘可是久仰了，真是三生有幸，得會一面。」

俞秀凡一皺眉頭，道：「夫人是……」

桑花娘道：「賓館館主桑花娘。」

格格一笑，放低了聲音，接道：「俞少俠，桑花娘還未適人。」

俞秀凡只覺臉上一熱，抬頭看去，果見那桑花娘還梳著一個大辮。

輕輕吁一口氣，道：「桑花娘是奉命來接我們一行人入賓館了？」

桑花娘道：「奉命接待公子，善爲侍奉。」

俞秀凡道：「我是一個很好對付的客人，有勞姑娘帶路了。」

桑花娘微微一笑，道：「行程不遠，公子就走幾步吧！」舉步向前行去。

俞秀凡緊隨而行，臨行之際，回顧了身後一眼。只見一道廳壁，橫斷了後面的景物。

這一路輪車行來，除了耳聞一些輪車滑動聲音之外，連一點內情隱密也未瞧到。俞秀凡不得不佩服造化城主這人的心機陰沉，設計精密。

迎賓館就在里許外一座淺山坡上，一圈矮松，代替了圍牆，牆內奇花燦爛，香氣撲鼻。

青石砌成了一座很大的宅院，大門內，分成四座獨立院落。

俞秀凡被帶入桂花廳內。雖然，名叫桂花廳，但卻是百花雜植的一座庭院。

桑花娘帶三人直入上房，笑了一笑，道：「桂花廳是迎賓館最豪華的一座院落。」

俞秀凡接道：「多謝桑姑娘，咱們不會在此停留的太久。」

桑花娘道：「長短隨意，花娘不敢逐客，也不敢留賓。」

俞秀凡道：「你奉到些什麼令諭？」

桑花娘道：「公子要什麼，花娘就能供奉什麼。」

俞秀凡道：「我要人。」

桑花娘接道：「男女老少，一併計算，除了眼下這兩位之外，公子還可以帶走十八個人。」

顏成突然插口說道：「等一會兒，俞少俠會開出一個名單。」

桑花娘冷笑一聲，接道：「這是什麼地方，你這樣身分的人，也可以胡說八道麼？」

顏成淡淡一笑，道：「想不到啊！造化城主對我顏某人，還有如此的記恨。」

桑花娘冷笑一聲，道：「你破壞了九刑室，犯了本門重規，城主已傳下令諭，要咱們以萬兩黃金，向俞少俠交換你回來，按律治罪。」

顏成心中暗道：萬兩黃金，買我性命，俞秀凡可能會怦然心動了。

只見俞秀凡冷笑一聲，道：「就算造化城主傾盡造化城中的珠寶財富，也不能在俞某人手中換走顏兄，館主請替我們準備酒菜、紙硯，酒飯過後，在下自會開上名單要人。」

湯蘭道：「桑大姊，請退下吧！」

桑花娘嘆口氣，道：「大妹子啊！別的地方，我這做大姊的沒有法子幫忙，在這迎賓館，你只管吩咐，想吃點什麼，喝點什麼，大姊只要有，定當爲你辦到。」

湯蘭道：「多謝大姊啦！替咱們準備一桌上好的酒席就是。」敢情兩人是多年的故識。

桑花娘口齒啓動，欲言又止，轉過身子，緩步而去。

湯蘭望著桑花娘的背影消失之後，才嘆息一聲，道：「這女人，是江湖上有名的花娘，鑽營拍馬術，天下無雙。想不到也被造化城主羅致下來，出任這迎賓館的館主。」

俞秀凡道：「不入大海不知水，不登泰山不知高，看來，這造化城中又豈止是藏龍臥虎。」

湯蘭笑了一笑，道：「你這趟造化城之行，至少證明了一件事。」

俞秀凡道：「什麼事？」

湯蘭道：「劍術的造詣上，造化城主輸你三分。」

顏成道：「最重要的是，喚回了造化城中不少豪傑的人性。」

俞秀凡道：「在下江湖的閱歷太淺，不知被稱爲江湖上泰山北斗的少林、武當實力如何，造化城的實力之強，在下開了不少的眼界。唉！竟然有那麼多的英雄豪傑，甘受他之命，爲他爪牙，實令人想不明白原因何在。」

湯蘭道：「俞少俠，賤妾有幾句不當之言，說出口來，俞少俠不要生氣才好。」

俞秀凡道：「姑娘說哪裏話。俞某人閱歷不足，難免有意氣用事。這番進入造化城，受了不少的教訓，日後還要借重姑娘，才請不吝指教。」

湯蘭道：「唉！俞少俠，你見過那艾九靈麼？」

俞秀凡道：「姑娘又對那艾九靈知曉好多呢？」

湯蘭道：「賤妾這身分，實也不配見艾大俠，但我對他的事跡，卻是聽過不少。」

俞秀凡道：「哦！」

湯蘭道：「造化城主，氣候早成。所以不肯南面稱霸，正式在武林露面，全因爲他心中還畏懼兩個人。」

俞秀凡道：「一個是金筆大俠艾九靈，還有一個是誰呢？」

湯蘭道：「那人武功如何，江湖上的傳說倒是不多。但他醫術精深，能活死人、肉白骨，奪天地造化之能。」

俞秀凡道：「有這等人物？但不知那人叫什麼名字？」

湯蘭道：「花無果。造化城主最擔心的是兩人聯合起來。」

俞秀凡接道：「一個是武功高強，一個是醫道精深，就算這兩人聯合起來，又能如何？」

湯蘭道：「傳說中，艾九靈和花無果，本是很要好的一對朋友，兩人成就，各登極峰，但卻是彼此都不肯求助。」

俞秀凡道：「他們一個在醫道上有所成就，一個在武功上登峰造極，既無牽連關係，何以要相互求助呢？」

湯蘭道：「詳細情形，我就不清楚了。不過，這是賤妾無意聽得的一點機密，艾九靈、花無果，只要有一個人死去，造化城主就不會再有畏懼了。」

俞秀凡道：「以造化門下這等強大的實力，造化城主，何以不派高手去對付兩人？」

湯蘭道：「我想，他早已派人去過了，只是沒有得手罷了。」

這兩位江湖奇人，都是俞秀凡的傳人，但他卻忍下去未說出來。險詐江湖，使得他不得不保留一點隱密。

回顧了顏成一眼，俞秀凡緩緩說道：「顏兄，那位造化城主，看上去英俊瀟灑，年齡不到三十，這人真的這麼年輕麼？」

顏成道：「至少他應該是古稀之年了。歲月的累積，才使他變成那麼陰險、冷酷。」

俞秀凡道：「這麼說來，世上真有長生術了？」

顏成道：「在下建造九刑室，和那造化城主幾個親信手下有所接觸，所以，對造化城主不足為外人道的隱密，知曉了不少。」

湯蘭突然飛身而起，躍出室外，在屋面上走了一圈，道：「還好。沒有人隱在暗中偷聽。」

顏成微微一笑，道：「姑娘很細心。」

語聲一頓，接道：「造化城主，確是一位絕代人才。他不但讀了一肚子的書，而且，精通天下各門各派的武功。河圖洛書、八卦九玄、五行奇術，無不精通，更難得的是，他又通醫道。」

俞秀凡接道：「唉！如不是他這樣的才慧人物，也無法建立造化城這樣的組合。不過，在下有些奇怪，他身懷如此才學，為什麼不早動江湖霸主之念？」

顏成道：「垂暮之年，應該是早已把名利看得很淡，但是他過人的才慧害了他。」

俞秀凡心中暗道：這顏成雖然是一個多變卑劣的人物，但卻是一個極端聰明的人。口中說道：「顏兄，此言由何說起？」

顏成笑了一笑，道：「和公子相處，如沐春風。我顏成這一身傷疼未消，但和公子論事，卻有不知傷疼之感。」

略一沉吟，接道：「這些隱密，我雖是零零星星聽來的，但由我把它連結在一處，加一系統說明，雖非絕對正確，相信亦不會相差太遠。」

這人有好口才，也有著很高智慧，只是缺少那種大英雄、大豪傑的氣度，所以，他永遠是屈爲人下，做一個謀士。

俞秀凡點點頭，道：「對造化城主多一分了解，就多一分制勝之機，顏兄高論，定可使兄弟獲益良深。」

顏成道：「公子言重了。」

思索一下措詞，接道：「三十歲前，他覺著人生太短促，功名利祿轉眼空，所以，他是個不爭名利，很會享受生活的人。他成長空靈無相之中，致使才慧不受蒙蔽……」

俞秀凡接道：「成長在空靈無相之中，那是說他原本是一個超然物外的人？」

顏成道：「在下是這麼聽說。三十歲前，他身懷絕技，遍歷了天下名山勝水，說禪論道，拜識了不少高人隱士。」

俞秀凡道：「這樣一位志節清高、明月風標的人物，怎會一下變得如此醜惡，變得如此庸俗，爭權奪利，爲害武林如此之烈，全不念生靈塗炭。」

顏成嘆息一聲，道：「也許就是那說禪論道害了他，不知他遇上了一個什麼樣的高人，授予他延年益壽之術，這就使他開始追求長生術。所以三十歲後，他孜孜研究長生之道，以他絕世的才智，終於衝破了這一大關口。」

俞秀凡道：「什麼？你是說，他已經衝破了生死之關，習會了長生不老之術？」

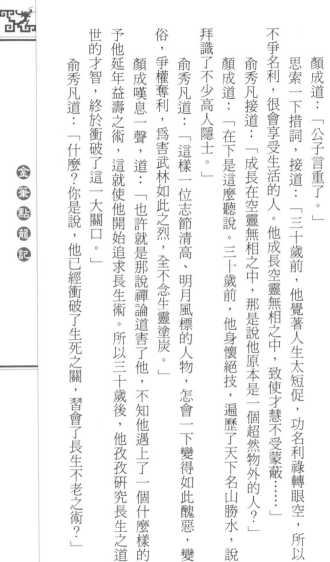

顏成搖搖頭，道：「屬下不敢妄言他已求得長生不老之術，但他至少已不會再有數十年轉眼若夢的感覺。所以，他才會生出稱霸武林、唯吾獨尊的稱雄之心。聽說他謀建造化城時，是一個髮鬢斑白的花甲老人，但現在，已脫胎換骨，形如重生。」

俞秀凡道：「唉！真是可惜。他這樣一位人才，如是用於正途，在朝可為良相，在武林亦必為極受人敬重的大俠、義士。」

顏成道：「俞少俠目下情景，已然是回首無及的局面了。對付他的辦法，也只有得而誅之，為世除害了。」

俞秀凡輕輕吁一口氣，道：「能辦到麼？」

忽然間，他發覺自己，已經完全沒有信心。

湯蘭突然插口說道：「顏兄，你說那造化城主很怕艾九靈和花無果聯合在一起，咱們是不是可以從這方面著手呢？」

顏成低聲道：「公子，你真的準備履行那些約言麼？」

俞秀凡道：「是！我自己立下的合約，而且畫了押。」

顏成沉吟了一陣，道：「俞少俠，此事重大，以後咱們再慢慢的商談吧！」

俞秀凡心中明白，此情此景之下，什麼事都可以說，但此事卻不宜提出商談。心中念轉，淡淡一笑，改變了話題，道：「顏兄，你對那花無果有多少了解？」

顏成道：「在下聽說，造化城主和花無果，可能是同出一個師門。」

俞秀凡怔了一怔，道：「有這等事，這話可是當真麼？」

顏成道：「不錯。在下確然聽人說過。」

俞秀凡道：「那花無果乃是一位神醫，怎會和造化城主同出一處呢？」

顏成道：「這個，在下就不清楚了。當今武林都知道花無果是一位名醫，但他只是有名，人卻很古怪，江湖上見過他的人不多，受他救治的事更少。」

這時桑花娘已去而復返，道：「俞少俠，酒宴已然擺好，俞少俠可要進用？」

俞秀凡略一沉吟，道：「那就有勞姑娘帶路了。」

湯蘭突然站起了身子，道：「桑大姊，小妹忽然想起了一件事，請教桑大姊。」

桑花娘人已轉了過去，但聞言突然停了下來，回頭說道：「不敢當！大妹子有什麼見教，我這做大姊的是知無不言。」

湯蘭淡淡一笑，道：「造化城主要俞少俠再帶走十八個人，是真是假？」

桑花娘道：「千真萬確。只是，俞少俠至少要知曉那人的姓名，還要他現在造化城中。」

湯蘭笑了一笑，道：「桑大姊，俞少俠也知道你的人，那是在城主的規限之內了。」

桑花娘怔了一怔，道：「我！我！你是說能帶我走？」

湯蘭道：「至少，俞少俠有權利帶你離開此地，對麼？」

桑花娘道：「不錯。俞少俠有能力帶我離開，問題是他肯不肯帶我離開此地。」

湯蘭道：「俞少俠在造化城中，雖然已認識了不少人，但他還沒有決定帶走些什麼人，大姊如是想走，應該是有很大的機會。」

桑花娘笑道：「大妹子，謝謝你的好意，我還不想死，希望能多活些時間。」

湯蘭道：「大姊，一個人生在世上，有時活著比死人還痛苦。」

桑花娘道：「大妹子，你好像忽然間改變了很多。」

湯蘭道：「我如是不改變，也不會跟著俞少俠走了。」
桑花娘道：「大妹子，我想這件事由我選擇。」
湯蘭奇道：「由你選擇？」
桑花娘道：「是！我想俞少俠應該先答應我，然後由我選擇。」
湯蘭道：「這個……，那要看你對俞少俠有些什麼幫助了？」
桑花娘道：「哼！幫助？如是加上條件，俞秀凡和造化城主，又有什麼不同？」
湯蘭道：「說得很有道理。大姊，俞少俠現在並不需要幫助，大姊，要人幫助的是我們，如是大姊這樣子想，那就把事情給弄翻了。」
桑花娘沉吟了一陣，道：「大妹子，現在咱們不談這個了，讓我想一想，你們快進點酒飯。」
湯蘭微微一笑，道：「大姊多想想，想好了，再告訴我。」
桑花娘未再答活，舉步向外行去。
俞秀凡等魚貫隨在身後，行入了一座小廳之中。那是間布置得很雅致的小室，室中早已擺滿了一桌很豐盛的酒菜。
桑花娘笑了一笑，道：「諸位可以放心，這酒菜之中，沒有毒。」
俞秀凡淡淡一笑，道：「在下倒希望這酒菜之中，放有入口必死的奇毒。」
桑花娘道：「爲什麼？」
俞秀凡道：「因爲，生命的價値，有些人是活著好，有些人是死了好。」
桑花娘道：「俞少俠，果然有很多的奇論，叫賤妾想不明白。」

俞秀凡道：「造化城主肯放我離開，大約是不會讓我中毒了。」舉起筷子，大吃起來，而且遍嘗桌上所有的佳肴。

桑花娘悄然退了出去，小廳只餘下三個人。

顏成輕輕吁一口氣，道：「俞少俠，我想請教一件事。」

俞秀凡道：「咱們邊吃邊談吧！顏成有什麼事，儘管請說。」

顏成道：「俞少俠心中是否已決定了帶走些什麼人？」

俞秀凡道：「人倒決定了一些，但尚有很多空額。」

顏成道：「除了造化城主的心腹之外，俞少俠帶走的人，都可能成爲日後對付造化城主的死士，所以，這二十個人很重要。」

俞秀凡苦笑一下，道：「在下倒有著不同的看法。」

顏成道：「俞少俠請教……」

俞秀凡道：「造化城主的陰險，很可能會在我帶走的人身上，暗下奇毒，兩位恐怕是唯一的幸運之人了。」

顏成搖搖頭，笑道：「這個，俞少俠可以放心。如是造化城主會留下藉口給你，那就不是造化城主了。」

俞秀凡道：「造化城主也應該知道，造化城中人，很多都很痛恨他，一旦離開了此地，都可能變成反對他的力量。」

顏成道：「天下正邪兩道高人，集此很多，造化城主不在乎增加二十個敵人。」

俞秀凡點點頭，道：「顏兄說得對，造化城中，可用之人太多了。」

湯蘭嘆息一聲，道：「顏兄說得不錯。像我湯蘭這樣的人，也被他們羅致於此。」

顏成道：「所以，將來抗拒造化城主的力量，仍然來自造化城。」

俞秀凡道：「這是一條路。但用什麼辦法，才能使他們抗拒造化城主，只怕還得大費一番心機了。」

顏成道：「造化城主早已播種下失落人心的種，只要我們能來一陣及時雨，這些種，都會長出抗拒的力量。」

俞秀凡道：「話雖如此，但這一陣及時雨，必得是一位文武雙全的人才布施才行。」

顏成道：「這是一個原則，至於詳細的辦法，咱們還得從長計議。」

突然放低了聲音，接道：「俞少俠，咱們能不能多點一些造化城的人物出來？」

俞秀凡道：「這一點，造化城主不會同意。」

顏成道：「咱們可以點出四十個人名，只帶二十個走，大概造化城主可以答應了。」

俞秀凡道：「這做法用心何在呢？」

顏成道：「造化城主是一位奸詐多疑，但卻聰明絕世的人，如是咱們點了名，仍然讓他們留在造化城，對留下來的人，可能會造成兩個結果。」

湯蘭道：「什麼結果？」

顏成道：「造化城主原先不重用、不信任的人，可能因此獲得重用、信任，如是他原來信任的人，可能會因此動搖、被棄，這就造成了很多的怨恨。」

俞秀凡點點頭，道：「很高明的辦法。」

顏成道：「但也有問題。」

俞秀凡道：「哦！」
顏成道：「也可能給造化城主找出藉口，只給你二十個不願帶走的人。」
俞秀凡道：「這倒也是。雖然是兵不厭詐，但也不能不合道理，要人堵住了咱們之口。」
顏成道：「咱們有一件事可以確定，那就是造化城主，決不會和你翻臉、毀約。」
語聲一頓，接道：「俞少俠真正要帶走的人，有沒有十個？」
俞秀凡道：「必要帶走的人，十個也就夠了。」
顏成道：「好！俞少俠請先選十個人出來，咱們再用十個不固定的人，攪亂這造化城的組合。」
俞秀凡道：「我不明白，咱們多寫幾個人名字，就可以把造化城的關係攪亂麼？」
顏成道：「不錯。造化城主雖是才慧絕世的人物，但逃不過一般聰明人多疑的通病。」
俞秀凡道：「哦！」
顏成道：「俞少俠，在下可以提供幾個人出來，會把造化城鬧得一片震動。」
湯蘭道：「顏兄，我想這件事應該從長計議。」
俞秀凡道：「我覺著咱們還不宜鋒芒太露。」
顏成笑了一笑，接道：「我要他知道，得罪了我顏成，就會使他寢食不安。」
俞秀凡一皺眉頭，道：「顏兄，原來你只是逞一時之快。」
顏成道：「也讓那造化城主知道，咱們不是好惹的人物，使他從此之後，對咱們不敢任意施爲。」
俞秀凡道：「那有什麼好，也使他提高了警覺之心。」

顏成黯然嘆息一聲，道：「也許在下的手段太過激烈了一些，但這方法一定會搞得造化城雞犬不寧。」

俞秀凡沉吟了一陣，道：「顏兄，造化城主會不會毀約背信？」

顏成道：「很可能。他是一個只求實用效率，不太會注重信義的人。」

俞秀凡道：「我俞某人呢？」

顏成道：「信義二字會對你有著很大的約束力量。」

俞秀凡道：「這就是了。我們是兩個不同的人，行事的手段也不相同，我無法背棄約言，造化城主在必要時，很可能毀棄前約。」

顏成點點頭。

俞秀凡接道：「如若我們用的方法太過激烈，很可能使他改變心意，那對我們有什麼好處？」

顏成呆了一呆，道：「多謝俞少俠的教誨。」

俞秀凡微微一笑，道：「顏兄，你是個極具才智的人，但我希望你能從大處著眼，別斤斤計較一時的意氣。」

顏成輕輕吁一口氣，道：「俞少俠，聽君一席話，顏某才自知淺薄。」

四一　波譎雲詭

俞秀凡道：「咱們也不用在此久留了。該帶走什麼人，咱們得早些走了。」

顏成道：「俞少俠想帶些什麼人走，請先通知他們一聲，不足名額，在下再和湯姑娘把它補充起來。」

俞秀凡道：「好！金釣翁、無名氏、石生山、水燕兒、方堃、桃花童子，再加上水燕兒兩個貼身的女婢。」

湯蘭接道：「兩個女婢也算麼？」

俞秀凡點點頭，道：「應該算進去。水燕兒身側女婢，對她都很忠誠，限她帶兩個人，已經是太少了。」

湯蘭哦了一聲，未再多言。

俞秀凡道：「對了，再就是刀釵冷萍。」

顏成道：「俞少俠，咱們先決定這些人，再加上湯姑娘及區區在下，已經有十一個，如若算上桑花娘，只餘下八個人選可以帶走了。」

俞秀凡道：「桑花娘未必肯去，至少，咱們不應勉強她。」

顏成微微一笑，道：「這麼辦吧！咱們選過之後的餘額，乾脆讓造化城主送足咱們如何？」

湯蘭道：「那怎麼行。他選送之後，都是他的心腹死黨，豈不成了咱們的累贅？」

顏成道：「愈是造化城主的心腹愈好，讓他們見識一下俞少俠和造化城主的不同之處。」

湯蘭道：「好吧！再加上一個花花妃子，餘下的人，要造化城主替咱們選足就是。」

顏成道：「這些人都是和俞少俠接觸過的人，帶他們走，也可減少造化城主心中之疑。」

微微一笑，接道：「也讓他知道，湯姑娘和在下，雖然離他而去，但對他仍有著很大的敬畏，不敢和他為敵。」

俞秀凡道：「就以顏兄之見，但不知咱們要如何通知他帶走的人？」

顏成道：「桑花娘桑館主會代咱們安排，不用咱們費心。招她來，告訴她，咱們要帶走的人就是。」

俞秀凡道：「那就有勞湯姑娘了。」

湯蘭應了一聲，轉身而去。

片刻之後，帶著桑花娘行了進來。

俞秀凡道：「那造化城主和在下約定，可以帶二十個人走，想是早已告訴桑館主。」

桑花娘道：「城主已有吩咐。」

俞秀凡道：「在下要如何才能召集來這些人手？」

桑花娘道：「俞少俠只要吩咐一聲，花娘自會通知他們趕來待命。」

俞秀凡道：「這裏有一份名單，請桑館主過目。」

桑花娘接下顏成開好的名單，數了數，說道：「俞少俠，只有十二人，還差了八個。」

俞秀凡道：「我知道。那八個人請造化城主派給在下就是。」
桑花娘道：「俞少俠大方得很啊！」
俞秀凡道：「在下對造化門不熟，識人不多。」
桑花娘低聲接道：「湯姑娘久居造化門，對造化城中人物，應該十分熟悉。」
湯蘭笑了一笑，道：「大姊如是願意離此……」
桑花娘道：「我這點成就，只怕對俞少俠難有助力。」
湯蘭道：「大姊請看看俞少俠帶走的人，都是相識故舊，或是已被城主下令囚禁的人，這就是他為人慈厚之處。就拿小妹來說吧，我又能幫助俞少俠什麼呢？」
桑花娘沉吟了一陣，道：「如俞少俠覺著大姊還不是累贅，花娘倒極願追隨身後效命。」
俞秀凡道：「顏兄，加上桑館主的名字。」
桑花娘靜靜地站著，直等顏成把自己的名字寫好，才微微一笑，道：「俞少俠，花娘想提供一己之愚，恭請裁決。」
俞秀凡道：「在下洗耳恭聽。」
桑花娘道：「俞少俠覺著那五毒夫人如何？」
俞秀凡道：「五毒夫人？」
桑花娘道：「是。此人用毒之能，在目下江湖，不排第一，也該第二，俞少俠何不把她也帶出造化城呢？」
俞秀凡道：「不知那五毒夫人，是否願意離開造化城呢？」
桑花娘微微一笑，道：「是否願意，無關緊要。城主許了這個諾言，五毒夫人不願去，也只好從命了。」

俞秀凡道：「好！再加個五毒夫人。」

顏成又提筆寫上。

俞秀凡微微一笑，道：「桑館主，還有六個空額。」

桑花娘道：「留一步餘地，也可以表現出俞少俠的氣度，造化城主也不好改變心意了。」

俞秀凡道：「多謝指點。」

桑花娘道：「花娘就通知他們。」接過名單，轉身而去。

顏成微微一笑，道：「厲害，桑花娘點了五毒夫人，這下，可叫他頭痛了。」

俞秀凡道：「五毒夫人，在造化城中十分重要麼？」

顏成道：「很重要。造化城主手下有四大金剛，那五毒夫人是其中之一。」

俞秀凡沉吟了一陣，道：「眼下倒是有一件很重要的事，在下想聽聽兩位高見。」

湯蘭道：「俞少俠請說。」

俞秀凡道：「咱們帶了這些造化城中之人，離開了此地之後，如何處置？」

湯蘭沉吟了一陣，道：「這倒是一個很大的問題，咱們指名帶走的人還罷了，造化城主派來的人，必是千選萬選的人，這些人才是咱們背上的芒刺。」

顏成道：「俞少俠準備怎麼處置那些人呢？」

俞秀凡長長吁一口氣，道：「顏兄、湯姑娘，實不相瞞，在下離開了此地，就要去拜訪幾位江湖前輩，請他們出山，共謀挽救江湖大劫。」

顏成點點頭，道：「這個不難。消除造化城，已成了箭在弦上之局，不得不發，他們如不肯攜手合作，共度危亡，也是個必死不可的局面。」

湯蘭道：「俞少俠的打算是……」

俞秀凡接道：「我交代所有的事，然後，單人一劍，先找上造化城來，拚他們幾個武功高強的人，也好替艾大俠等減少一分阻力。」

顏成搖搖頭，道：「這辦法不行。」

俞秀凡道：「除此之外，顏兄還有什麼高明之法？」

顏成道：「在下有個主意，你和造化城主之約，是見到了艾九靈之後，兩位必得先行拚個生死出來。如是兩位不見面，那自然不算違約了。」

俞秀凡道：「只要我們活著，怎會不見面呢？」

顏成道：「兩位之見，如是必須交談之事，可以信使往還，攻打造化城時，兩位各帶一路人手，那豈不是就不見面了麼？」

俞秀凡道：「這法子不成。」

顏成正容說道：「俞少俠，我這法子也許不好，咱們可以再想別的法子。但俞少俠必須擺脫求死之心。須知江湖大局，關係著武林存亡，執大義不拘小節，俞少俠何苦如此認真呢？」

俞秀凡道：「顏兄，如若造化城主沒有這一點眼光，也不會和我訂下這個奇異之約了。」

湯蘭道：「顏兄，俞少俠說得是，他是和咱們完全不同的人。所以，他做的事，咱們永遠也做不出來。正像他受到的敬重一樣，咱們一輩也不可能受到。」

顏成沉吟了一陣，道：「俞少俠，我們盡力去想，我想，皇天不負苦心人，總會被咱們想出一個辦法來。不過，俞少俠至少不應該心存死志。」

俞秀凡道：「好吧！希望咱們真能想出一個兩全其美的辦法！」
桑花娘奉獻出了迎賓館最好的酒菜，使俞秀凡等過了三天舒適、安靜的生活。
第四天一早，桑花娘帶來了造化城主的答覆，俞秀凡點出了名號的，都趕到了迎賓館。
湯蘭笑了一笑，道：「全到了麼？」
桑花娘道：「全到了。」
湯蘭道：「大姊也可以離開此地了。」
桑花娘道：「是，我已交卸了館主的職務。」
略一沉吟，接道：「俞少俠，連同屬下計算在內，我們一共已有十六個人。」
俞秀凡道：「怎會多了出來？」
桑花娘道：「多了五毒夫人兩個從婢。」
俞秀凡接道：「看來，那造化城主，想的比我們還要周到一些。」
桑花娘道：「來人傳話很明白，如是俞少俠不喜歡這些人，可以隨時改變主意換了他們。城主答應的事，那就一言如山，只要未走出生死門之前，俞少俠隨時可以改變主意。」
俞秀凡點點頭，道：「只看此事，他做得確然很有氣派。」
湯蘭道：「還有四個名額，那造化城主如何交代？」
桑花娘道：「也說得很清楚，他會派四個人恭候在生死門外。」
俞秀凡道：「是一個什麼所在？」
桑花娘道：「那是造化城的界限，一步踏出生死門，就算離開了造化城。」
俞秀凡道：「桑館主。」

桑館主一躬身，道：「賤妾已經離開了館主之位，俞少俠不用如此稱呼了。」

俞秀凡道：「桑姑娘，咱們幾時可以動身？」

桑花娘道：「任由公子決定，幾時離開此地，悉憑尊便。」

俞秀凡道：「他們現在何處？」

桑花娘道：「都在大廳之中，等候公子的令諭。」

俞秀凡站起身，道：「好！咱們瞧瞧他們去。」

顏成、湯蘭分隨俞秀凡身後，向外行去。

大廳中坐滿了人，俞秀凡目光掠過群豪，先落在水燕兒的臉上。只見她玉容微現憔悴，似乎瘦了不少。那秀美的輪廓雖然依舊，但已不是之前的玉容如花。但最使俞秀凡奇怪的是，她已取下了臉上面具，以真正面目和人相見。在他記憶之中，水燕兒一向是不喜以真面目見人。

五毒夫人風采依舊，只是神情一片冷漠，冷得像罩了一片寒霜。

忽然間，俞秀凡有著一種不安的感覺、這些人不似來此隨他同出造化城，還我自由之身，倒似是滿含仇恨悲忿而來，參加一場拚殺。每個人都是一樣。

俞秀凡輕輕咳了一聲，目光轉注到無名氏的身上，高聲說道：「無名氏，你請過來。」

這時，湯蘭、顏成，都瞧出了情形有異，低聲說道：「俞少俠、情形有些不對。」

俞秀凡點點頭，道：「你們退遠一些，不論發生了什麼事，你們都不要捲入漩渦。」

湯蘭、顏成應了一聲，退後了五步。

無名氏大步行到了俞秀凡的身前，停了下來。冷冷地站著，一語不發。

俞秀凡搖搖頭，道：「無名兄，還認識兄弟麼？」
無名氏點點頭，道：「認識。」
俞秀凡道：「看情形，你好像對我有些仇視？」
無名氏道：「嗯！不錯。」
俞秀凡心頭震動了一下，道：「爲什麼呢？兄弟自覺，沒有對不住無名兄的地方，」
無名氏道：「如是俞少俠要殺咱們，似是可以動手了，用不著等到黃昏時分。」
俞秀凡呆了一呆，道：「我要殺你們，誰說的？」
無名氏道：「都是這麼說的。」
目光轉動，四顧一眼，俞秀凡輕輕吁一口氣，道：「我爲什麼要殺你們？」
無名氏道：「聽說你要收我們的魂魄。」
俞秀凡忍不住大聲說道：「青天白日，朗朗乾坤，你在胡說些什麼？」
只聽一個女的聲音接道：「你相不相信，世間有一種疑心之毒。」說話的正是五毒夫人。
俞秀凡目光轉到五毒夫人的身上，道：「夫人是當今之世的用毒行家，在下願聞其詳。」
五毒夫人道：「有一種毒藥，服用之後，擾亂了一個人的神智，使他產生了一種幻覺，總覺著有人要殺他們。」
俞秀凡道：「人人的幻覺，都是一樣？」
五毒夫人道：「一則是用毒的份量如何，二則是這幻覺可以由用毒人去創造。」
俞秀凡道：「在下覺著，夫人是這群人中，唯一清醒的，但不知夫人，能不能解去他們身中的奇毒？」

五毒夫人道：「能又如何，不能又如何？」

俞秀凡道：「夫人，你們奉命來此，對在下應該如何？」

五毒夫人笑了笑，道：「咱們來此聽命行事。但你能不能命令他們，那是你的本領了。」

俞秀凡點點頭，道：「所以在下正是要向夫人請教。」

五毒夫人道：「不敢當，賤妾等奉命來此，聽候俞少俠的令諭行事。」

俞秀凡道：「這些人對我俞秀凡像仇人一樣，如何能聽在下的令諭。」

五毒夫人道：「他們會聽命行事，只是如何一個聽法，那要你俞少俠施點本領出來了。」

俞秀凡冷冷說道：「那是造化城主不守信約。」舉步向外行去。

五毒夫人一皺眉頭，低聲說道：「俞少俠，請留步！」

俞秀凡道：「什麼事？」

五毒夫人道：「這些人都是奉命來此，你把他們棄置不顧，如何交代？」

俞秀凡道：「不用交代。他們身受奇毒控制，失去理性。在下既不能解他們身中之毒，也不能把他們全數殺死，只好由他們去了。」

五毒夫人道：「這些人並非是自願投靠，而是你向那造化城主要來，棄置不顧，豈不是不仁不義麼？」

俞秀凡道：「我如帶著他們同行，那豈不是帶著十幾個瘋子同行麼？」

五毒夫人道：「不錯，這就要看你的能耐了。」

俞秀凡道：「在下曾在人間地獄見過一群瘋狂之人，他們見人就殺。」

五毒夫人微微一笑，接道：「不錯。如若他們這些人身中之毒，不能解除，一年之後，他們就和那些瘋人一樣了。」
俞秀凡想到那瘋人堡中的慘狀，不禁爲之一呆。
五毒夫人冷冷說道：「俞秀凡，你有些害怕了，是麼？」
俞秀凡忍下心中的震驚、恐懼，緩緩說道：「夫人，這些人身中之毒，你是否能解得？」
五毒夫人道：「現在能。再過一段時間，連我也不能了。」
顏成突然接口，冷冷說道：「夫人，你是來此聽命的，還是下令的？」
五毒夫人道：「咱們奉命來此，自然是聽命的了。」
顏成道：「那很好，如是俞少俠下令，命你解除他們身中之毒呢？」
五毒夫人道：「我一定得聽麼？」
顏成道：「造化城主令你來此受命，你如不肯聽從，那是違抗城主的意旨了。」
五毒夫人道：「我想還有一個抗命的辦法。」
顏成一拱手，道：「請教……」
五毒夫人道：「死！一個人如是死了，大概無法再從人之命了。」
俞秀凡嘆息一聲，道：「你不敢反抗我，並不是爲了我的快劍凌厲，而是不能抗拒造化城主的意旨。」
五毒夫人道：「俞少俠說對了。」
俞秀凡突然回顧了桑花娘一眼，道：「我們可以動身了麼？」
桑花娘道：「可以。」
俞秀凡一揮手，道：「好！咱們走！」

帶著五毒夫人、湯蘭等，一行人立刻動身。

桑花娘道途熟悉，很快離開了造化城。過了生死門，已完全脫離了造化城境域。

只見四個身著葛衣、身佩短劍的年輕人，並肩站在道中。四個人，都不過二十二、三的年紀，長得眉目清秀，十分英俊。

俞秀凡一拱手，道：「四位是……」

四個葛衣少年一躬身，道：「哪一位是俞少俠？」

俞秀凡道：「區區便是，四位是……」

左首葛衣少年道：「咱們四兄弟奉了造化城主之命，特來向俞少俠報到。」

俞秀凡道：「造化城主吩咐四位些什麼？」

左首葛衣人道：「要咱們好好的保護俞少俠，俞少俠如有什麼差遣，咱們赴湯蹈火，在所不辭。俞少俠可使我們生，也可使我們死。」

俞秀凡道：「哦！」

左首葛衣少年道：「從此刻起，咱們已是俞少俠的家奴、僕從，生死皆由主人之命。」

俞秀凡略一沉吟，道：「你們先站一側。」

四個葛衣少年應了一聲，退到一側。

俞秀凡輕輕吁一口氣，目光轉注到五毒夫人的身上，道：「夫人，現在，咱們已離開了造化城，是麼？」

五毒夫人道：「是！」

俞秀凡一抱拳，道：「夫人獨霸湘西，是一派門戶之主，你可以請便了。」

五毒夫人怔了一怔，道：「要我走！」

俞秀凡道：「不錯。在下把夫人帶出了造化城，已恢復自由之身，你可以回湘西去了。」

五毒夫人道：「我如離去之後，你如何照顧他們十餘個將瘋之人？」

俞秀凡道：「在下自有辦法，不勞夫人費心。」

五毒夫人嘆息一聲，道：「你無法照顧他們，他們隨時會出手殺人。」

俞秀凡道：「在下曾去過瘋人堡，還不是全身而退。何況，這些人還未成瘋，在下自有應付之道。」

五毒夫人搖搖頭，道：「我不能走。」

俞秀凡接道：「你不走，爲什麼？我已把夫人帶出造化城，你不願意再回湘西，可以再回造化城去。」

五毒夫人笑了一笑，道：「我如再回造化城，我剛才就可以不來。」

俞秀凡道：「夫人的意思是……」

五毒夫人接道：「你選了我，我受命而來，那就算跟定了你。」

俞秀凡沉吟，道：「夫人，你可以離去，但你如要一定跟著我，那就要聽我令諭行事。」

五毒夫人道：「我會盡量的聽你令諭。」

俞秀凡道：「你負責帶著這一批神智不清的人，照顧他們的安全，在一月之內，解去他們身中之毒。」

五毒夫人笑了一笑，道：「我只能答應你，替你照看他們，但我不敢答應你，一月之內解去他們之毒。」
俞秀凡道：「如是你沒有這份才能，那你就可以請便了。」
顏成低聲道：「公子，不用太過激動。」
俞秀凡道：「她如不在此地，我們還可以去找一個替他們療毒的人。」
顏成微微一怔，道：「能夠找到麼？」
俞秀凡道：「我想可以。」
五毒夫人道：「除我之外，這世上只有一個人，能夠療治好他們身中之毒。」
俞秀凡道：「你是說造化城主？」
五毒夫人道：「不錯。」
俞秀凡道：「照在下的看法，至少還有一個人，能夠解去他們身中之毒。」
五毒夫人道：「什麼人？」
俞秀凡道：「花無果如何？」
五毒夫人微微一怔，道：「花無果失蹤了數十年，只怕早已不在人世了。」
俞秀凡道：「只因爲他不在江湖上出現，就認爲他死了，是麼？」
五毒夫人道：「就算他還活在世上，你也未必能找得到他，就算你找得到他，他也未必肯替他們除毒。」
俞秀凡微微一笑，道：「夫人，這是在下的事，不用夫人操心了。」
五毒夫人沉吟一陣，道：「好！我試試看，一月之內，我如無法解去他們身中之毒，你再去找花無果吧！」

桑花娘、湯蘭都盡量避免接言，對那五毒夫人，似有著很大的畏懼。
俞秀凡苦笑一下，目光轉到桑花娘的身上，道：「咱們如何一個走法？」
桑花娘道：「再向前五里，官道口處，城主早已替咱們準備好了車馬。」
俞秀凡道：「哦！」
桑花娘道：「花娘帶路。」

緊靠官道旁一個廣大的草坪，果然停了五輛篷車，二十餘匹健馬。
一個青衣中年大漢，行過來對著俞秀凡一抱拳，道：「在下奉城主之命，給俞少俠送代步而來，還有清單一份。」雙手送過來一個精美的封簡。
俞秀凡道：「不用看了，請代覆造化城主，就說我已收到了。」
青衣大漢道：「這是一份厚禮，在下要交代清楚。」
打開清單，高聲說道：「篷車五輛，全套設備，拉車的走騾二十頭，長程健馬二十五匹，黃金儀程五千兩，白銀三萬，翠玉珠寶一箱，車夫五人。」
俞秀凡道：「車夫遣回，代在下向城主謝過。」
青衣大漢應了一聲，帶著五個車夫而去。
俞秀凡道：「桑花娘，爲篷車領隊。」
目光一掠四個葛衣人，接道：「四位請駕轅馳車，一切聽從桑花娘的指示。」
這四個確是聽命得很，應了一聲，各自奔向一輛篷車。
俞秀凡道：「湯蘭、顏成，跟著我騎馬開道，餘下的人由五毒夫人率領，分乘五輛篷車。」縱身躍上一匹健馬，當先奔馳。

顏成、湯蘭，各選了一匹健馬，餘馬交給了桑花娘，分別繫在篷車上，縱騎急追俞秀凡。

三騎駢馳，和篷車保持了五丈左右的距離。

顏成道：「看來造化城主棋高一著，讓俞少俠帶走了二十個人，有一大半是在背芒刺。」

湯蘭道：「俞少俠，準備如何對付他們？」

俞秀凡道：「我在想，造化城主的用心何在。」

湯蘭道：「他很大方的答應了咱們要的人，卻給他們服下致瘋奇毒，隨時可以爆發一場自相殘殺的局面，用心之險惡，無以復加了。」

俞秀凡道：「這個我也想過了，但他這樣布置，不可能是對付我。」

湯蘭道：「恕賤妾愚昧，想不出俞少俠語中玄機。」

俞秀凡道：「如若只是爲了對付我，造化城主用不著費這樣大的心，他可隨時取我性命，何苦轉這麼大一個圈子。何況，這樣，也未必就能害了我的命。」

顏成笑了一笑，道：「公子深藏不露，這等深入過人的看法，實非一般人所能及。」

俞秀凡道：「所以，他在我們要的人身上下了奇毒，只有一種作用。」

湯蘭道：「俞少俠，我們也不用猜了，究竟是什麼作用，你可以直說了。」

俞秀凡道：「我只是一種推想，他把這些人留到我們身側，可能是爲了對付艾九靈！」

顏成道：「不錯，俞少俠高見。」

俞秀凡道：「在下總覺著，精誠所至，金石爲開。所以，我想咱們還有機會，使他們心生感動。」

顏成道：「對付一般的人，也許可以用誠意感動他們，但對那些快要成瘋的人，只怕是無法讓他們受到感化。」

俞秀凡道：「這些人，總有一個首腦人物，才能指揮全局。目下我想到的人，可能是五毒夫人。」

顏成點點頭，道：「俞少俠，可是希望感動五毒夫人？」

俞秀凡道：「咱們盡量去做就是，如不能使頑石點頭，那也是沒有法子的事了。」

顏成道：「五毒夫人是咱們指名要來的人，那四個葛衣劍手，卻是造化城主派來的人，咱們該如何對付他們呢？」

俞秀凡道：「也只好以誠去對他們了。」

顏成道：「造化城主遣他們來此，想必早有安排。俞少俠以誠待人，不是對這樣的人。」

俞秀凡道：「顏兄的高見呢？」

顏成道：「在下的看法麼，不如讓他們來一個自相殘殺。」

俞秀凡道：「自相殘殺？」

顏成道：「不錯。那四個葛衣劍手，自稱對你千依百順，俞少俠可以找一個事故，讓他們對付五毒夫人。」

湯蘭道：「如是他們真的殺死了五毒夫人，什麼人去照顧那一群快瘋的人？」

顏成道：「他們殺不死五毒夫人，若真的殺死了，那五毒夫人還有什麼可怕之處。」

湯蘭接道：「五毒夫人武功雖高，但卻未必是四個葛衣劍手合攻之敵。」

顏成道：「五毒夫人厲害的是用毒之能，如是她無能對付四人合擊之勢，自會用毒。」

湯蘭道：「顏兄之意，可是說四個葛衣劍手，一定會死於五毒夫人之手了？」

顏戍道：「不錯。只有在一種情形之下，他們才可能戰成不勝不敗之局。」

湯蘭道：「哪一種情形呢？」

顏戍道：「他們早有勾結。」

俞秀凡點點頭，道：「這話倒是有理。只是，這一戰也不能讓他們真的拚出死亡。」

顏戍道：「只要俞少俠能及時喝阻，在下相信可攔阻了這場生死之分的搏鬥。」

湯蘭道：「五毒夫人如若施用毒物，只怕是四個劍手很難倖免。」

顏戍道：「五毒夫人神智清明，縱然施展毒物，也不至於傷害人命。」

湯蘭沉吟了一陣，道：「顏兄說得也是，五毒夫人被造化城主依為股肱，豈是輕率從事的人，想來定然不會隨便到舉手殺人的境地。何況在此情此境之下，更不會輕易殺人，問題是那四個葛衣劍手，咱們對他們知道的太少了。」

顏戍道：「咱們知道的多少，無關緊要，只要五毒夫人知道他們就行了。」

湯蘭道：「五毒夫人會知道麼？」

顏戍道：「應該會。她一向受造化城主器重，對造化城中的事知曉極多。」

俞秀凡道：「原來如此。」

顏戍又接道：「俞少俠，造化城主所以肯和你訂下那個約書，因為他已經看透了，你是屬於一言九鼎那種君子人物，他也把自己的看法告訴這些人，甚至說明了如何對付你的辦法。你得耍些花招，才可使他們莫可預測，要四個葛衣劍手對付五毒夫人，就是要他們莫測高深。」

俞秀凡笑了笑，道：「顏兄說得是，雖然信義大節不可移，但也不能讓他們太了解我。」

顏成道：「只有讓他們莫測天威，他們才知所戒懼。」

俞秀凡笑了一笑，道：「顏兄說得是，在下要找個機會給他們來個莫測之變。」

湯蘭突然接口道：「俞少俠，這些人到目前爲止，似乎都還肯聽令諭行事，那些人所謂將要成瘋，不知是真是假？」

俞秀凡怔了一怔，道：「這個，我還沒有仔細的看過。在人間地獄之中，我見過那些瘋癲之人，先入爲主，使我有了很大的誤會。」

顏成道：「看不出來的。就算他們不會成瘋，也必受著藥物的控制。」

俞秀凡道：「關鍵似乎是集在五毒夫人一人的身上了，如若咱們不要五毒夫人，不知是一個什麼樣的局面？」

顏成道：「那會更糟，造化城主會派一個五毒門的弟子，來控制這些人。」

俞秀凡苦笑一下，道：「看來，造化城主果然是一個很難鬥的人。」

湯蘭道：「賤妾和刀釵冷萍，交誼甚深，我想我暗中和她談談，看看能不能套出她們的用心，是否真的被藥物控制。」

俞秀凡點點頭，道：「好！我會給姑娘製造一個機會。」

歷經了無數的凶險，使得俞秀凡變得老練了很多，仍然冷靜地觀察了兩天。但他並沒有什麼收獲。那些人一直保持著仇視的冷漠，四個葛衣劍手，仍然是對自己恭謹異常。

五毒夫人似乎是有意迴避，盡量不和俞秀凡搭訕，就算是俞秀凡要問些什麼，也是回答的十分簡短。

第三天，過午時之後，車馬行到了一片樹林前面。俞秀凡突然躍下健馬，喝令停車。四個葛衣劍手，立刻躍下車轅，分隨在俞秀凡的身側。

俞秀凡目光轉動，看林前有一片廣大的草坪，正是動手搏殺的好地方。

回顧了四個葛衣劍手一眼，俞秀凡緩緩說道：「四位這樣緊隨在下，不知是何用心？」

四個葛衣人齊聲應道：「咱們是保護俞少俠。」

俞秀凡哼了一聲，道：「看來，你們四個倒是一片誠意了。」

四人中，一個年齡較大的葛衣人道：「咱們奉到的令諭，不能使俞少俠受到一點傷害。」

俞秀凡沉吟了一下，道：「除此之外呢？」

葛衣人道：「受俞少俠之命，雖赴湯蹈火，在所不辭。」

俞秀凡道：「當真會麼？」

四個葛衣人齊齊躬身一禮，道：「千真萬確。」

俞秀凡突然提高了聲音，道：「桑花娘，請五毒夫人過來。」

這時俞秀凡已然遠離篷車，行至草地間。桑花娘帶著五毒夫人，匆匆行了過來。

俞秀凡揮揮手，令桑花娘退了回去，目光一掠四個葛衣人，道：「你們認識她麼？」

四個葛衣人齊齊點頭，道：「認識。她是五毒夫人。」

俞秀凡笑了一笑，道：「在下想請教一事。」

五毒夫人冷冷地打量四個葛衣人一眼，道：「俞少俠但請吩咐！」

俞秀凡道：「你是當今武林有數的用毒高手，自然有解毒之能，但不知幾時可以解去他們身中之毒。」

五毒夫人道：「這個，我一直沒有答應俞少俠替他們解毒。」

俞秀凡道：「如是現在我要你答應呢？」
五毒夫人淡淡一笑，道：「這個，很叫賤妾為難。」
俞秀凡道：「如是夫人不肯答應，那就別怪在下失禮了。」
五毒夫人怔了一怔，道：「你請吩咐！」
俞秀凡道：「你見死不救，應該斷去一手；你眼看他們將成瘋癲，應該挖去一目。這全是你身上所有，應該不會為難了。」
五毒夫人似是未料到俞少俠會提出這樣一個難題，呆了一呆，才說道：「這個，我也無法從命。」
俞秀凡道：「好！你既然不願自己動手，只好請他們代勞了。」目光一掠四個葛衣人，接道：「你們四位代我出手，斬了她一隻右手，挖去她一隻左眼。」
四個葛衣人相互望了一眼，拔出短劍，逼向五毒夫人。
五毒夫人絕未料到俞秀凡會下了這麼一個令諭，怔了一怔，道：「俞少俠，你……」
俞秀凡接道：「夫人可是覺著很奇怪麼？」
五毒夫人點點頭，道：「照俞少俠的為人，不會下這樣一道令諭。」
四個葛衣劍手，已然布成了攻擊的陣勢，但見兩人不斷的交談，並未立刻出手。五毒夫人倒是有著出奇的鎮靜，眼看四人劍拔弩張，大有立刻出手之意，但仍然保持適當的鎮靜，臉上是一片奇異之色。
俞秀凡淡淡一笑，道：「諸位料定了我，行事循規蹈矩，不會輕易出手。所以，夫人才這麼對付在下了？」

五毒夫人搖搖頭，道：「我不是一個輕易受到左右的人。」
俞秀凡道：「如若夫人沒有這一點氣勢，造化城主怎會放心你統率這批人手。」
五毒夫人道：「俞秀凡，我一直對你有著不同的看法，但造化城主太堅持己見。」
俞秀凡輕輕吁一口氣，道：「夫人，可否談談你對在下的看法？」
五毒夫人道：「俞少俠不只武功高強，而且滿腹經綸。讀書太多的人，有一個危險。」
俞秀凡道：「什麼危險？」
五毒夫人道：「思慮太多，常有變化。」
俞秀凡道：「造化城主對在下的看法呢？」
五毒夫人道：「他覺得你很君子。」
俞秀凡哈哈一笑，道：「夫人，我不能讓造化城主把在下看得太清楚，也不能讓夫人把在下料中。」
目光一掠四個葛衣劍手，道：「殺！」
四個葛衣劍手突然齊齊大喝一聲，揮劍攻上。四人劍招奇速，有如四道閃起的寒光。五毒夫人雙手齊出，兩把短刀閃電迎出。
但聞一陣金鐵交鳴之聲，四把短劍，盡爲封開。
四個葛衣劍手未待五毒夫人反擊，立刻又揮劍攻了上去。但見寒芒飛旋，劍風如輪，攻勢猛銳至極。五毒夫人雙刀飛舞，和四個葛衣劍手展開了激烈異常的惡鬥。
俞秀凡冷眼旁觀，發覺四個葛衣劍手，竟是全心全意的攻勢，劍如閃電，招招攻向要害。
五毒夫人手中雙刀雖然變化奇厲，但卻無法勝過四個一流劍手的合擊，逐漸地呈現了不支狀態。

忽然間，五毒夫人雙刀並進，反擊了一招。就是這一招反擊，四個葛衣劍手，突然有兩個倒了下去。

俞秀凡心中忖道：這一招反擊之勢，雖然凌厲，但也不足以把兩人震倒，不見她別有動作，想來也不會用毒物了。

但見五毒夫人雙刀疾分，迎上了兩個葛衣劍手。刀、劍相觸，響起了一聲金鐵相震，兩個葛衣劍手，忽然倒了下去。

還刀入袖，五毒夫人冷笑一聲，道：「可惜他們四位的劍術差了一些。」

俞秀凡道：「夫人之意，可是希望我出手了？」

四二　發伏除奸

五毒夫人微微一怔，道：「你要出手？」

俞秀凡道：「這要看夫人的意思了。如若是夫人意猶未盡，在下只有奉陪一、二了。」

五毒夫人道：「我不想和你動手，但世上的事很難說，也許有一天，咱們會被環境逼得非要拚上一場不可。不過不是現在。」

俞秀凡淡淡一笑，道：「如真有那麼一天，夫人以用毒之技對付在下，那是必操勝算了。」

目光一掠四個葛衣劍手，道：「夫人，把他們救醒來吧！」

五毒夫人搖搖頭，道：「他們永遠不會醒了，我能瞬息間制人於死，但卻不能使他們死而復生。」

俞秀凡大感意外地說：「以你用毒之技，似乎是用不著非置他們於死地不可。」

五毒夫人道：「這四個人的劍招太凌厲，逼得我分不開手用毒。」

俞秀凡道：「這麼說來，他們是死在你的刀下了。」

五毒夫人道：「單以武功而言，我一人勝不過他們四個。」

俞秀凡道：「但在下瞧不出夫人何時用毒？」

五毒夫人道：「毒在刀上。所以，我無法控制。」

俞秀凡道：「就算你刀上滲有奇毒，但你並沒有刺中他們。」

五毒夫人道：「如若要刺中他們之後，才叫人毒發而死，那是下等用毒手法，我也不配被人稱做五毒夫人了。」

俞秀凡道：「你可知道他們的來歷麼？」

五毒夫人道：「知道，他們是造化城主暗中訓練的一批劍手。」

俞秀凡道：「你殺了他們，如何向造化城主交代？」

五毒夫人道：「造化城主不會在乎這四個劍手的死亡，他只是要你明白，他對受命之人，有絕對的權威。」

俞秀凡道：「多謝夫人指教了。」

五毒夫人轉目四顧了一眼，不見有人行來，低聲說道：「俞秀凡，這是不是你的主意？」

俞秀凡道：「什麼主意？」

五毒夫人道：「要這四個劍手出手對付我？」

俞秀凡沉吟了一陣，道：「夫人覺著，在下不會如此麼？」

五毒夫人點點頭，道：「有些事，並非因爲有深厚的學問，只是一個人受到他品格的影響，有些辦法，他是永遠想不出來的。」

俞秀凡微微一笑，道：「這麼說來，夫人不但是文武兼資的人，而且對人性的觀察體會，也下過一番工夫了。」

五毒夫人道：「略有一、二愚見，算不得什麼！」

俞秀凡突然長嘆一聲，道：「夫人，這就叫在下不明白了。」

五毒夫人道：「可是因為我身陷造化城的原因麼？」

俞秀凡道：「以夫人之能，實也不必屈於造化城主之下。」

五毒夫人格格一笑，道：「俞秀凡，你這是挑撥離間呢，還是誠心請教？」

俞秀凡道：「自然是誠心請教。」

五毒夫人道：「我可以回答你四個字。」

俞秀凡道：「哦！這等大事，難道一語就可道破？」

五毒夫人道：「乘勢待機。」

俞秀凡微微一怔，道：「聽夫人的口氣，似乎是還不滿足目下之位？」

五毒夫人微微一笑，道：「俞秀凡，我說很滿足，你相信麼？」

俞秀凡搖搖頭，道：「不相信。」

五毒夫人道：「這就是了。你又何必多此一問呢？屈己從人，君所不欲，以此測度，我無論如何回答，都不能使君滿意。」

俞秀凡沉吟了良久，道：「夫人說得有理。」

語聲一頓，接道：「與夫人這番交談，使俞某增長了不少見識，但俞某還有一事相求，不知夫人是否能夠答允？」

五毒夫人道：「可是有關他們身中奇毒一事？」

俞秀凡道：「不錯。只要夫人解去他們身中之毒，使他們心智恢復，何去何從，悉由他們作主，俞某人決不強留。」

五毒夫人沉吟道：「我一生做事都是順勢，如若我答應了你的請求，那是逆勢而行了。」

俞秀凡道：「那些人，有我俞某人患難之交，也有俞某人心儀好友，夫人如肯解去他們身中之毒，俞某人一樣的感同身受。」

五毒夫人突然微微一笑，道：「水燕兒算是你什麼朋友？」

俞秀凡道：「我們相識於敵對之中，但彼此間互相保持了敬重。」

五毒夫人道：「俞秀凡，我們做一番交談，使我說了不少的話。言多必失，定被你找出了我不少的缺點，所以，咱們不用再說道理了。」

俞秀凡怔了一怔，道：「夫人的意思是……」

五毒夫人道：「談條件！」

俞秀凡道：「夫人請說出來吧！只要俞某人力所能及，怎不答應。」

五毒夫人道：「你可曾想到他們毒性解去之後，事情立刻會傳到造化城主的耳中？」

俞秀凡道：「這個，在下倒未想到。」

五毒夫人道：「那時，造化城主至少發現了兩件事情。」

俞秀凡道：「夫人指教！」

五毒夫人道：「一件是發覺了你比他想像中更爲高明，另一件是，發現了我並不可靠。」

俞秀凡道：「我和他訂下約書，老實說，對我而言，這一招很毒辣，我想不出他還有什麼更可怕的手段對付我。」

五毒夫人淡淡一笑，道：「人都是那樣自私，你想到了自己，爲什麼不替我想想呢？」

俞秀凡道：「夫人想如何，但請吩咐，兩害相權取其輕，夫人提出什麼條件，在下自會衡量一、二。」

五毒夫人雙目盯注在俞秀凡的臉上，瞧了一陣，笑道：「俞秀凡，太突然了。容我想上兩天，再給你答覆如何？」言罷，轉身而去。

這五毒夫人的舉動，吊足了俞秀凡的胃口，真是老薑辣心，俞秀凡呆呆地站在那裏，頓時有著無所措施的感覺。

五毒夫人頭也未回的一直行近篷車。

湯蘭、顏成快步奔了過來，道：「俞少俠，五毒夫人和你談些什麼？」

俞秀凡道：「她是個深藏不露的人，咱們錯估了她。」

顏成目光轉動，四顧了一眼，道：「這些人是否中了毒？」

俞秀凡點點頭，道：「不錯，中了毒，不過，他們中的毒十分強烈，早已氣絕而逝。」

顏成道：「五毒夫人真的殺了他們？」

俞秀凡道：「不錯，一種強烈的毒藥，中人必死，無藥可救。」

顏成道：「很奇怪，五毒夫人竟會施出無法救治的毒藥？」

俞秀凡淡淡一笑，道：「怎麼，有些大出閣下的意料之外吧？」

顏成道：「不錯，完全出了我意料之外。」

俞秀凡道：「很多地方，都出了我們的意料之外，五毒夫人確然控制著那些將瘋之人。」

顏成道：「她告訴了你？」

俞秀凡道：「不錯，她告訴我，她是唯一可能解救他們的人。」

顏成接道：「那是說，除她之外，當今之世，再無人能夠救他們了。」

俞秀凡道：「那倒不是，在下覺著，當今之世，除了五毒夫人之外，造化城主與花無果，能夠療治好他們的傷勢。」

湯蘭道：「花無果真的還活著麼？」

俞秀凡道：「活著，我見過他老人家。」

湯蘭道：「俞少俠，此事千萬不可洩露出去。」

俞秀凡道：「爲什麼？」

湯蘭道：「花無果的醫道，舉世無雙，確有活死人、肉白骨的能耐。」

俞秀凡接道：「這和說出花無果有什麼關係？」

湯蘭道：「很大的關係，當今之世，雖是常有人提起花無果，但花無果確然已在江湖上失蹤了數十年，他究竟是否還活在世上，沒有人能夠很正確的說出來，造化城主一生只顧忌兩個人，一個是金筆大俠艾九靈，一個是神醫花無果。艾九靈聽說是已和他照過了面，但花無果一直是消息全無。他一日不知花無果的下落，那就是一日心存顧忌。」

俞秀凡點點頭，道：「原來如此。」

顏成道：「如是他知道了花無果的下落，那會如何？」

湯蘭道：「會盡起造化城的精銳，殺了花無果。」

俞秀凡道：「湯姑娘顧忌的是。造化城的高手，多如天上之星，如若實行群攻之法，就算是天下無敵的高手，也是難以抗拒。」

湯蘭低聲道：「俞少俠，你可是準備把這些中毒之人，帶往花無果處，要他療治他們身中之毒麼？」

俞秀凡道：「在下確有此想！」
湯蘭搖搖頭，道：「俞少俠，使不得！」
俞秀凡道：「聽姑娘這麼解說，在下自然不會明知故犯了！」
一直在低頭沉思的顏成，突然接口說道：「俞少俠，五毒夫人殺死了這四個葛衣劍手的用心，俞少俠可曾想過？」
俞秀凡道：「四人攻勢猛惡，她無暇抽出手來施放毒物，只有用刀上毒，置他們於死地了！」
顏成搖搖頭，道：「只怕事不只此！」
俞秀凡奇道：「顏兄，又有了什麼高見？」
顏成道：「如若這四人是造化城主的心腹，他們死去之後，還有什麼人會把咱們的行蹤，告訴那造化城主呢？」
俞秀凡道：「如是造化城主的耳目，五毒夫人又怎敢把他們殺死？」
顏成沉吟了良久，道：「俞少俠，目前咱們這一伙人，不但是隨時可能爆發出一場搏殺，而且彼此之間，還要互相鬥智。五毒夫人這做法，照在下的看法，不外兩個原因。」
語聲微頓，看兩人都聽得十分入神，才接道：「一個是好，一個是壞。好的一面是，她可能早已對造化城主不滿，這一次借故殺了那四個劍手，這些劍手，都是造化城主苦心培養的弟子，他們決不會背叛造化城主，殺了這四個人，咱們就安全多了，不會再有人給那造化城主通風報信了。」
俞秀凡道：「壞的一面呢？」

顏成道：「五毒夫人故意殺了四個劍手，造成一種紛擾，使咱們逐漸接受他們的控制。」
俞秀凡道：「除非五毒夫人暗中對我下毒，否則別想讓我屈服在她的手下。」
顏成道：「目前，她可能對我們下毒，但決不會對你俞少俠下毒。」
俞秀凡道：「爲什麼？」
顏成道：「因爲你還未見到艾九靈。自然，五毒夫人的下毒之能，舉世無匹，這一點，我們也不能不防。」
湯蘭道：「防得住麼？如是五毒夫人要下毒，就算咱們眼巴巴看著她，也是無法防止。」
顏成道：「這一點在下很自信，她決不會對俞少俠下毒，要防的是咱們。」
湯蘭道：「既然防不住，咱們不用防了。造化城主和五毒夫人，也不會把咱們看做對象。」
顏成笑了一笑，道：「一登龍門，身價百倍，目前咱們的情形不同，因爲咱們是俞少俠的幕賓、智囊。」
湯蘭道：「顏兄，用不著杞人憂天了。咱們沒有能力防止的事，用不著多想了。」
俞秀凡道：「目下咱們應該如何？」
湯蘭道：「先把這四具屍體埋起來，以示和人不同。」
俞秀凡道：「好吧！」
三個人一齊動手，挖了一個大坑，把四具屍體給埋了起來。
俞秀凡拍拍手上的泥土，道：「咱們走吧！」
回到篷車前面，除了那桑花娘在篷車外站著之外，所有的人，包括五毒夫人在內，全都坐在了篷車之中。

俞秀凡道：「走吧！」跨上鞍鐙，縱馬而去。

篷車行馳在官道上，曉行夜宿，不覺已走了三日。俞秀凡原想把這些人帶往花無果那裏，只求神醫花無果把這些人身上的毒性除去。但聽得顏成等分析了利害得失之後，不敢再把這班人帶往那裏。

第四天一早上道，顏成追上了俞秀凡，道：「俞少俠，咱們要到哪裏去？」

俞秀凡苦笑一下，道：「我沒有目的，也沒計劃，走到哪裏算哪裏了。」

顏成道：「這個不行，無論如何，咱們得有個計劃，有個目的。」

俞秀凡道：「計劃什麼呢？」

顏成道：「在下覺著，俞少俠應該好好的和五毒夫人談判一次。」

俞秀凡道：「談什麼？」

顏成道：「要她決定是否願意療治他們的毒傷。」

俞秀凡道：「只有兩個答覆，願意如何，不願意又將如何？」

顏成道：「不管五毒夫人願不願意，咱們先找一個山莊住下，如是五毒夫人不肯療治這些人身上之毒，咱們就在那山莊之中住下，乾脆把這批人交給五毒夫人，咱們一走了之。」

俞秀凡道：「咱們不能去見花無果，看來也只有這個辦法了。」

顏成道：「如是五毒夫人答應了，咱們也在那座山莊住了下來，等她療治好這些人的毒傷再走。」

俞秀凡道：「好吧！只是咱們往哪裏去找一座山莊呢？」

顏成笑了一笑，道：「有錢好辦事，這個交給在下就是。」

五天之後，俞秀凡帶著桑花娘、五毒夫人等住進一座山莊。

那是一座山邊下的小村莊，但所有的房子，都被顏成買了下來，雇工整修，三日間煥然一新。顏成按人數分配了宿住之處。

進住小村莊的第二天，俞秀凡請來了五毒夫人，桑花娘、湯蘭、顏成也全部在座。

五毒夫人打量了廳中的形勢一眼，道：「俞少俠找我來此，有何事談？」

俞秀凡已決心今日和五毒夫人談一個結果出來，所以，早有了準備。淡淡一笑，道：「夫人已經想了數日，應該有一個決定了。」

五毒夫人道：「什麼事？」

俞秀凡道：「夫人是否已決定療好他們身上的毒傷？」

五毒夫人道：「還沒有決定。」

俞秀凡道：「好！那就請夫人帶他們暫住此地。」

五毒夫人怔了一怔，接道：「俞少俠呢？」

俞秀凡道：「在下要離開此地數日。」

五毒夫人道：「你要到哪裏去？」

俞秀凡道：「找一些療毒的靈藥回來。」

五毒夫人道：「找一些療毒的靈藥回來？」

俞秀凡淡淡一笑，道：「夫人對此事看法如何？」

五毒夫人道：「就我所知，能夠療治這等奇毒的人，江湖上並不太多。」
俞秀凡道：「不太多，那就是說還有人可找，並非是你夫人獨門了。」
五毒夫人雙目中閃掠過一抹奇光，道：「明白點說，當今武林之世，能夠療治這等奇毒的人，只不過三、兩個罷了。」
俞秀凡道：「就算是三、兩個吧，那是說除了夫人之外，還有別的人了。」
五毒夫人怔了一怔，道：「俞少俠準備去找什麼人？」
俞秀凡道：「這個麼，在下還不知道，不過，天下既有人能醫此毒，在下慢慢的找，總有找到的一天。」
五毒夫人道：「那也許要十年、八年，或者要你找個數十年。」
俞秀凡道：「有此可能。但如在下不去找，那就永遠沒有找到的機會，對麼？」
五毒夫人微微一笑，道：「原來俞少俠是想出去碰碰運氣。」
俞秀凡道：「與其坐困愁城，何不去試試運氣。」
五毒夫人道：「俞少俠準備幾時動身？」
俞秀凡道：「事不宜遲，明日就走。」
五毒夫人道：「幾時回來？」
俞秀凡道：「很難說，也許三、五天就可以回來，也許要三、五年才能回來。」
五毒夫人臉色一變，道：「這些人，都是你在造化城主那裏指名求來，你這一走，把他們交給何人看管？」
俞秀凡道：「夫人。」

五毒夫人道：「如是我不答應呢？」

俞秀凡道：「問題是，夫人非得答允不可！」

五毒夫人冷笑一聲，道：「俞少俠準備強迫我受命了？」

俞秀凡道：「看來是只好如此了。」

五毒夫人霍然站起身子，道：「俞秀凡，恕難受命。」

俞秀凡道：「在下告訴夫人，不過稍盡禮數罷了，願否留此，那是夫人的事了。」

五毒夫人愣住了，原想以那些人做爲要挾的，想不到俞秀凡卻先發制人，竟然把這個難題，套在了自己的頭上。

沉吟了一陣，五毒夫人只好用出了最後的一招，道：「俞少俠如是不願管這些人的生死，那就任他們自生自滅了。」

俞秀凡淡淡一笑，接道：「這些人如若毒性不解，那就非我能用，他們的死活，已經和我沒有太大的關係了。」

五毒夫人淡淡一笑，道：「俞少俠的意思是，你已決心不管這些人了。」

俞秀凡道：「管！在下如是不管，自然不會去替他們找尋這些藥物了。」

五毒夫人道：「第一，你未必能找到這麼樣子的藥物；第二，你離開了之後，這些人就可能死亡。」

俞秀凡道：「如若是他們非死不可，那也是你夫人的責任。」

五毒夫人冷笑一聲，道：「我這一生毒死了無數的人，豈會在乎多加幾條人命，因爲，我們是兩種完全不同的人，這十幾條人命，會在你心中留下了永恆的創傷，無可彌補的遺憾，這些人，大都和你有些瓜葛，不是有救你之情，就是有著相處的情意。」

俞秀凡道：「不錯，我會有著終生的不安和遺憾，但我不會因他們之死而死，我活著，還有更重要的事情要做，你很了解我的爲人，但你了解的不夠深。」

五毒夫人微微一怔，道：「這麼說來，你是非走不可？」

俞秀凡道：「夫人是否能想出一個很堂皇的理由，把我留下來呢？」

五毒夫人道：「如是我也要離開呢？」

俞秀凡沉吟了一陣，道：「可以，但夫人必需在我離開之後再走。」

五毒夫人淡淡一笑，道：「你留下一個爛攤子給我收拾，我爲什麼一定要困在這裏，這些人是你指名要來，帶他們離開了造化城，自然你應該替他們設想一下。」

俞秀凡冷笑一聲，道：「夫人，在下未離開之前，夫人必需留此，別忘了，你也是我指名帶出了造化城的人。」

五毒夫人淡淡一笑，道：「俞少俠，我如是不肯受命呢？」

俞秀凡道：「這就很難說了。」

五毒夫人道：「現在，已如箭在弦上，俞少俠似乎用不著再保留了。」

俞秀凡霍然站起身子，道：「夫人，你的用毒手法快呢，還是在下的出劍手法快？」

五毒夫人沉吟了一陣，道：「爲此動武，閣下不覺是下下之策麼？」

俞秀凡道：「有些人可以以禮相待，有些人卻必需以武降服。」

五毒夫人道：「我是屬於後一種人了。」

俞秀凡道：「夫人請自己想想吧！」

五毒夫人望望桑花娘，道：「桑館主博通江湖中事，請評評我們之間，何人有理？」
桑花娘呆了一呆，道：「夫人言重了，你和俞少俠的事，我這身分，怎能從中插口？」
五毒夫人道：「桑館主不要客氣了。你如不能評論是非，當今之世，咱們這一群人中，還有什麼人能夠評論是非？」
桑花娘道：「夫人，這話小妹就有些不懂了。」
五毒夫人冷冷說道：「你自己應該很明白。」
桑花娘不敢再出言爭辯，卻回頭望著俞秀凡，臉上是一片求救的神情。
俞秀凡淡淡一笑，道：「夫人，桑姑娘既然不願置評，咱們實也不用強迫她了。」
五毒夫人冷笑一聲，道：「俞秀凡，你是很聰明的人，似是早該聽懂我的言外之意了。」
俞秀凡哦了一聲，道：「在下實在是不明白，希望你夫人明白的說出來吧！」
五毒夫人道：「好吧！公子一定要知道，我只好據實而言了。」
俞秀凡道：「在下洗耳恭聽。」
五毒夫人道：「桑花娘是造化城主的內應。」
桑花娘呆了一呆，道：「夫人，你在說些什麼？」
五毒夫人道：「我說你是造化城主派來的內應。」
桑花娘道：「夫人，你這話可有什麼證據？」
五毒夫人道：「你要證據？」
桑花娘道：「是！如是沒有證據，夫人怎可含血噴人？」
五毒夫人道：「造化城主親自告訴過我一句話，說我會被俞秀凡指名要來。但我知道，俞秀凡不會要我，也不敢要我。」
桑花娘道：「但他要了你。」
五毒夫人道：「那是因爲你桑花娘的推薦，是麼？」
桑花娘道：「這有什麼錯誤？」
五毒夫人站起身子，道：「俞秀凡，你自己處理呢，還是由我處置？」
俞秀凡怔了一怔，道：「在下很難相信。」
五毒夫人道：「不相信？」
俞秀凡道：「是！夫人是片面之詞，在下如何能夠相信。」
五毒夫人冷笑一聲，道：「俞秀凡，以我五毒夫人的地位，和桑花娘來比，哪一個人的話可以相信？」
俞秀凡道：「如若在下相信了你夫人的話，又將如何？」
五毒夫人道：「如若相信我的話，那就殺了桑花娘。」
俞秀凡道：「殺了桑花娘？」
五毒夫人道：「你處境危惡，如是還有婦人之仁，那就死無葬身之地了。」
俞秀凡道：「殺死桑花娘可以，不過，我們必須要證明這件事。」
湯蘭接道：「夫人，桑館主隨俞秀凡離開造化城，只是臨時起意，並非是事先早有安排，怎會是造化城主派來的奸細？」
五毒夫人道：「你們不了解造化城主，但造化城主對你們卻是認識得十分透徹。他早已料定了你看到桑花娘後，一定會邀她離開造化城，這些都被造化城主料到了。」

湯蘭道：「夫人的意思是……」

五毒夫人道：「你和顏成，都是忠心耿耿，對待俞秀凡。但桑花娘，卻是造化城主故意安排來的。」

桑花娘忽然微微一笑，道：「夫人，小妹明白了。」

五毒夫人道：「你明白什麼？」

桑花娘道：「小妹把夫人拖出了造化城，夫人心中十分記恨，所以要加害於我。」

五毒夫人道：「我如想取你生命，不過是舉手之勞，用不著這樣大費周折。」

桑花娘道：「夫人的意思是……」

五毒夫人道：「我揭穿你的險奸，用心就是要你死的明明白白。」

桑花娘道：「夫人明明是啣恨加害。」

五毒夫人並不是一個很善口才的人，一皺眉頭，道：「俞秀凡，你相不相信我的話？」

桑花娘道：「俞少俠，你不能聽她一面之詞。」

五毒夫人道：「俞秀凡，你可以決定了，聽我的，還是聽她的。」

桑花娘道：「俞少俠，你要三思，我是誠心誠意的跟你而來，你不能冤枉了我。」

兩人你一言、我一語，一直沒有給俞秀凡說話的機會。

這一次，五毒夫人沒有接口，俞秀凡才輕輕吁一口氣，道：「桑花娘，你如心中沒有鬼，為什麼這樣緊張？」

桑花娘道：「一個人的生死大事，如何能不關心？」

俞秀凡道：「原來你很怕死。」

桑花娘道：「俞少俠也許是真不怕死的英雄人物，但除了你俞少俠外，世上不怕死的人，實在找不出幾個。」

俞秀凡道：「桑花娘，你如真是很怕死的人，你不應該隨我們一起出來。」

桑花娘道：「怎麼說？」

俞秀凡道：「因爲，你離開造化城的危險，至少比留在造化城中要大一些。對麼？」

桑花娘道：「這是見仁見智的看法，賤妾的看法是，跟著你俞少俠這等英雄人物，至少會保持個正義之名，就算是真的死了，那也會留下個千秋的俠名。」

俞秀凡道：「桑花娘，我覺著你可以不必隱瞞了。」

桑花娘怔了一怔，道：「俞少俠的意思，是認定了賤妾，是造化城主的內奸了。」

俞秀凡道：「照目下的情形而言，在下確實有些懷疑你桑姑娘了。」

桑花娘道：「既然是俞少俠對我有了懷疑，賤妾告辭了。」轉身向外行去。

俞秀凡一皺眉頭，想出言喝止，但一時間卻又不便出口。

五毒夫人道：「站住！桑花娘，你就這樣走了麼？」

桑花娘道：「不錯，夫人的意思是……」

五毒夫人道：「你可以留下一點東西再走。」

桑花娘道：「夫人要我留什麼？」

五毒夫人道：「留下性命！」

桑花娘冷笑道：「真是欲加之罪，何患無辭。看來，夫人是存心把我留在這裏了。」

五毒夫人道：「你如是心中沒有鬼，爲什麼會急著要走？」

桑花娘道：「我爲俞少俠而來，俞少俠既然是不信任我了，我爲什麼還要留在這裏？」

五毒夫人冷冷說道：「桑花娘，有一個辦法可以證明你很清白。」

桑花娘道：「什麼辦法？」

五毒夫人道：「我要搜搜你的身上，你如不是造化城主的奸細，我自會對你有所報償。」

桑花娘道：「夫人，我身上有很多東西，夫人想搜什麼，最好先說明白了。」

五毒夫人點點頭，道：「問得好。我要搜出你身上造化城主的腰牌，那是一面純銀打造、制錢大小之物，上面有造化城主繪的圖案。」

桑花娘笑了一笑，道：「我確有這麼一面腰牌，想來夫人早知道了。」

五毒夫人淡淡一笑，道：「我知道那面腰牌，是造化城主的親信才有。」

桑花娘道：「夫人，你這樣苦心積慮的想取我性命，可是想殺人滅口麼？」

五毒夫人道：「不錯，正是要殺人滅口。我不想這裏發生的事，很快讓造化城主知道。」

桑花娘道：「俞少俠，五毒夫人已存了殺我之心，目下情勢，除了你俞少俠之外，別人都已無能救我了。」

五毒夫人笑了一笑，道：「你要俞少俠救你性命，那是要我們自相殘殺。」

桑花娘急急叫道：「俞少俠，你要主持公道啊！」

五毒夫人冷笑一聲，道：「俞秀凡是一位很有智慧的人，他不會相信你的話了。」

桑花娘臉色大變，道：「俞少俠，你不能見死不救啊！」

俞秀凡淡淡一笑，道：「桑花娘，你身上真有那樣一面腰牌麼？」

桑花娘道：「五毒夫人早見過了，所以，她故意加害我。」

俞秀凡哦了一聲，道：「能不能拿出來給我瞧瞧？」

桑花娘愣了一愣，道：「俞少俠要看？」

俞秀凡道：「你如是不願拿出來，那也是沒有法子的事了。」

桑花娘無可奈何，伸手從懷中取出一面純銀打製的腰牌。

俞秀凡伸手接過，只見那片腰牌之上，雕著一個似字非字、似花非花之物。

桑花娘道：「這只是一面普通銀牌，爲什麼要說它代表了什麼？」

五毒夫人伸手從懷中摸出一面金牌，道：「俞秀凡，你自己瞧瞧看。」

俞秀凡伸手接過，只見金牌和銀牌一般大小，雕刻著一樣的圖案。

五毒夫人道：「俞秀凡，瞧出了什麼沒有？」

俞秀凡道：「在下覺著，除了金、銀的顏色不同之外，兩樣東西全無不同之處。」

五毒夫人道：「顏色不同，那是代表了我們兩人的身分不同，金牌自然要比銀牌高一些，桑花娘是造化城主的親信，我也是，不過我比她更高一級。」

桑花娘呆了一呆，道：「夫人，你……」

五毒夫人接道：「我們還有一點不同的是，我早已心生叛離，你卻仍然是造化城主的親信。」

桑花娘接道：「是我推薦你，才被俞少俠帶出了造化城。」

五毒夫人道：「不是你推薦，你只是在執行造化城主的令諭罷了。」

湯蘭突然嘆一口氣，道：「桑大姊，想不到啊！你已在造化城中混成了這等身分。小妹雖然守在造化城中，但連一個銅牌的武士也未入選，桑大姊，卻已到銀牌的等級。」

桑花娘苦笑一下，道：「俞少俠，你明白了麼？」
俞秀凡道：「明白什麼？」
桑花娘道：「我只是銀牌武士，但五毒夫人卻是金牌武士。」
五毒夫人道：「金、銀、銅三牌武士，只是一種對外的稱呼。事實上，這是代表了造化城中的核心標識，入選的條件，武功還在其次，最重要的是先得造化城主的信任。」
桑花娘道：「金牌自然比銀牌更得造化城主的信任了，夫人犧牲了我，是想獲得俞秀凡更多的信任。」
五毒夫人道：「用不著。劍上造詣，我也許不如俞秀凡，但我用毒之能，足可以對付他，何況，我還控制十餘個死士。」
俞秀凡輕輕嘆息一聲，道：「桑花娘，你自絕了吧！」
桑花娘突然冷笑一聲，道：「我爲什麼要自絕？」
俞秀凡道：「你既不願自絕，我就給你動手的機會，只要你能和我動手十招，那就任你高去。」
桑花娘道：「你說話算數麼？」
俞秀凡道：「我如是說話不算數，那造化城主怎會與我訂立下約書。」
桑花娘冷笑一聲，道：「我就接你十招。」
俞秀凡道：「桑花娘，你答應接我十招，也是承認了，你是那造化城主派來的奸細。」
桑花娘道：「我既然要接你十招，承不承認是造化城主的奸細，似乎已無關緊要了。」
俞秀凡冷笑一聲，道：「那就請出手吧！」

桑花娘回顧了五毒夫人一眼，道：「我如接下了俞秀凡十招之後，你還出不出手？」

五毒夫人冷哼一聲，道：「我不信你能接下俞秀凡十招。」

桑花娘厲聲道：「說明白，你出不出手？」

五毒夫人道：「你如是說明銀牌的來歷、作用，我就給你一個不出手的保證。」

桑花娘道：「你既是金牌武士，自然應該知道它有些什麼作用了，用不著我來解說。」

五毒夫人道：「好！就是要你承諾這幾句話就夠了。」

目光轉到俞秀凡的臉上，接道：「事情夠明白了吧？」

俞秀凡道：「夠明白！」

五毒夫人道：「如何處置，那是你的事了。」

語聲一頓，接道：「桑花娘，你能接下俞秀凡十招，你就可以走了，我不出手。」

桑花娘道：「俞少俠，想不到你也是一個嗜殺如命的人。」

忽然一揚手，一道寒芒，疾如流星一般，直射而出。俞秀凡拔劍一揮，震飛了一口飛刀。

桑花娘雙手不停地揮動，一連發出了八口飛刀，盡被俞秀凡的快劍擊落。

輕吁一口氣，桑花娘緩緩說道：「俞秀凡，你揮出了幾劍？」

俞秀凡道：「八劍。」

桑花娘道：「還有兩招，對麼？」

俞秀凡道：「就算還有兩劍吧！」

桑花娘格格一笑，道：「只可惜我身上只帶了八口飛刀，如是我帶了十口飛刀，你已經揮出了十劍。」

俞秀凡冷然一笑，道：「桑花娘，你實在是一個很狡猾的人。」

桑花娘道：「但我相信，我能接下你兩劍，你出手吧！」

俞秀凡道：「你準備好！」

揚手一劍，刺了過去。這一劍並不太快，但刺的部位，卻是叫人無法預測，似是前胸，又像是小腹。就是那麼猶豫了一下，長劍如閃電一般，刺入了桑花娘的前胸。

這是人身的致命要害所在，桑花娘苦笑了一下，道：「好快的一劍。」言罷，閉目而逝。

俞秀凡抽出長劍，一抱拳，道：「多謝夫人指點！」

五毒夫人冷冷道：「不敢當，這桑花娘如不除去，咱們一舉一動都會被造化城主知曉。」

俞秀凡道：「想不到啊！這造化城主，果然是厲害得很。」

湯蘭接道：「夫人，造化城主派桑花娘來此一事，夫人是知曉了？」

五毒夫人道：「不是。金、銀牌雖然有等級之別，但卻互無連繫關係。我雖然早懷疑咱們中間有潛伏的內奸，但也不敢肯定是哪一個人。殺死四劍士的消息很快傳出，還傳來了造化城主的指令，我才發覺了她最可疑，想不到，這樣簡單一逼，她就洩露了身分。」

湯蘭道：「這與夫人平日的威望有關，如是平常之人，也不會使她這樣容易就認帳了。」

俞秀凡道：「現在，咱們應該如何？」

五毒夫人道：「你點名要的這些人，能夠控制得住麼？」

俞秀凡道：「老實說，我也沒有太大的把握。」

五毒夫人道：「你是否決心冒險？」

俞秀凡道：「在下不太明白，夫人明教。」

五毒夫人道：「我可在十個時辰之內，使他們身上的奇毒盡除，但此事必得嚴守機密，造化城主如是知曉了內情，我就很快會被懷疑。」

俞秀凡沉吟了一陣，道：「夫人，在下的意思，咱們寧可冒被出賣之險，也不能棄他們於不顧。」

五毒夫人沉吟了一陣，道：「俞秀凡，你決心要冒險麼？」

俞秀凡苦笑一下，道：「不錯。」

五毒夫人道：「那會立時和造化城主形成了對抗之局。」

俞秀凡道：「縱然如此，在所不惜。」

五毒夫人輕輕嘆息一聲，道：「好吧！我解去他們身中之毒，交給你，你要如何處置，那是你的事了。」拾回金牌，轉身而去。

望著五毒夫人去遠，俞秀凡才輕輕吁一口氣，道：「顏兄，這五毒夫人，似是真的背叛了造化城主。」

顏成點點頭，道：「這人很富心機，以造化城主之能，竟然不知她早有叛意，而且，還把她引為心腹。」

俞秀凡淡淡一笑，道：「看來，這造化城中，確然是藏龍臥虎的地方，像五毒夫人這個人，不但是天下第一用毒高手，極富心機的人，而且也是個善於隱藏的人。這需要很強的忍耐力，要忍耐的使別人瞧不出來。」

湯蘭嘆一口氣，道：「俞少俠，你能夠確定，五毒夫人真的背叛了造化城主麼？」

俞秀凡道：「這個不難，只要她能醫治好那些人的毒傷，至於她是真的假的，似乎是不太重要了。」

顏成道：「對！只要療治好這些人的毒傷，就算她想回造化城，也是有所不能了。」

俞秀凡道：「照在下的看法，造化城主要她帶著這一批人手，既可隨時對我圍殺，又可跟著我與艾九靈一決死戰。」

顏成道：「對！這批人手加在一起，確實是一股很大的力量，就是俞少俠也未必能是他們的敵手。」

俞秀凡道：「如若這些人真的全力出手，在下也無法對付他們。」

顏成道：「五毒夫人是否去療治他們的傷勢了？」

俞秀凡道：「她是個自發自動的人，用不著咱們去管，也用不著咱們操心。」

顏成道：「俞少俠的意思是……」

俞秀凡道：「等下去。」

四三　化災解厄

三日匆匆而過。這三日之中，五毒夫人雖常常和幾人見面，卻始終沒有和他們交談一語。

第四天中午時分，五毒夫人突然找上了俞秀凡的臥室。

俞秀凡站起身子，道：「夫人請坐！」

五毒夫人冷冷地說道：「不用客氣，我來見你，請教兩事！」

俞秀凡道：「請說！」

五毒夫人道：「你是否信任我？」

俞秀凡淡淡一笑，道：「信任。」

五毒夫人道：「現在，要我跟著你走呢，還是由我單獨先行？」

俞秀凡道：「夫人的意思呢？」

五毒夫人道：「我救治他們的毒傷，此事終難保密，很快會被造化城主知道。」

俞秀凡道：「知道了又能如何？」

五毒夫人道：「造化城主，既無氣量，又無風度，他不會忍下這口氣，必然會派人追殺於我。如是和你們走在一起，只怕會爲你們找來很多麻煩。」

俞秀凡道：「這一個夫人不用擔心，咱們這些人，力量夠強大，足可和他一拚。」

五毒夫人道：「肩負重任，如是爲我和他們提前決裂，只怕有害江湖大局。」
俞秀凡笑了一笑，道：「不會，我倒希望能和他再決一死戰。」
五毒夫人道：「聽說你在劍道上勝他一籌？」
俞秀凡道：「這個，在下倒未覺得。」
五毒夫人道：「不論你是否在劍術上勝他一籌，但你決非他的敵手。」
俞秀凡道：「這個，在下也知道。」
五毒夫人道：「所以，你要忍耐，忍耐至可以和他一決勝負的時候。」
俞秀凡道：「武功造詣，非一朝一夕之功，在下要忍到幾時，才能和他一決勝負呢？」
五毒夫人道：「不會太久，也許一年，也許兩年，但你是唯一有機會的人。」
俞秀凡道：「造化城主心中最大的敵人，似乎是金筆大俠艾九靈。」
五毒夫人道：「他錯了，應該是你。」
俞秀凡接道：「夫人，聽說造化城主最害怕的，是艾九靈和花無果聯手合作。」
五毒夫人道：「花無果還活在世上麼？」
俞秀凡道：「不知道。生死兩茫茫，沒有他確定的消息。」
五毒夫人話題一轉，道：「去看看你那些朋友吧！他們都已經神智清明。」
俞秀凡道：「真的麼？」
五毒夫人道：「俞少俠也不要對此寄望太高，他們雖然已神智清醒，但他們的餘毒還未除淨，也許還會有不測之變，俞少俠不可不防。」
俞秀凡道：「多謝夫人提醒，在下去看看他們。」轉身向外行去。

湯蘭低聲說道：「俞少俠，賤妾是否可隨同一行？」

顏成道：「在下覺著，也該去一趟，萬一有什麼爭辯之處，在下也可以助俞少俠一臂之力。」

五毒夫人道：「要他們一起去吧！這對你有益無害。」

俞秀凡道：「好！兩位也要準備一下，也許口舌爭辯的太過激烈，會造成動手的局面。」

言罷，一馬當先，行入正廳。

只見水燕兒、金釣翁等，有坐有站，也有不停地來回在室內走動。

無名氏、石生山首先一抱拳，道：「公子，咱們又見面了。」

俞秀凡臉上一片歡愉，抓住了兩人的手臂，道：「二兄都清醒了？」

無名氏道：「似乎是作了一場夢一樣。」

俞秀凡低聲道：「二兄對過去的事，是否有一些記憶呢？」

無名氏沉吟了一陣，道：「隱隱約約，模糊不明。」

金釣翁也站了起來，道：「俞少俠又挽救老朽一劫。」

俞秀凡道：「不敢當。老前輩神智完全清明了麼？」

金釣翁道：「清明了，俞少俠如何把老朽帶出造化城，這一段老朽卻記憶不清。」

俞秀凡道：「說來話長，老前輩和這位顏兄談談吧。」

舉步行到了水燕兒靜坐的木椅之前，一抱拳，道：「姑娘，還記得俞秀凡麼？」

水燕兒點點頭，道：「想不到，咱們還能再見。」

她仍然戴著那一幅人皮面具，掩去了如花嬌容。

俞秀凡臉上泛現無限關切情意，道：「燕兒，我未能及時履約，害你吃了不少苦頭吧！」

水燕兒微笑，道：「很快樂，十八年我往事如夢，今天才找回自我，這是俞兄所賜。」

俞秀凡道：「言重了，如不是在下拖累，姑娘仍然是……」

水燕兒目光泛現羞意，低聲道：「快些招呼別人去吧，人家都往這邊看了。」

俞秀凡一轉身，行到了方堃身子前，抱抱拳，道：「方兄，別來無恙？」

方堃比過去消瘦一些，眉宇間也隱隱有著一股憂鬱，輕輕嘆息了一聲，道：「在下似是被下入石牢，是俞兄救我出來？」

俞秀凡道：「事由兄弟而起，方兄能不見怪，俞秀凡就心安了。」

方堃道：「俞兄，大恩不言謝，小弟心領盛情了。」

俞秀凡笑了一笑，目光轉到桃花童子的身上，道：「小桃童，還認識我麼？」

小桃童點點頭，道：「難得的是公子還記得我，把我也帶出了造化城。」

俞秀凡笑了一笑，道：「小桃童，你可以自由選擇，不論你幹什麼，都可以隨你心願。」

小桃童淒涼一笑，道：「我已經流浪怕了，從今之後，只望爲公子做一個牽馬童子，於願已足矣！」

俞秀凡道：「牽馬的童子，不是太過委屈你了麼？」

桃花童子道：「我知道公子還不肯信任於我，在下實已別無去處，爲明心跡，小的願一死爲證。」

俞秀凡道：「小桃童，生命價値，豈是如此輕賤，萬不可心存此念。」

桃花童子道：「小桃童身出污泥，回首前塵，盡屬恨事。我這點本領，除了爲公子牽馬執鞭外，再別無他事可爲。」

俞秀凡道：「真是如此，那也只好由你了。」

桃花童子一抱拳，道：「多謝公子。」

俞秀凡輕輕吁一口氣，高聲說道：「諸位聽著，諸位已經離開造化城，天下之大，五湖四海，如是諸位只想求一安身立命處，想來並非難事。」

全廳中人，個個閉口無言，臉上是一片端莊之色。

俞秀凡笑了一笑，道：「諸位，時間還長，諸位可以慢慢的想一想，如是願意離去的，自行請便。」

方堃淡淡一笑，道：「俞兄，我想全廳中人都聽得很清楚了。」

俞秀凡道：「方兄說得是，在下是太過囉嗦了一些。」

語聲微微一頓，接道：「諸位身上的奇毒已解，由此刻開始，諸位可以自由行動了。明天午時，咱們離開此地，願意和在下同行的，務必請依時趕回，屆時不見回來的，那就是不願和在下向行了。」說完話，微微一笑，轉身而去。

水燕兒突然站起身子，道：「俞兄，慢行一步。」

俞秀凡停下腳步，道：「姑娘有何見教？」

水燕兒道：「什麼人醫治好了我們身上的奇毒？」

俞秀凡道：「五毒夫人。」

水燕兒道：「人在何處？」

俞秀凡道：「現在另一處房舍之中。」

水燕兒道：「這個人不可靠，我要見見她。」

俞秀凡還未來得及回答，五毒夫人已緩步而入，道：「我在這裏。」

水燕兒道：「你是造化城主的心腹，怎會療好我們的毒傷？」

五毒夫人道：「你姑娘何嘗不是，但你也背叛了造化城主。」

水燕兒道：「我和你不同，我是被形勢所迫，不背叛，也是死路一條，多虧俞兄，把我救出了造化城。」

五毒夫人道：「你和俞秀凡兩情相悅，這件事，早已傳入造化城主耳中，留著你不做處置，是爲了用你做餌，沒有料到的是，造化城主和俞秀凡訂了這樣一個約定，使你輕而易舉的脫離了囚籠。」

水燕兒接道：「談我們之間的事，用不著多轉彎。」

五毒夫人道：「姑娘既能背叛造化城主，我爲什麼不能？」

水燕兒道：「我別無路走，只此一途，你卻是眷顧正隆。」

五毒夫人道：「眷顧正隆？那也不能說我不可背叛造化城主。」

水燕兒道：「你如何能證明你說的話？」

五毒夫人道：「很簡單，我療治好你們的毒傷，那該是最好的證明。」

水燕兒道：「這中間可能別有陰謀。」

五毒夫人道：「你能指出來陰謀何在麼？」

水燕兒道：「造化城主心機深沉，難做預測。」

五毒夫人道：「造化城主不會讓我解去你們身中之毒，他派我來此，確然是別有陰謀，但我療好你們毒傷，使你們神智盡復，使他的陰謀付諸東流，水姑娘再要逼我，那就是誠心找麻煩了。」

水燕兒回顧了俞秀凡一眼，道：「俞兄，對此看法如何？」

俞秀凡道：「諸位身中之毒確爲五毒夫人所解，在下覺著，五毒夫人是出手一片誠心。」

輕輕吁一口氣，接道：「燕姑娘，造化城主安排了一著棋，這一著棋就是由五毒夫人控制著這一批人手，只要奉到造化城主的令諭，立刻可以對咱們採取行動。」

水燕兒點點頭，道：「俞兄說得是。」

俞秀凡道：「五毒夫人既然解除了諸位身上迷控神智的毒性，那就證明了她，破壞了造化城主的計劃，所以，我們不應該再對她生出懷疑之心。」

水燕兒道：「哦！」

五毒夫人道：「水燕兒，你是私人和我過不去呢，還是爲了私仇？」

水燕兒道：「我沒有私仇，只是我對造化城中事情，了解得比別的人多了一些，所以，我的懷疑，也比別人多了一些。」

五毒夫人輕輕吁一口氣，道：「水燕兒，造化城主對我的信任，決不會超過你，但爲什麼你要背叛他？」

水燕兒道：「就目下情勢而言，我只有這一條路……」

五毒夫人接道：「如是造化城主不逼得你無路可走呢，你是否就不會背叛造化城主？」

水燕兒默默無語。

五毒夫人不算是一個很善言詞的人，但她說話，每每能抓住要害。

淡淡一笑，接道：「水燕兒，你早已有了叛離的情形，才有這麼一個結果。造化城主對你的信任，尤在我之上，爲了在你身上下毒，他曾經思索一刻工夫之久，我從來沒有見造化城主，爲一件事想了這樣久過。」

水燕兒哦了一聲，道：「最後的決定呢？」

五毒夫人道：「自然是造化城主的決定，我對他很了解，應該他決定的事，你最好不要插口，如是你表現得太聰明，那不但對你無益，且將有害。」

水燕兒道：「所以，你一直深藏不露，表面和內心中，完全是兩個不同的人。」

五毒夫人道：「我就是我。外面的僞裝，只是爲了要保護我自己，我如是使造化城主對我生出了一點懷疑，很可能早沒有了性命。」

俞秀凡道：「夫人用毒之能，天下少有，湘西也有一片基業，造化城主雖然有絕世武功，但也未必能對抗你用毒之能。」

五毒夫人道：「別以爲我是個很怕死的人，我這樣子活著很痛苦，我調製有各種奇毒，有一種奇毒，吃下之後，可以毫無痛苦的死亡。那種藥物，入口之後，不但沒有苦澀之味，而且清香撲鼻，一個人吃下這種藥物，由入口到死亡，不會感受到一點痛苦。我不怕死，也沒有我個人留戀的人和事。所以，死亡不會給我造成恐懼和痛苦，我所以要活著，是爲了……」爲了什麼，她沒有說下去，也沒有人追問下去。

水燕兒突然微一躬身，道：「夫人，小妹誤會夫人很多，十分抱歉，這裏給你賠禮了。」

五毒夫人輕輕嘆息一聲，道：「有一件事，我必需要先說明，那就是，一旦造化城主知道我救了你們，內心對我的恨怒之深，只怕要多你十倍。甚至，他會派出大批的殺手，追殺我的性命。」

俞秀凡道：「我倒希望他能多派出幾批殺手追殺咱們。」

五毒夫人道：「諸位能這麼相信我，我也可以和諸位同行了。」

語聲微微一頓，接道：「俞秀凡，桑花娘已經死去，咱們和造化城主的消息，可能會暫斷一些時間。但造化城主的耳目遍布江湖，咱們的行動，很快會落入造化城主的眼中，我覺著，這件事暫時以不洩露出去較好。」

俞秀凡道：「夫人的意思是……」

五毒夫人接道：「我的意思是，咱們找一個人出來，假扮成桑花娘，趕著篷車而行，至少，可以使造化城主，暫時無法了解咱們的詳細內情。」

俞秀凡微微一笑，道：「夫人的意見很好，只是，這桑花娘要何人改扮呢？」

水燕兒道：「我！我是就坐在篷車中的人，扮做桑花娘最爲合適。」

五毒夫人道：「燕姑娘，你應該明白，你也是造化城主最重視的人。一旦被他們發現有異，必然是苦苦追查，咱們雖然在篷車之中，但吃住之時，難免要上下篷車，自然也難逃過人家的眼睛。」

水燕兒道：「桑花娘非我改扮不可，不過可以找一個女婢，改扮成我。」

五毒夫人點點頭，道：「這辦法不錯。桑花娘沒有中毒，而且，對造化城主的事了解得很多，由燕姑娘改扮，那是最適當的人選了。」

水燕兒道：「就此一言爲定。」

五毒夫人道：「你對銀牌武士，了解有多少？」

水燕兒道：「這個，小妹知曉不多。」
五毒夫人道：「我可以提供你一點資料。」
水燕兒道：「多謝指教。」
五毒夫人和水燕兒低聲談了幾句，水燕兒不住地點頭。計議停妥之後，埋葬了桑花娘。一切都在極度的隱密下進行。
第二天，中午時分，五輛馬車，離開了農莊。俞秀凡、顏成、湯蘭，仍是騎馬走在前面。水燕兒改扮成桑花娘，領著篷車，當先而行。
五輛篷車，一輛裝滿了黃金、珠寶，四輛分坐著人。所有的篷車行列，盡量地保持著離開造化城時的樣子。駕車劍士已死，就把後面四輛篷車的套繩一一拴在前面的車上，好在，造化城主送的篷車十分堅牢，拉車的健馬，也是最好的馬，都能自行控制，稍加牽引，行馳如常。
最後一輛車，坐的是五毒夫人。
俞秀凡原想把這批人帶往花無果處，但五毒夫人竟然下手解了這些人身中之毒，這就使得俞秀凡失去了目的，只覺天涯茫茫，不知道該去何處。對江湖形勢，他知道的太少，認識的人也太少，竟然想不出一個落足之地。
他很想碰見艾九靈，把這副千斤重擔，交付給他，他覺著有些疲累不堪。他可以忍受肉體上很多的刀傷、痛苦，但這種責任感形成的精神壓力，使他有著承受不起的感覺。但他又很怕見到艾九靈，對造化城主簽下的那份約書，是一種無法擺脫的枷鎖。但俞秀凡究竟是讀書萬卷的人，儘管內心徬徨無主，但他表面上還保持適當的鎮靜。

顏成的確是一個很聰明的人，因此瞧出了一些徵象，一提馬韁，追上了俞秀凡，道：「俞少俠，咱們要行向何處？」

俞秀凡心中一片空茫，但顏成這一問卻逼出了俞秀凡一些機智，道：「找造化城的人。」

顏成道：「造化城的人？」

俞秀凡道：「目下只有這個辦法，造化城主的耳目遍布，我想他必然會找上咱們，只要能見一個，咱們就收拾一個。最好能說服他們，使他們倒反造化城主，造化城中多一個背叛的人，咱們就多一分力量，我長彼消。最壞的是咱們把他們除去，也可以減去一分敵對之力。」

顏成笑了一笑，道：「高啊！俞少俠，咱們這一股實力，確夠強大，再加上五毒夫人的用毒之能，造化城主真想動咱們，至少也得出動他一半實力，但那是不太可能的事。」

語聲一頓，接道：「要不然，就是造化城主親自趕來。」

俞秀凡道：「他一生設下陷阱害人，咱們也該用點手段對付他了。」

顏成道：「這是一條狠計，不過，也要看人而行，換一批人，用這樣的同一個辦法，那就不算高明了。」

湯蘭道：「爲什麼？」

顏成道：「湯姑娘，咱們這一批人，不敢自詡是一批無敵劍士，但要找一批人來對付咱們，還真是不太容易。」

幾人邊行邊談，健馬到了一處三岔路口。

俞秀凡一勒韁繩，健馬停下。正想問問顏成，應該行往何處。忽見人影一閃，一個高捲著袖管，赤著雙足，肩著一把鐵鋤的大漢，攔在了馬前。

看上去這是十足的農人，而且他剛剛還在田中插秧。但看他飛躍的身法，卻是第一流的輕功高手。

湯蘭右手中握著一把金針，冷冷說道：「幹什麼？」

那肩鋤農夫一身傲氣，竟然未理會湯蘭，望望俞秀凡，道：「你是俞秀凡？」

俞秀凡道：「不錯，朋友是……」

肩鋤人道：「在下來自造化城，俞秀凡和敝城主訂下的約書，不知是否還記得？」

俞秀凡道：「記得。」

肩鋤人道：「那很好，咱們城主，很重視這件事情，所以，遣派在下等來此協助閣下一、二。」

俞秀凡道：「朋友，準備如何協助在下呢？」

肩鋤人道：「敝城主算無遺策，早已替俞少俠安排了一批效命的死士，你只要告訴五毒夫人一聲，他們就會替你充當先鋒，如是艾九靈殺死了這批人後，必然成強弩之末，俞少俠只要一出手，就可以取他性命。」

俞秀凡冷笑一聲，道：「以後呢？」

四四　再現金牌

肩鋤人道：「以後麼，敝城主將以盛大的場面，歡迎俞少俠重回造化城去，畀以副城主的高位，共謀江湖大業。」

俞秀凡道：「只可惜在下還不知那艾九靈現在何處。」

肩鋤人道：「這個，城主已探得了艾九靈的消息，特來稟呈閣下。」

伸手從懷中摸出一個封口密箇，遞了過去，道：「這上面說得很清楚，希望你按圖追查，就可以找到艾九靈了。」

俞秀凡道：「造化城主派了多少支援我的高手？」

肩鋤人道：「支援你的人，都在五毒夫人的手下控制，你告訴她一聲就成了。」

俞秀凡冷笑一聲，道：「那些人一個個如痴如呆，怎能派上用場？」

肩鋤人道：「五毒夫人自有能力指揮他們，你交代一聲就是。」

俞秀凡道：「除了這一批人手之外，還有支援我們的人麼？」

肩鋤人道：「造化城主神威難測，如是俞少俠需要的時候，自會有人趕到。」

俞秀凡道：「閣下，你要不要留下來？」

肩鋤人冷笑一聲，道：「我還有很多要事，不能多留。」

俞秀凡道：「如是我要強把你留下呢？」
肩鋤人怔了一怔，道：「你敢麼？」
俞秀凡道：「爲什麼不敢？」
湯蘭冷冷接道：「針釵湯蘭的飛針，閣下想是早已聽人說過了。」
這時，隨後而行的篷車也已趕到，假扮桑花娘的水燕兒，一收韁繩，停下了篷車。
肩鋤人望望湯蘭，又望望俞秀凡，道：「桑館主，五毒夫人何在？」
水燕兒道：「最後一輛篷車之上。」
肩鋤人冷冷說道：「你認識我麼？」
水燕兒搖搖頭，道：「現在不認識。」
肩鋤人道：「那是說，你過去認識了。」
水燕兒閉口不答。
肩鋤人大聲喝道：「去！叫五毒夫人出來見我。」
俞秀凡一躍下馬，手握劍柄，道：「我不想拔劍，但你必須決定，你是否願留在這裏？」
顏成笑了一笑，道：「如是我的推想不錯，閣下是千里使者。」
肩鋤人哈哈一笑，道：「不錯，你是什麼人？」
敢情，他竟然不識顏成。
顏成道：「論我在造化城中的身分，也不算太差，九刑院主顏成。」
肩鋤人道：「聽說過。」
顏成道：「識時務者爲俊傑，閣下可否多想想。」

肩鋤人道：「我要見五毒夫人之後，咱們再談條件。」
但見車簾啓動，五毒夫人飛身而出，道：「我在此地，有何見教？」
肩鋤人一聽口氣，就不禁一呆，道：「夫人，還記得區區麼？」
五毒夫人道：「千里使者，雙腿之能，快逾奔馬，能連走千里，不進滴水。就算千里馬，也難及得。」
肩鋤人道：「夫人，還能控制大局麼？」
五毒夫人道：「除非服用解藥，他們無法恢復神智。」
肩鋤人吁一口氣，道：「那很好，在下是受城主之諭，下書而來。」
五毒夫人道：「書信呢？」
肩鋤人道：「已交給了俞秀凡。」
五毒夫人道：「那和我無關了。」轉身欲去。
肩鋤人急急叫道：「夫人留步！」
五毒夫人緩緩回過身子，道：「你還有什麼見教？」
肩鋤人道：「此刻，在下要即刻回去覆命。」
五毒夫人道：「請便！」
肩鋤人道：「可是，俞秀凡不讓我走。」
五毒夫人道：「那是你的事了。」
肩鋤人冷笑一聲，道：「要夫人助在下一臂之力。」
五毒夫人道：「我又管不了俞秀凡，如何能助你一臂之力？」

肩鋤人道：「派兩個人，攔他一攔，在下只要能到五丈開外，我相信他就無法追得上我了。」

五毒夫人道：「俞秀凡劍如閃電，我如派人助你，可能會使他們在俞秀凡的劍下喪生，這筆賬划不來，恕難從命。」

肩鋤人怒道：「五毒夫人，在下見著城主之後，要據實奉告。」

五毒夫人接道：「問題是你如何才能見得到他，你沒有機會了。」

肩鋤人怒道：「五毒夫人，你是不肯管了？」

五毒夫人道：「要我管也行，你吃下這粒藥物，我保你平安無事。」

右手微抬，一粒丹丸，直飛了過去。

肩鋤人左手一伸，接住了丹丸，道：「這是什麼藥物？」

五毒夫人道：「無憂丹丸，你吃了之後，就變得和他們一樣，無憂無懼。」

肩鋤人道：「夫人，你好像變了？」

五毒夫人道：「吃下去，至少你眼前可以保住性命。」

肩鋤人道：「如是我不吃呢？」

五毒夫人道：「你如自信能逃過俞秀凡的快劍，那就不用吃了。」

肩鋤人冷冷說道：「情勢迫人，在下只好放手一拚了。」

突然一招「橫掃千軍」，手中長鋤，疾向俞秀凡掃去。

俞秀凡拔劍一揮，但見寒芒閃動，肩鋤人手中木質鋤柄，連斷三截，跌落實地。肩鋤人有生以來，從沒有見過這樣快速的劍法，不禁一呆。

俞秀凡還劍入鞘，冷笑一聲，道：「閣下，如若自信能逃得了，那就請走吧！」

肩鋤人嘆息一聲，道：「夫人，你是否已經背叛了城主？」

五毒夫人道：「我想，你猜對了。」

肩鋤人突然大喝一聲：「罷了！罷了！」反手一掌，自向天靈穴上拍去。

俞秀凡突然疾出右手，扣住了肩鋤人的右腕，道：「閣下，死也不是一件很容易的事。」

五毒夫人左手一抬，端住了肩鋤人的下顎，右手一彈，一粒丹丸，投入了那肩鋤人的口中。

那丹丸入口即化，流入咽喉。

五毒夫人冷笑一聲，道：「你現在可以走了。」

俞秀凡也放開那肩鋤人的右腕。

肩鋤人突然大喝一聲，轉身而去。只見他越跑越快，轉眼之間，跑得蹤影不見。

俞秀凡輕輕吁一口氣，道：「這人跑得好快，把輕功練到了這等境界，實也不容易的事。」

五毒夫人道：「他跑不遠。一頓飯工夫之內，藥性就要發作。」

俞秀凡哦了一聲，道：「咱們是不是要照著這書信上的吩咐，去看看那艾九靈？」

五毒夫人道：「不一定要見艾九靈。但咱們得照著這書信上的吩咐行事。」

俞秀凡未再多問，翻身上馬。篷車又向前行去。果然是照著那書信上指示而行。出人意外的平靜，兩天的行程上，竟然未遇到任何的事故。

俞秀凡暗自計算行程，如若再走上一天，很可能就會趕到艾九靈的宿住之處，不覺心中緊張起來。
但他仍然忍下了心中的焦慮，沒有多問。
直到第三天中午時分，俞秀凡實在忍耐不住，才招來了五毒夫人，問道：「夫人，咱們快到那書信上指定之處了。」
五毒夫人道：「是，如是那千里使者沒有騙咱們，太陽下山時分，咱們就可能趕到了那封信上指定的地方。」
俞秀凡道：「夫人，咱們真的要去找艾大俠麼？」
五毒夫人搖搖頭，道：「不去，如若一個時辰後，還沒有變化，咱們就應該改道了。」
俞秀凡道：「改道，到哪裏去？」
五毒夫人道：「造化城主是心機極深，又充滿著自信的人，他喜歡弄險，常常把事情安排在最後的時刻。所以，咱們要撐下去。」
俞秀凡忽然發覺，五毒夫人不但是一位很有心機的人，也是一位極善應付變故的人物。淡淡一笑，接道：「咱們撐下去，是一個什麼樣的結果？」
五毒夫人道：「最壞的結果自然是見到艾九靈。不過，那不是絕對不可避免的事，你見到艾九靈，但艾九靈卻未必能見到你。」
俞秀凡道：「這話在下就不明白了。」
五毒夫人道：「很簡單，你只要把『俞秀凡』隱藏起來，艾九靈自然就見不到你了。」
俞秀凡道：「多謝指教。」
五毒夫人道：「咱們也可能遇上造化城主擺下的陷阱，那可能要有一場惡鬥苦拚，咱們也可能會有一些傷亡。」
俞秀凡道：「動手搏殺，自是難免有傷亡之事，但在下相信有你夫人主持其事，就算咱們有傷亡，那也是傷亡很輕微了。」
五毒夫人微微一笑，道：「俞少俠誇獎。」
俞秀凡又發覺了五毒夫人一項特長，那就是臨危不亂，沉著無比。
忽然舉起右手，理一理鬢邊的長髮，五毒夫人微笑說道：「咱們走吧！」轉身登上篷車。
顏成笑了一笑，道：「俞少俠，你改扮過自己沒有？在下身上有一副人皮面具，但不知俞少俠是否要用？」
俞秀凡道：「拿過來瞧瞧吧！」
顏成取出人皮面具，遞了過去。
那是一張四十多歲的面孔，而且製造得十分精巧，俞秀凡瞧看了一陣之後，道：「唉！人皮面具，可以遮住一個人的臉，但卻無法遮住一個人的心，戴上它，又有何用？」
顏成笑了一笑，道：「俞少俠，你如躲入了篷車之中，遮去雙目，真的瞧不到艾九靈，就可以心安理得了。」
俞秀凡道：「試試看吧！我盡力而爲，如是實在忍耐不住，那就只好出面履約了。」
這時，假扮桑花娘的水燕兒，突然一收韁繩，整個篷車突然停了下來。
耳際間，傳來了水燕兒的聲音，道：「湯姑娘，停下來！」
湯蘭一收馬韁，道：「什麼事？」
俞秀凡也收住了坐騎，回頭望著水燕兒。

水燕兒道：「前面十丈處，有一片林木，內有埋伏。」
俞秀凡道：「真的麼？」
水燕兒道：「不錯。造化城的事，十之八、九瞞不過我。」
俞秀凡道：「姑娘能夠說出是什麼樣的埋伏麼？」
水燕兒道：「大約是暗器手和一些劍士，但什麼人領隊，我就猜不出了。」
俞秀凡道：「咱們應該如何？」
水燕兒低聲道：「告訴五毒夫人，由她出面對付。」
但見人影一閃，五毒夫人已停在俞秀凡的身前，道：「不用請了。我已經來了，俞少俠有什麼吩咐？」
俞秀凡道：「不敢當。前面一片雜林中有埋伏，此事請夫人查看一下如何？」
五毒夫人回顧了水燕兒一眼，道：「這可是水姑娘的意見麼？」
俞秀凡道：「夫人可是有什麼爲難之處麼？」
五毒夫人道：「沒有。我去查看一下，」
舉手一招，道：「來吧！」
兩個年輕少女，疾奔而來。是五毒夫人的兩個年輕女婢。
輕輕吁一口氣，五毒夫人微笑道：「俞少俠，如若是咱們不能生擒，是否全數殺死？」
俞秀凡道：「這個，我看由夫人決定了。」
五毒夫人道：「好！俞少俠請稍候片刻，我帶著兩個女婢去去就來。」帶著兩個女婢，直向雜林奔去。

俞秀凡想不到事情竟然如此簡單，回顧了水燕兒一眼，道：「燕姑娘，這五毒夫人，怎會如此聽話？」

水燕兒笑了一笑，道：「聽話還不好麼？」

俞秀凡道：「好是好，不過，我覺著有些很奇怪。」

水燕兒道：「什麼奇怪？」

俞秀凡道：「她答應的太快了，答應的沒有一點猶豫。」

水燕兒道：「你不了解五毒夫人的爲人，她對造化城的情勢，了解得很深，應該如何對付，她心中會有分寸。」

俞秀凡哦了一聲，凝目向雜林中望去。但見五毒夫人帶著兩個女婢，直撲入雜林之中。不聞呼喝之聲，也不聞兵刃相撞的聲音。片刻之後，五毒夫人帶著兩個女婢，又匆匆行了回來。

俞秀凡低聲道：「夫人，林中可有埋伏？」

五毒夫人道：「有。共二十四個人。」

俞秀凡道：「可都是造化城中的高手？」

五毒夫人道：「那要看怎麼一個解釋法了，如若以武功而論，他們談不上高手，但他們都是暗器名手。」

俞秀凡道：「夫人怎麼處置了他們？」

五毒夫人道：「全部處死了。」

俞秀凡怔了一怔，道：「夫人好快的手腳，二十四個人，你一下全殺死了麼？」

五毒夫人道：「不錯，全數死了。」

俞秀凡道：「你用的什麼手段，一舉殺死了所有的人。」

五毒夫人道：「我殺人，自然是用毒了。」

俞秀凡道：「他們沒有施用暗器反擊麼？」

五毒夫人道：「哼！他們若是一見面就出手，只怕我和兩個女婢，也不能全身而退了。」

俞秀凡道：「原來如此。」

五毒夫人道：「他們都中了劇毒，而且，早已氣絕而逝了。」

俞秀凡道：「夫人高明極了。」

五毒夫人道：「不敢當。」

俞秀凡道：「夫人，在下現在才知道夫人不是一個平常的人。」

五毒夫人道：「俞少俠誇獎了。」

俞秀凡道：「在下佩服的不是你用毒之能，而是夫人的氣度，把是非明辨於內心之中。」

五毒夫人道：「俞少俠，我是不善言談的人，而且，我也是不喜歡講話的人。」

俞秀凡道：「大智若愚。」

五毒夫人道：「那也是實逼處此，因爲，造化城主太能幹了。他不但在武功上有所成就，而且在智謀韜略上，也非常人能及，言多必失，所以，我一直對自己警惕著。」

俞秀凡道：「夫人，現在，咱們應該如何？」

五毒夫人道：「現在，咱們應該退回去了。」

俞秀凡道：「好！」

回顧了顏成和湯蘭一眼，道：「咱們走吧！」

幾人掉轉了馬頭、篷車，又向另一個方向走去。

顏成一提韁，追了上去，道：「俞少俠，咱們要不要派兩個人到那雜林中看一看？」

俞秀凡搖搖頭，道：「不用了。不管是真的還是假的，她解決了咱們的問題，用不著對她懷疑了。」

顏成道：「俞少俠，江湖上事，不能太過相信。」

俞秀凡微微一笑，道：「我已對五毒夫人多了一份了解。不論是真是假，她都會殺死那些人。如是假的，她怕咱們查，如若是真的，她又非殺死他們不可。」

湯蘭點點頭，道：「公子說得不錯。」

俞秀凡微微一笑，道：「五毒夫人像匣中之劍，已然露出了鋒芒，是朋友的話，對咱們幫助很大。」

顏成道：「如若是敵人呢？」

俞秀凡道：「如若是敵人，咱們也可借此機會利用她一下，讓她多殺一些造化城的人。」

湯蘭道：「不錯，這一點，咱們倒沒有想到，看來公子的鋒芒，也出了劍匣。」

俞秀凡笑了一笑，道：「湯姑娘，有五毒夫人在此，咱們只要對付五毒夫人一個就行了，如是沒有五毒夫人，咱們可是要防止造化城主很多的暗襲。」

顏成道：「公子說得對，咱們對五毒夫人盡量信任，但咱們內心中，要對她有一份警惕的準備。」

俞秀凡笑了一笑，道：「顏兄，五毒夫人是一位大智若愚的人，咱們雖然要防她，但不能流露出來。」

顏成道：「這個，咱們會小心一些。」

談話之間，突聞一支響箭，破空而至，帶一種淩厲的金風。

俞秀凡一勒馬韁，停了下來。篷車也隨著停了下來。

水燕兒飛身而起，落在了俞秀凡的身側，道：「俞少俠，看到了那支響箭麼？」

俞秀凡道：「看到了。」

水燕兒道：「你在江湖上行動不久，對這響箭的作用，很了解麼？」

俞秀凡道：「不太了解。」

水燕兒道：「這支響箭，和一般的響箭還有些不同，這是造化城中的響箭，而且，是一種警告的響箭。」

俞秀凡道：「哦！」

水燕兒道：「這一支響箭，只是一種信號，之後，還會有第二支響箭射來，才是告訴你來的是什麼人？」

俞秀凡還未來得及答話，五毒夫人匆匆行了過來，道：「俞少俠，可能會有一場很凶厲的搏殺，恐怕咱們這個隱密，很難再維持下去了。」

水燕兒道：「夫人，告訴他們了沒有？」

五毒夫人道：「我已經告訴他們，都已經有了準備。」

但聞第二支響箭，破空而至，帶來了一種很奇怪的嗚嗚之聲。

五毒夫人嘆息一聲，道：「是造化城主來了。」

俞秀凡怔了一怔道：「造化城主來了。」

五毒夫人道：「不錯。他本來就是個多疑的人，一發覺徵象不對，就親自趕來此地。」

俞秀凡道：「咱們要如何應付？」

五毒夫人道：「俞少俠準備如何應付呢？」

俞秀凡道：「最好的辦法，就是咱們全力和他一戰。」

五毒夫人淡淡一笑，道：「他現在還是半信半疑，未必知道得十分詳盡，但如你下令和他一戰，那就算洩露了咱們全部的隱密。」

俞秀凡道：「對於江湖上的奸詐手段，在下自知了解太少，所以才請教夫人決行了。」

五毒夫人道：「決行不敢當，你是咱們這一群人的瓢把子，自然，一切事務都要聽從你的令諭行事，就算是錯了，也要一錯到底。事實上，天下也沒有絕對的錯事，只要能注意修正，很多事都可能因錯而成……」

這幾句話，似是含有玄機，俞秀凡聽得似懂非懂。第三支響箭，又劃空而過，這使得俞秀凡無暇多問。

五毒夫人沉聲接道：「不錯。響箭的聲音，確是造化城主大駕親臨，但我不相信他會親自趕來。」

俞秀凡道：「哦！」

談話之間，突聞輪聲轆轆，一輛高大的篷車，疾馳而來。這是罕見的一輛篷車，充滿著一種高貴，神秘。

十匹健馬拖行，篷車四周，都被黃綾幔起，八個車輪，也都被黃綾遮去了一半，只見到半個輪子。大篷車上面較下面小，有如一座寶塔一般，似乎是篷車分了層數。

五毒夫人道：「燕兒！是他乘坐的篷車，到處是機關、埋伏的篷車，記著，不能到距篷車三丈以內的距離。」

水燕兒道：「他可是已知道咱們背叛了他？」

五毒夫人道：「我想，他還在信疑參半之中。」

但見黃綾啓動，一面金牌，飛出車外，噗的一聲，落在地上。

那金牌落地之後，竟然豎立在地上。金牌上用硃砂寫了一個大紅字「參」。

五毒夫人望了那金牌一眼，臉色微變，但她還保持著外表的鎭靜。水燕兒回顧了俞秀凡一眼，欲言又止。那金牌帶過來一股奇寒之氣，似乎是一下把所有的人與物，完全給凍了起來。一時間，一片靜，靜得聽不到一點聲息。

只聽那高大的篷車，傳出了一聲冷笑，道：「你們看到了金牌麼？」

俞秀凡本來想等那五毒夫人應付，但那五毒夫人卻是一語不發。水燕兒假扮了桑花娘，更是不便於說話。

俞秀凡輕輕咳了一聲，道：「看到了。」

車中人哦了一聲，道：「看到了，爲什麼不對車參拜？」

俞秀凡淡淡一笑，道：「車上何許人，在下何許人，爲什麼在下要對車參拜。」

車中人冷笑一聲，道：「俞秀凡，你不是本門中人，見牌不拜也罷了，但五毒夫人應該知道規矩。」

俞秀凡道：「你是造化城主？」

車中人道：「要五毒夫人答話。」

俞秀凡道：「五毒夫人也不是造化城中的人。」

車中人道：「哦！俞少俠的意思是……」

俞秀凡接道：「這裏的人，包括五毒夫人在內，都是在下向造化城主要來的人。這些人，不但已聽我之命，而且也爲我所用，閣下如若真是造化城主，那就不該有此一問。」

車中人未再理會俞秀凡，卻高聲說道：「五毒夫人，你如何決定，怎的避不作答？」

五毒夫人嘆一口氣，道：「我覺著俞少俠說得不錯。城主既然把咱們送給了俞少俠，自然，他算得咱們的上司了，咱們聽他之命，那也不算有錯了。」

車中人道：「看來，你果然是背叛了造化城。」

俞秀凡道：「他們受造化城主之命，爲在下效力，怎麼說背叛了造化城主？」

車中人道：「這麼，水燕兒等一批人，也都服用過你的藥物了？」

五毒夫人道：「他們都很好。」這句話答覆得很含糊，正反兩面都可以說得過去。

這幾句話，至少暴露了一件事實，那就是桑花娘的死亡，還未傳出去。

車中人又傳出一聲冷笑，道：「五毒夫人，你現在是否還肯聽城主的令諭？」

五毒夫人道：「這個，要看城主如何吩咐了。」

車中人道：「五毒夫人叛意明顯，律應處死。」

說了半天，敢情這說話的人，並不是造化城主。但聽口氣，造化城主顯然也在這高大的篷車之上。

忽然間，車簾啓動，飛落下一個全身紅衣的人。這紅色衣服不知是何物，但卻非棉非絹。

紅衣人腳落實地，立刻轉向五毒夫人，道：「你自絕，還是要我動手？」

五毒夫人道：「血影劍衛？」

紅衣人道：「不錯。」

五毒夫人道：「久聞血影劍衛之名，但卻從無緣一見，今日有幸一會了。」

紅衣人道：「咱們見過夫人，也知道夫人用毒之能。」

五毒夫人道：「誇獎，誇獎。」

紅衣人道：「夫人雖有用毒之能，但血影劍衛的特點，就是不怕毒藥。」

五毒夫人道：「我除了用毒之外，自信在武功上，還可以和你動手一戰。」

紅衣人道：「夫人還有如此豪氣？」

五毒夫人道：「聽說血影劍衛才是造化城主的真正護衛，不過，我還是不相信城主真的到了此地。」

四五　血影劍衛

紅衣人道：「夫人如何才肯相信，真的是造化城主駕到了呢？」

五毒夫人道：「造化城主現身出來，讓我瞧瞧。」

紅衣人怒道：「五毒夫人，你既知血影劍衛是城主的真正護衛，就該相信城主確已到此？」

五毒夫人道：「既然到此了，現身一見，有何不可？」

紅衣人突然一瞪雙眼，高聲說道：「五毒夫人，你出言無狀，藐視城主，本護衛要擒你定罪，你是要束手就縛，還是要出手反抗？」

五毒夫人道：「我認爲你假傳城主令諭，不能從命。」

紅衣人道：「放肆！」突然飛身而起，撲向了五毒夫人。

就在他飛身而起的同時，一道白芒，疾閃而出，刺向了五毒夫人。

俞秀凡忽然間拔劍擊出，迎向了紅衣人。但聞噹的一聲，兵刃相擊，兩條人影同時落地。

俞秀凡的長劍緊握在手。那紅衣人手中，也多了一柄軟劍。

紅衣人冷笑一聲，道：「看來，五毒夫人確已和閣下合在一處了，背叛了本門。」

俞秀凡笑了一笑，道：「她說不上背叛，因爲，貴城主已把她撥給了在下。」

紅衣人道：「俞秀凡，咱們奉有令諭，不和閣下動手。」
俞秀凡道：「爲什麼？」
紅衣人道：「因爲要留下你的性命，履行約定。」
俞秀凡冷冷說道：「但在未遇艾九靈艾大俠之前，卻叫在下先遇上了閣下。」
紅衣人道：「遇上了我，你又能怎樣？」
俞秀凡道：「很不幸的是，在下胸藏著很重的殺機。」
紅衣大漢道：「就算是胸藏殺機，只怕未必能殺得了人。」
俞秀凡道：「試試看吧！閣下是首當其衝的人。」長劍揮動，連攻三劍。
紅衣大漢手中軟劍，有如靈蛇擺尾，竟然把三劍完全封閉開去。
俞秀凡點點頭，道：「血影劍衛，果然是有些道行。」
接過俞秀凡三劍，紅衣人已覺著遇上生平未遇的高手，這三劍勢道之快，力量之強，直叫人招架不易。
行家一伸手，便知有沒有。三招交接，紅衣人已自知難是對方之敵，突然發出一聲清嘯，但見人影閃動，那高大的篷車上，一連飛落下三個紅衣劍士。三個人手中都握著長劍。
五毒夫人冷冷說道：「到齊了。血影四劍衛。」
四個紅衣人穿著的衣服一般，身材也差不多，臉上也被一頂連身的掩頰帽遮著，除了最先現身的紅衣人執著一把軟劍之外，這三人，都執著一樣的長劍。
更清楚一點說，這只是四個穿著紅衣的人，根本無法把每個人分辨出來。
俞秀凡長劍斜斜指向半空，道：「四位一齊上吧！」

五毒夫人道：「俞少俠！不用太人方，血影四劍衛，合搏之術，威力無窮。咱們既然有人可以對付他們，為什麼要接受他們的合攻？」

俞秀凡笑了一笑道：「夫人，我要磨練自己，考驗自己。我必須利用造化城高手，磨快我的劍，堅強我的心。」

五毒夫人點頭，道：「好！我們為俞少俠掠陣，需要我們助拳的時候，招呼我們一聲。」

俞秀凡點點頭。

五毒夫人道：「他們身上衣服，刀劍難傷，毒藥難侵，只有他們的雙目和握劍的雙手，是其弱點。」

俞秀凡淡淡一笑，道：「多謝夫人指點。」

長劍一振，劃出了一圈銀虹，接道：「四位可以出手了！」

四個紅衣人互相望了一眼，突然問，四劍並出，分由四個方位攻了過去。

由於取位的準確，四把劍交錯如一道嚴密的網，合罩而下。俞秀凡長劍斜舉，忽然間，急攪而出，長劍灑出了一片劍花。這一招「百花怒放」，乃驚天劍法中一記絕學。

但聞一陣金鐵交鳴之聲，傳入耳際。四支交錯而下的長劍，俞秀凡一劍震開。

這一記防守絕招，不但使得四個紅衣人大感意外，也使得旁側觀戰的五毒夫人心中一震。她覺著這四劍交合之力，如是加諸自己的身上，勢必非遭活活劈死不可。但俞秀凡卻能在一招之下，把四支劍完全封開。單是這一劍，就足見是不凡的功力。

五毒夫人心中生出無比的敬佩，長長吁一口氣，道：「看來，俞少俠用不著咱們幫忙。」

湯蘭道：「血影劍衛身上的衣服刀箭不入，百毒難侵，咱們就算想幫忙，也幫不上忙。」

這時，場中又形成了劍拔弩張的局面。原來，四個紅衣人被一劍封開了攻勢之後，立刻又布成合圍之勢。但是包圍圈的距離，卻大了很多。四個人又開始慢慢向前合攏。

但見四個紅衣人齊齊大喝，第二度躍飛而前，四劍交合，劈了下來。這一次，和上次完全一樣，四支劍由四個不同的方位布成了一個劍網，直罩下來。

俞秀凡大喝一聲，揮劍而出，仍是一招「百花怒放」。長劍灑出了一片劍花，噹的一聲，仍然把四個人給震退開去。

片刻之後，四個人又一次合攻，雙方仍用著一樣的劍式，一樣的結果，四個紅衣人仍然被一劍震開，仍然布成了合圍之勢。別人看來，心中有些不太明白，覺著那些人爲什麼只此一招，彼此的劍式完全不變。

事實上，這是血影劍衛合搏之術最厲害的一招。俞秀凡用的一劍，也是唯一能拒擋四人合擊的一招。但在雙方一招拚力之後，彼此都已用盡了全力，都已無再攻敵人之能。這就是在一招硬拚之後，雙方都無法立即再動手的原因。

但觀戰的人，卻是一點也想不到的。

五次合擊，未能得手，四個血影劍衛已知道了自己無能勝得強敵，雖布成合圍之勢，卻未再出手。

雙方相持了足足有一盞熱茶工夫之久。對四個紅衣人而言，這是很大的失策。這一盞熱茶工夫，他們固然得到充分的調息，但也給了俞秀凡反擊的機會。

但見寒光閃動，俞秀凡長劍幻起了四道寒芒，分向四個紅衣人攻去。明明是一支劍，但這四個紅衣人卻無法分辨出哪一個是虛招。四個人同時大喝一聲，揮起長劍，封擋劍勢。

但見寒芒閃動，一片劍芒卻刺向了那手執軟劍的血影劍衛的領班身上。但聞一聲慘叫，那手執軟劍的血影劍衛領班，握劍的右手，四指落地，鮮血噴出。

五毒夫人低聲讚道：「好劍法！」

俞秀凡長劍疾起，寒芒刺中那紅衣人的前胸。

那紅色的衣服，果然有避刀劍之能，劍上力道，把他震退了兩步，但卻沒有刺入肌膚。

另外三個紅衣人，一招封空，收住劍勢時，俞秀凡已倒轉攻向三人。這一次，俞秀凡完全佔盡先機，長劍展開了驚天劍法，逼得三個紅衣人只有招架之功，沒有還手之力。

四個紅衣人中的一個，斷指棄劍，受傷不輕，合拚之術，也受了很大的限制。俞秀凡的劍勢，也就更顯得矯如遊龍，縱橫自如。不大工夫，三個紅衣人連連中劍。

他們衣服可避刀劍，雖然各中數劍，都沒有受傷。不過，俞秀凡手中強烈的內勁，也使得中劍處，筋骨痠痛，俞秀凡劍上的力量，愈來愈強，中劍人常常被震退數步。

又鬥數十回合，三個紅衣人，已各自中劍十次，傷處雖未見血，但強烈的劍氣，已震得三人消失了抗拒之力。俞秀凡眼見時機已到，正待削去三個紅衣人的握劍手指……

突聽一聲大喝，傳了過來，道：「住手！」

一條人影，由那高大的篷車上飛躍而下。一團烏雲般的黑影，直罩下來。

俞秀凡不知何物下罩，不敢用劍反擊，一提氣，倒退八尺。凝目望去，只見一個全身黑衣的白髯老人，手中執著一個魚網。那魚網籠罩之處，約有五尺方圓。

五毒夫人冷笑一聲，道：「哼！想不到你這飛網翁，還活在世上。」

黑衣人淡淡一笑，道：「老夫是活得久了一些，今年整整一百零七歲，不過閻主不要，小鬼不來拿，老夫就是想死，也死不了。」

五毒夫人道：「我可以給你一種藥，讓你立刻死亡，四個時辰內，身體化成一攤清水。」

飛網翁急急一收魚網，向後退了兩步，道：「老夫這網上，滿是倒鈎毒刺，中人之後，大約也不太好受。夫人要在下能夠中毒的距離之內，我相信你也逃不過老夫這飛網。」

俞秀凡已看清楚了那黑網形體，和打魚的網兒一樣，只不過稍微密了一點。

緩緩向前行了兩步，俞秀凡緩緩說道：「這個網真的能夠網人麼？」

飛網翁道：「網在老夫的手中，哪個不相信，何不過來試試？」

俞秀凡點點頭，道：「不錯，在下正準備要試試。」

五毒夫人道：「俞少俠小心，這老兒飛網之技，已到了出神入化之境。」

飛網翁目光一轉，只見四個紅衣血影劍衛，已然飛入篷車之中。

當下冷笑一聲，道：「來吧！閣下先出手。」

俞秀凡長劍平胸，緩緩向前行去。飛網翁也很沉得住氣，雙目盯注在俞秀凡的劍上，也不肯輕易出手。

從來沒有見過一個人用魚網對敵，俞秀凡內心之中也有些緊張，向前行進的速度很慢。

飛網翁卻是已將那整個魚網收入右手。那魚網也不知是何物做成，展開時可籠罩五尺方圓一片地方，但收入了手中，只可握上一把。

忽然間，俞秀凡長劍探出，刺向那飛網翁的右腕。他出劍的手法太快，快到飛網翁無法撒開手中之網。

哪知飛網翁左手一揚，一片黑影，罩了下來。

原來，他左手之中，還握著一張魚網。這一下，大出了俞秀凡的意料之外。

如若俞秀凡的右手長劍不收，可能會一劍斬下飛網翁的右手。但那飛網翁左手飛出的魚網，也可能一下套中了俞秀凡的人。

權衡輕重，俞秀凡不得不收了長劍，疾退六尺。

這左手的魚網小了一些，張開只可籠罩三尺大小地方。這一回合，兩個人未分出勝負。

飛網翁吁一口氣，道：「好快的出劍手法！老夫活了一百零七歲，還沒有見過這樣的快劍。幸好老夫有兩隻手、兩張網，不然只怕早已被你一劍斬了下來。」

俞秀凡冷冷說道：「在下也有兩隻手。」

飛網翁道：「但你只能用一把劍。」

俞秀凡道：「用劍的人很多，我可以借用一把。」

五毒夫人道：「飛網翁，別忘了，這地方除了俞秀凡外，我們還有很多人。」

飛網翁道：「很多人，難道你們還能以多爲勝不成？」

五毒夫人道：「爲什麼不能。剛才四個血影劍衛，合攻俞少俠一個人時，你們爲什麼不講單打獨鬥呢？」

飛網翁道：「那樣巧麼？老夫是看他們搏鬥甚久，不分勝負，再打下去也是無味得很。」

五毒夫人道：「我們要勝你，不管用什麼方法，反正是你們先開始群攻群打，又不是由我們開始。」

對五毒夫人這等硬軟不吃的方法，飛網翁真還感覺到無法應付。

不禁微微一怔，道：「五毒夫人，你可知道城主也在篷車上麼？」

五毒夫人道：「他把我當貨品一樣，送給別人。又不是我背叛了造化城主，就算他坐在車上，我也不怕。何況，他根本不在車上。」

飛網翁道：「你竟敢如此藐視城主，老夫要讓你見識一下。」

五毒夫人微微一笑，道：「飛網翁，你如是覺著活夠了，今天可以死。」

飛網翁接道：「老夫為什麼要死？」

五毒夫人道：「因為俞少俠要你死，我要幫助他殺死你。」

飛網翁道：「我還不願死，至少還有撤退的力量。」突然飛身一躍，躍上了高大的篷車，消失不見。

俞秀凡實在想不到，就是這幾句話，竟然會把飛網翁給嚇了回去。

笑了一笑，道：「夫人，這是怎麼回事？」

五毒夫人道：「我想造化城主，決不會在車上。」

俞秀凡道：「那咱們現在應該如何？」

五毒夫人道：「很簡單，我已經明顯的背叛了造化城主，從此之後，他們不用再對我懷疑。此後，咱們可能遇上的麻煩那就更多了。」

俞秀凡道：「夫人，能否說明一下，什麼樣子的麻煩麼？」

五毒夫人道：「火攻、水淹、陷阱、殺戮，咱們都可能遇上。所以，從此刻起，咱們要特別的小心才行。」

俞秀凡道：「夫人，既然你已經正式揭開了面具，那也不用再隱密什麼了。」

五毒夫人搖搖頭，道：「不行！我雖然已明顯的背叛了造化城。但他們還有很多人，不了解是怎麼回事。」

俞秀凡道：「你是說，金釣翁一班人？」

五毒夫人道：「不錯，這些人只要不露面，造化城中的人，就不能確定他們身中之毒，是否已經除了。」

俞秀凡道：「這個也很重要麼？」

五毒夫人道：「很重要。飛網翁的逃走，並不是完全怕我們兩個。」

俞秀凡道：「那是說，他怕車上的人了。」

五毒夫人微微一笑，道：「他們身中奇毒，不但打起來全力以赴，而且，武功也比平時增強很多，更可怕的是，一旦動上了手，就不死不休。」她很少笑，但笑起來，竟然也是很美。

俞秀凡道：「在下有一事，心中不明，要請教夫人。」

五毒夫人道：「你可是奇怪，我爲什麼能判定造化城主，不在那篷車之中？」

俞秀凡道：「正是如此。」

但見那高大的篷車，突然轉過頭去，又向來路退回。

顏成低聲道：「俞少俠，飛網翁和血影劍衛，也都算是造化城中的高手，咱們爲什麼不追上去把他們殺了？」

五毒夫人搖搖頭，道：「追不得。」

顏成道：「爲什麼？」

五毒夫人道：「造化城主，就在車中。」

這幾句話，說得全場人，都不禁爲之一怔。

俞秀凡道：「夫人，這是怎麼回事？」

五毒夫人道：「拚命起來，咱們未必能夠勝他們。但造化城主，估計一下，他們帶來的人手，也不是咱們的敵手，再被我拿話一穩，也就不好再出面了。」

湯蘭道：「他能忍得下這口氣麼？」

五毒夫人道：「咱們如若知道了，他自然會忍不下這口氣，但咱們覺著他不在篷車上，他就可以忍下這口氣了。」

俞秀凡道：「這將永遠成為一個疑團，沒有人會想到造化城主在車上，而且又逃走了。」

五毒夫人微微一笑，道：「如是他不在車上，這一輛高大的篷車，定然坐的全部是殺手，如若全部是殺手，他們就不會撤退了。」

湯蘭突然叫道：「俞少俠，有人來了。」

俞秀凡目光轉動，只見四面塵土飛揚，似是有不少健馬奔來。

江湖經驗豐富的針釵湯蘭，急急說道：「俞少俠、夫人，快些下令要他們下車戒備。」

俞秀凡道：「為什麼？」

五毒夫人已轉身奔近篷車，大聲說道：「諸位快請下車，嚴密戒備。」

但見車簾啓動，車中人紛紛跳了出來。

這時，已可聞得馬蹄之聲奔了過來，一排十餘匹健馬，直衝過來。馬上人一手執著長刀，一手執著匣弩。

五毒夫人高聲叫道：「各選地形，拒抗強敵，小心匣弩。」

喝聲中，那當先一排馬隊，手中匣弩已然發出，但聞金風破空，一匣連續射出了五支弩箭。

數十支純鋼弩箭，疾如流星一般，直射群豪。

幸好五毒夫人早一步傳下拒敵令諭，群豪兵刃都已在手，有些隱於篷車之後，掩護身軀，有些揮動著手中的兵刃，拒擋箭雨。但聞金鐵相擊之聲，不絕於耳。

五毒夫人突然飛身而起，一躍三丈多高，半空收腿扭腰，一個跟斗，翻出去五尺多遠，避開了兩支射來的弩箭，疾撲而下。

方堃緊隨著發動攻勢，撥開近身弩箭之後，仗劍躍出，劍如疾風，一劍把一個近身騎士，腰斬兩段。

五毒夫人身子還未落下，屈指連彈，一片毒粉，射了出來，四個騎士，忽然滾下馬來。

這當兒，站在一側的俞秀凡，長嘯一聲，揮劍攻上。原來，他不相信這些騎隊，竟會蠻不講理地突然放出弩箭，揮動長刀，攻了上來。眼看群豪紛紛出手，這才怒火中燒，揮劍向第二排騎隊衝去。

這是經過嚴格訓練的騎隊，而且編組嚴整，每排十人，一樣的衣服，各騎著一匹健馬，年齡也差不了多少。

針釵湯蘭嬌軀仰臥，施出鐵板橋的功夫，避開了兩支掠面而過的弩箭，和一柄橫裏斬來的長刀，揚手發出了兩把飛針。數十縷銀芒一閃，又有兩個跌下馬來。

群豪紛紛出手，片刻之間，第一排衝過來的騎士，全數被殲。

但拉車的健馬，有兩匹被箭射中，負疼長嘶，疾足狂奔，再加上那些被殲騎士的坐馬，無人控制，四下闖奔，場中混亂至極。

這些騎士武功並不很高，但他們騎術精湛，又以匣弩和長劍配合，以及那連綿不絕向前奔衝的勁勢，構成了無與倫比的威力。就算是武林第一等高手，也不易阻攔這等波浪式的衝擊。

但俞秀凡和五毒夫人等一批人物，都是當今武林第一等高手，對敵應變，又非一般高手可比。

第二排衝奔而來的騎隊，還未來得及展開攻勢，俞秀凡已挾著一片劍光，衝了過去。

但見寒芒閃動，有如一道長虹般捲了過去。大喝聲中，鮮血濺飛，四個騎士，被橫斬而死。

整個的騎隊，也被俞秀凡這凌厲的一擊，衝得四下奔散。這一波的攻勢，大受影響。原來綿綿相接的衝擊，已經銜接不止，威力就大爲減弱。

俞秀凡衝散了第二波攻勢，方堃和水燕兒立刻聯手攻出。兩把劍，有如綾剪，各自腰斬三人。

但第三波騎隊衝了過來。俞秀凡仍然是首當其衝。長劍閃閃，化作一圈光影，直向第三波騎隊攻了過去。

慘叫聲中，鮮血濺飛，兩個騎士和兩匹健馬，橫死於俞秀凡的劍下。

騎士如飛，另外八匹快馬，已衝了過來。同時第四波騎士也到了，匣弩齊發，數十支利箭，集中射向俞秀凡。俞秀凡長劍展布，幻出了一片劍影。但聞一陣叮叮噹噹之聲，近身弩箭盡爲擊落。

俞秀凡震開了近身弩箭，四個騎士快馬如風，已然衝到身前。

四把長刀，交錯而至，俞秀凡還未及揮劍封擋，方堃和水燕兒，已如雙龍出水一般，分由兩側攻了過來。但見寒芒一閃，四個騎士，紛紛落馬。

這時，群豪也有了傷亡，兩個追隨五毒夫人的女婢，一個身中五箭而死，一個被數個合衝而至的騎士，長刀劈死。

五毒夫人這兩女婢，武功雖然不太高明，但兩人卻是調毒的能手。目睹女婢慘死，激起了五毒夫人的殺機，冷笑一聲，疾向前行騎隊迎去。

水燕兒高聲叫道：「夫人，不可求功心切，咱們排成一個迎擊的陣勢，殺他一個片甲不留。」

五毒夫人究竟是久經大敵的人，閱歷豐富，聞聲停下了腳步。

這會兒，向前奔衝的騎隊，也突然停了下來。大約是指令騎隊發動攻勢的人，也發覺了這些武林高手，非同小可，如是一味強攻，很可能會造成更大的傷亡，所以下令停攻。

雙方相距了十餘丈，保持一個對峙之局。大約過了有一盞熱茶工夫之久，那對峙的騎隊突然轉過馬頭而去。這一批剽悍的騎隊，來如風，去如飆，但見煙塵滾滾，片刻間走得無蹤無影。留下了數十具人、馬屍體。

五毒夫人回顧了兩個女婢的屍體一眼，不禁黯然一嘆。

方堃輕輕吁一口氣，道：「夫人，咱們保護不周，死了夫人從婢，心中遺憾得很。」

五毒夫人道：「此事怎能怪得方劍主。唉！我該多傳她們一點武功才對，只可惜，她們只學會了調製毒藥。」

方堃道：「方某人已恢復了本來面目，這劍主之稱，再也休提。」

五毒夫人道：「方兄說得是，兩番動手相博，咱們都已變成了造化城主的追殺要犯，此後，怕是步步凶險了。」

俞秀凡道：「夫人，他們還有些什麼手段？」

五毒夫人道：「造化城主有一個信條，那就是除非逼不得已，決不正面和人動手，他是天生陰險人物，一向是只求心願得償，不擇手段、方法。」

俞秀凡道：「唉！在下初聞造化城主之名，聽說他是一個很慈和的老人，對人和藹，充滿著仁慈，那個人，又是誰呢？」

五毒夫人道：「也是造化城主。」

俞秀凡道：「是他的化身之一麼？」

五毒夫人道：「不是化身，那是造化城主本人。」

俞秀凡道：「一個人，怎會有這樣絕不相同的性格？」

五毒夫人道：「因為他太聰明，能做出人所不能的事。起初之時，他做得十分小心，所以，他很成功，掩蓋了人的耳目，但後來，他太成功了，他忽略了很多事，開始露出了很多的破綻。」

俞秀凡道：「這個人的確是很可怕，能在一個組合中，有幾種完全不同的統率手段。」

五毒夫人道：「所以，他能用正人君子，也能用卑劣小人，只要是投入他門下的人，他都可以用其所長。這人的厲害，實因他具有了多方面的能力。」

俞秀凡道：「這麼說來，咱們會遇上些什麼攻襲，連夫人也不知道了。」

五毒夫人道：「是的，沒有人能猜想到他會用些什麼手段，也沒有人會想到，他會用出些什麼樣的人物，對付這樣強大而又不擇手段的敵人，只有靠細微的觀察和隨機應變。」

俞秀凡道：「這真是一個可怕的人物！」

五毒夫人道：「也許我描述的還不夠。因爲，沒有一個人能把造化城主具體描述出來。」

俞秀凡沉吟了一陣，道：「夫人，如若咱們能再見到他，可否全力和他一拚？」

五毒夫人沉思了良久，道：「假如俞少俠能拋棄君子之風，以你俞少俠爲主，再加上我和水燕兒，三人合手，我相信可以勝他。」

水燕兒接道：「這要以俞兄和夫人爲主，我只怕是難當大任。」

五毒夫人道：「此是何時，燕姑娘也用不著推辭了。你的成就，我很清楚，造化城主是真心的傳你武功，把你收爲義女，我從沒有見過他如此真誠，厚待一個人。他是真真誠誠的待你。後來，你長大了，長得亭亭玉立，他忽然對你生出了綺念……」

「你的運氣很好，因爲他一直以一種仁慈長者的身分和你見面，一時間竟然拉不下臉。後來，他把你移居聽松樓，也就是想離你遠一些。你能逃過這一切，半由天意，半由人力。」

水燕兒長長吁一口氣，道：「原來，個中還有如此的曲折。」

五毒夫人道：「如是你不遇上俞秀凡，生出情愫，引起變故，早晚你也會被他傷害。」

目光轉注到俞秀凡的身上，接道：「這就是造化城主，一個多面的人物，好到至善至美，壞到無惡不作。但總而言之，造化城主不會滿足於一門一派之長，他要統率天下，他要爲江湖之王，做領導著黑、白兩道的總首腦。」

俞秀凡道：「得夫人這些指點，咱們總算對造化城主有些了解了。」

沉吟了一陣，接道：「造化城勢力太過龐大，單是咱們幾人之力，決無法應付。」

五毒夫人道：「俞少俠的意思呢？」

俞秀凡道：「我想找一些能幫助咱們的人。」

五毒夫人道：「誰能幫助咱們？」

俞秀凡道：「少林派。我想上少林寺一行，不知諸位的意下如何？」

五毒夫人道：「嵩山少林寺？」

俞秀凡道：「少林寺號稱當今第一門戶，他們也應該對武林道義，生出一些力量。」

五毒夫人道：「聽說少林寺中，也有造化城主的人。」

俞秀凡道：「就算是有吧，也不會有很多，咱們幫他們找出來。先替他們清內奸，再要他們派出人來，助我們對付造化城。」

五毒夫人道：「辦法不錯。只是行起來恐怕還有很多的困難。」

俞秀凡道：「困難誠然很多，但咱們沒有別的選擇。少林寺如能振臂而起，對咱們幫助很大，更大的是少林寺出了手，也可能引起其他門派的響應。」

五毒夫人道：「不管如何，值得去碰碰運氣。」

語聲一頓，接道：「不過，咱們此行，一定要隱密，還得曲折，一旦被造化城主知曉了，必將會沿途截殺。」

計議好了細節，群豪重又登上了行程。五毒夫人不再隱密身分，水燕兒也恢復本來面目。

這一次，群豪有了計劃，也有了嚴密的防範。

五毒夫人和水燕兒雙騎開道，俞秀凡居中而行，方堃和金釣翁斷後跟進。

中間是兩輛篷車。車中都是造化城主送的金銀、珠寶。小桃童和顏成，暫時擔當了駕駛篷車的車夫。

五毒夫人沿途十分留心，仔細地看過每一處可疑的地方。她雖是用毒高手，但她心中明白，對群豪威脅最大的還是下毒。也許是造化城主知道了有五毒夫人同行，用毒未必能對付得了群豪，很多處適合下毒的地方，竟沒有下毒。

繞道行向少林寺，是一段很長的旅程。幾人一連行走五日，竟然未遇一點風波。

這日中午時分，群豪在一處小村鎮上打尖。

俞秀凡望望五毒夫人，道：「這一路行來，平安得很。」

五毒夫人道：「咱們行程變化莫測，使他無法把握，再說，他已經知道了我們的實力，如若是想從造化城中找出一批對付我們的人，只怕也非易事。」

俞秀凡道：「這麼說來，咱們很可能平平安安地抵達少林寺了。」

五毒夫人道：「那又未免太過低估造化城主了。我的看法是，等他完全了解咱們的去向之後，他就會安排下重重截擊，那將是極難對付的攔截。」

俞秀凡道：「夫人，在下倒覺著，最好能再有一個機會和他一決生死。」

五毒夫人道：「俞少俠，你可是感覺到自己在劍術上又有了進境？」

湯蘭接道：「夫人，俞少俠在劍術上決不輸造化城主。只是，在內力上敗在了造化城主的手下。」

五毒夫人道：「原來如此。」

語聲一頓，突然泛起了滿臉莊嚴之色，接道：「俞少俠只要能對付造化城主的快劍，咱們就有了對付他的法子。」

俞秀凡道：「怎麼說？」

五毒夫人道：「造化城主最使人畏懼的，就是他的快劍。那真是出加閃電，疾如狂風，我曾看到他在片刻工夫之中，殺傷了一十八個江湖高手。」

俞秀凡接道：「不錯，造化城主內力強大，劍招來勢，有如泰山壓頂一般，如是想拒擋他的劍勢，實在並非易事。」

五毒夫人道：「只要俞少俠能封住他的快劍，我們就有辦法對付他了。」

俞秀凡笑了一笑，道：「封他快劍一事，夫人不用放在心上。在下自信能夠對付得了。」

五毒夫人道：「俞少俠，我看過造化城主的快劍，還沒有看過你的劍法。」

俞秀凡道：「夫人的意思是，想要見識一下了。」

五毒夫人道：「不錯，如是俞少俠願意出手，我倒想開開眼界。」

俞秀凡微微一笑，道：「好吧！」

忽然間，拔劍而出，劍發寒芒，已指到了五毒夫人的咽喉之上。真是快得像閃過的一抹流光。

五毒夫人點點頭，道：「很快，但我無法分辨你和造化城主，哪一個人快些？」

俞秀凡道：「應該是在伯仲之間。我們如是互相對峙，都必需全神戒備，誰要稍有鬆懈，就可能死在對方的快劍之下。」

五毒夫人道：「那很好，希望你能親自出馬，在咱們趕往少林寺的途中，遇得上他。」

水燕兒道：「夫人，你真有把握能夠掌握機會麼？」

五毒夫人道：「你、方堃、俞秀凡，再加上我，相信可以對付他。只要俞秀凡能封住他的快劍。」

水燕兒低聲道：「夫人，咱們不能太低估了造化城主。」

五毒夫人道：「我知道，但除此之外，別無他法了。」

水燕兒道：「小妹之意，咱們不能只想到他的快劍手法，要想出他可能用什麼對付咱們，咱們就用什麼辦法去對抗他。」

五毒夫人道：「造化城主會的武功太博雜，咱們怎知他會用出什麼武功？」

水燕兒略一沉吟，接道：「對了！我知道，造化城主練成了一種武功，叫做『寒魄流雲指』。」

五毒夫人道：「從來沒有聽說過這種武功，你既然知曉這種武功，可知那有什麼厲害之處麼？」

水燕兒道：「小妹也不知詳細情形。不過，聽說那是一種很陰毒的武功，把練就陰寒之氣，集於一指，化成一縷很細微的寒氣，無聲無息的攻擊敵人。」

五毒夫人怔了一怔，道：「真有這種武功麼？」

水燕兒道：「三年前，他已經練成了這種武功，不過，那是初成，現在，應該已入大乘之境了。」

五毒夫人道：「造化城主崛起於江湖，來的是無聲無息，他有著這樣超人成就，統治了江湖大半高手，創造出造化城這樣一片天堂、地獄，利用了自然的山川形勢，製造出各種不同幻影、景物，使人能感覺山川移形，溪流換位，這是何等博大的成就。但武林之中，對他的出身，卻是諱莫如深。」

俞秀凡道：「聽說他和艾大俠同出一門。」

五毒夫人道：「這都是傳說，很多種不同的傳說，嚴格點說，這些事也可能是造化城主故意傳出來的事跡，讓人去附會猜想。」

無名氏忽然接道：「公子，夫人，在下覺著，清查造化城主的身分，固是一件重要的事，更重要的是，咱們先要想出對付他的辦法。」

五毒夫人道：「咱們如是一舉能把他制服，那也罷了，問題是，這樣的可能不大。」

無名氏道：「夫人不是早已胸有成竹了麼？」

五毒夫人道：「這是我們的打算，但要造化城主上當，想來不是一件很容易的事。」

沒有人真正了解造化城主，自然，也無法找出一個對付他的有效辦法，他是一頭狡猾的千年老狐，不論有多少陷阱，都沒有捕捉到他的把握。但五毒夫人仍然做了很精密的安排。

大出幾人意料之外的是，一連數日，竟然再沒有遇到任何事故。

造化城主受了數次挫敗之後，似乎已不願再為對付幾人付出精神。但五毒夫人心中明白，醞釀愈久的風暴愈大，造化城主不是個甘於認輸的人，遲遲不肯動手，那是因為他要做更完善的準備。

俞秀凡對這太過平靜的行程，也有很多的疑慮，幾次想問問五毒夫人，但都忍了下來。

這日，已進入了河南省境。仍然沒有發生任何一點事故。

五毒夫人一路上小心觀察，連一點可疑的徵象也沒有發現。這一來，連五毒夫人也覺著奇怪了。

車馬兼程又行五日，距離嵩山只餘下三天的行程。

俞秀凡雖然忍不未問，五毒夫人卻自己忍耐不住，一勒馬韁，和俞秀凡並肩而行，道：「俞少俠，距離嵩山少林寺還有多遠？」

俞秀凡道：「不足三日行程。」

五毒夫人道：「造化城主應該有所行動了。」

俞秀凡道：「在下也正想問問夫人，造化城主爲什麼這麼久時間沒有行動？」

五毒夫人道：「我也在奇怪，難道他要在少林寺中下手？」

俞秀凡道：「不可能！那嵩山少林寺，一向被武林同道視作泰山北斗，寺中僧侶數百人，個個都會武功，造化城主就算膽大包天，也不便在少林寺中下手。」

五毒夫人道：「俞少俠，對造化城主這個人，最好不要以常情測度。」

俞秀凡道：「夫人之言有理。咱們處處小心一些就是。」

這三天的行程，俞秀凡等一行入，戒備的特別嚴密。又出人意外的是，仍然沒有遇上任何事故。

這日，中午時分，一行人到了少林寺前。

篷車、坐騎，都已留在了寺外松林旁車棚、馬欄。

俞秀凡等正向寺門行去。

俞秀凡來過少林寺，但那時他是被艾九靈帶來助長他的功力，匆匆來去，對一切人、事、景物，都沒有很清明的記憶。此一番，雖然是舊地重遊，對一切事物仍有著很新奇的感覺。

也許是一行人、篷車、健馬，浩浩蕩蕩而來，少林寺中早已得到消息，因此，俞秀凡行至寺前，少林寺大門內，魚貫行出來四位身著灰色僧袍的和尚。當先一人，年約四旬，光亮的頭上，留著六個戒疤。

四個灰衣僧人，一字排開，站在寺門前面，似是歡迎，也像是攔阻去路。

未容得俞秀凡開口，當先僧人已合掌喧了一聲佛號，道：「貧僧少林本院知客宏法，見過諸位施主。」

俞秀凡抱拳一禮，道：「不敢當。在下俞秀凡，和幾位好友，特來拜訪貴寺。」

宏法道：「諸位是還願，還是進香？」

俞秀凡搖搖頭，道：「既非還願，亦非進香，而是求見貴寺方丈。」

宏法大師怔了一怔，道：「敝寺方丈？」

俞秀凡道：「正是少林寺掌門方丈，還望大師代我們通報一聲。」

宏法目光轉動，打量了俞秀凡身後的男男女女一眼，道：「這些人，都是俞施主的好友麼？」

俞秀凡道：「不錯，大師……」

宏法接道：「敝寺有一個規戒，俞施主想是早已知曉了。」

四六　少林傳警

俞秀凡搖搖頭，道：「不知道，大師有何見教，但請吩咐。」

宏法大師道：「少林本院，數百年來，從無婦人進入過寺院。」

五毒夫人道：「大師這話，未免誇口了。就我所知，貴寺有不少慕名而來的貴夫人，進廟燒香。」

宏法大師道：「不錯。本寺也有婦人來過，不過，那是初一、十五，廟門大開之時，寺中才准進入，而且，只限於第一重大雄寶殿，如是女施主一定要進入大殿，那就只好等初一、十五再來了。」

五毒夫人道：「大師，咱們不是一般的進香朝山女子，而是有機要大事面見貴寺方丈。」

宏法大師搖搖頭，道：「女施主，就算你真有大事要見敝寺方丈，也不能破壞敝寺的規矩。」

五毒夫人沉吟了一陣，道：「大師，如若咱們把貴寺方丈請出寺來，是否可以？」

宏法大師道：「辦不到。女施主。」

五毒夫人淡淡一笑，道：「大師，我聽說有一種很激烈的辦法，可以進入寺中。」

宏法大師道：「女施主，敝寺確有一種辦法，可以進入寺中，只不過自貧道入寺中以來，從未聽到過發生這樣事情。」
五毒夫人道：「想來，那一定是一件不太愉快的事了。」
宏法大師道：「正是如此。那是憑仗武功，衝入敝寺中，這要一場很激烈的搏殺，本寺向有不輕易傷人的戒規，只有在這時候，不受傷人的限制。所以貧道希望施主再想想。」
五毒夫人道：「大師，如沒有別的辦法，使我們見到貴寺方丈，那就只有用此法子了。」
宏法大師道：「諸位施主如若一定要選擇這樣一條路，那也是沒有法子的事了。」
五毒夫人回顧了俞秀凡一眼，道：「俞少俠，對此事有何高見？」
俞秀凡笑了一笑，道：「這個悉由夫人作主。」
五毒夫人目光轉注到宏法大師身上，道：「大師，我們決定了。請回去通知貴寺方丈一聲，一個時辰之後，我們進入寺中。」
宏法大師道：「諸位真的決定了？」
五毒夫人道：「決定了。」
語聲微微一頓，道：「有一件事，我要先行奉告大師。」
宏法大師道：「貧僧洗耳恭聽。」
五毒夫人道：「我是當今之世有名的用毒高手，進入貴寺中時，可能會施展毒物。」
宏法大師道：「女施主是……」
五毒夫人道：「湘西五毒門的五毒夫人。」
宏法大師怔了一怔，道：「你是五毒夫人？」
五毒夫人道：「不錯。」

伸手一指俞秀凡，接道：「這一位是俞秀凡俞少俠。」
宏法大師一合掌，道：「都是武林名人，貧僧失敬了。」
俞秀凡道：「大師，如是別有良策，我們仍希望和氣的見到貴寺方丈。」
宏法大師道：「你是俞少俠了？」
俞秀凡道：「不錯。在下正是俞秀凡。」
宏法大師道：「俞少俠在江湖上已經很有名氣，少林寺中也已聽到俞少俠的大名了。」
俞秀凡道：「好說，好說。在下初出茅廬，見識不多，有什麼缺失之處，還望大師能夠不吝指教。」
宏法大師道：「俞少俠出道江湖不久，已經名滿武林，貧僧深居高山，也聽到大名了。」
俞秀凡道：「大師誇獎了。」
語聲一頓，接道：「咱們求見貴寺方丈的決心，十分堅定，事關武林正邪存亡的大事，只有不拘小節了。請大師指教咱們一條明路。」
宏法大師沉吟一陣，道：「俞少俠，最好不要硬闖少林寺，將會引起很大的衝突，那可能會演成流血的生死之戰。」
俞秀凡道：「大師，我們千里迢迢趕來少林寺，用心只是想見見貴寺方丈，此願如不能達成，決不罷休。」
宏法大師道：「這麼吧！俞少俠，貧僧可以把俞少俠的心願，轉告給敝寺方丈，由他決定。」
俞秀凡道：「好！咱們幾時能得到大師回音。」

宏法大師道：「兩個時辰如何？」

俞秀凡道：「好！就依大師。在下就在廟門外面等候如何？」

宏法大師道：「俞少俠，這樣不行。少林寺是一處很莊嚴的佛教勝地，怎麼能夠讓諸位這樣一大批人，守在大門口處。」

俞秀凡道：「大師的意思呢？」

宏法大師道：「西行里許處，松林前面，有一片房舍，那是少林寺中接待賓客的地方，諸位，請在那裏稍候，貧僧盡快把消息轉達諸位。」

俞秀凡道：「就此一言爲定，在下恭候佳音。」

那是一幢青松環繞的房舍，青石砌牆，綠瓦覆頂。

兩個小沙彌把幾人迎入大廳，奉上香茗。

俞秀凡嘆一口氣，道：「諸位，在下一直擔心，少林寺掌門方丈拒絕了咱們之後，是否真的要衝入少林寺中？」

五毒夫人道：「設身處地爲少林高僧代籌，他沒有不見咱們的理由。如若他真的一口回絕，個中就大有內情了。」

俞秀凡道：「難道造化城主的勢力，已經伸入了少林寺中？」

五毒夫人道：「很可能。造化城主早已派人滲入了少林寺中，目下的問題是，他在少林寺中，有多大的勢力，又能掌握到多大的權力，是否已能左右掌門方丈，或是把這件事壓下來，不讓掌門方丈知道。」

俞秀凡道：「對！在下還未能想得如此透澈，咱們非見少林寺的掌門方丈不可！」

五毒夫人道：「賤妾也是這個意思。目下，我們和造化城主，已成了勢難兩立之局，咱們後無退路，只有前進一途，少林寺中如已被造化城主的勢力滲透，咱們應該先幫助少林寺清除內奸。」

水燕兒道：「夫人，如若少林寺掌門方丈，也爲造化城主掌握了呢？」

五毒夫人沉吟了一陣，道：「照常情而論，這個可能不大。歷來的少林寺掌門人選，都是極具慧根，又要忠於規戒的人。武功上的成就，反而變成了次要條件。問題是，少林寺太龐大，人數眾多，難免良莠不齊，少林掌門方丈，地位又太過崇高，受人蒙敝的機會很大。」

水燕兒道：「咱們哪一個認識少林寺掌門方丈？」

五毒夫人道：「水姑娘的意思是……」

水燕兒道：「如若咱們都不認識少林方丈，他隨便找個和尚出來，咱們也無法認出啊！」

五毒夫人怔了一怔，道：「這是一樁很簡單的事，但卻很重大。」

水燕兒道：「如是咱們無人認得少林方丈，倒是希望他們拒絕咱們入寺中了。」

五毒夫人點點頭，道：「說得也是，咱們放開手，大鬧它一場，必可驚動少林方丈。」

但見金釣翁接口說道：「老朽認得少林掌門方丈。」

五毒夫人道：「大師好多年前見過他？」

金釣翁道：「二十年前，也就是老朽進入造化城的前一年。」

五毒夫人道：「金老兄，你還能記得他的法號麼？」

金釣翁道：「如是老夫沒有記錯，他應該叫玄莊大師。」

五毒夫人道：「不錯。正是玄莊。我雖未見過他，卻知他法名。」
水燕兒道：「老前輩，你還記得他的模樣麼？」
金釣翁道：「很清楚，只要是他，我能一眼瞧出來。」
水燕兒道：「有一個能夠認識他那就行了。」
金釣翁道：「老朽的想法是，咱們這一群人，決不會只有老朽一人認得玄莊大師。」
無名氏接道：「我也認識。」他說此言，似乎是用了很大的氣力，說得面紅耳赤。
五毒夫人一皺眉頭，道：「無名氏，你哪裏不舒服了？」
無名氏搖搖頭，道：「我很好。」
五毒夫人道：「那爲何說起話來十分吃力？」
無名氏道：「我在想那玄莊大師的模樣，是否還能記得清楚。」
俞秀凡微微一笑，道：「無名兄，現在想清楚了沒有？」
無名氏道：「想出來了。」
俞秀凡道：「那很好。」不再多問。
回頭望著金釣翁，接道：「在下的想法，以少林方丈之尊，決不會跑到此地來見咱們。」
無名氏道：「很難說……」他說話似是意猶未盡，但卻突然間中途住口。
五毒夫人又皺皺眉頭，道：「無名兄，你有什麼高見麼？」
無名氏道：「沒有。在下沒有判事之能。」
過了約一個時辰，宏法大師突然快步行了過來，一抱拳，道：「俞少俠，敝寺方丈亦聞大名，破例來此，一晤俞少俠。」

俞秀凡道：「這個叫俞某人如何敢當？」

宏法大師合掌一笑，道：「少林寺，敬的是英雄義士，像俞少俠的俠義行徑，敝寺中方丈……」話未說完，已有兩個小沙彌，當先帶路而來，身後跟著一個中年和尚。

俞秀凡抬頭望去，只見那和尚年約半百，寶相莊嚴地緩步而來，兩個小沙彌一個捧著戒刀，一個捧著綠玉佛杖。中年和尚身披黃色袈裟，莊嚴中帶著一臉微笑。

俞秀凡搶先一步，抱拳一禮，道：「晚輩俞秀凡，拜見大師。」

黃衣和尚一伸手，攔住了俞秀凡，道：「不敢當俞少俠的大禮。」

俞秀凡笑了一笑，道：「俞某恭敬不如從命。」

黃衣和尚道：「貧僧玄莊，現爲少林掌門人，弟子稟傳，俞少俠指名要見貧僧，但不知俞少俠有何見教？」

俞秀凡道：「目下江湖，亂象已萌，大師可否知曉？」

玄莊大師黯然一嘆，道：「天意！天意！只怕人力很難挽回。」

俞秀凡道：「就在下所知，禍由人起，人去禍息，縱然有些困難，也非絕對不可挽回。」

五毒夫人低聲道：「金釣翁，你看這人是不是少林方丈？」

金釣翁道：「長得很像。」

五毒夫人道：「我看，咱們還得去問他幾句，看看他應變之法。」

金釣翁心中暗道：少林掌門德高望重，掌門人竟然真的現身趕來了。

五毒夫人說道：「大師，目下造化城主已準備完成，即將出山。就算咱們願意棄劍，人家也未必會留下咱們。」

玄莊大師沉吟了一陣，道：「五十年前，一次武林論劍大會，折損了不少少林寺中的精英。從那次之後，少林就不太過問江湖中事了。」

五毒夫人說道：「大師，目下的情形，已不是貴寺是否過問的事，而是整個武林，正面臨覆亡之危，貴寺爲天下第一大門派，如若貴寺不挺身而出，不但整個江湖要沉淪下去，而且，覆巢之下無完卵，貴寺也無法獨力逃過這次大劫。」

玄莊大師道：「聽說夫人也是造化城中的人。」

五毒夫人道：「不錯。我是造化城中的人，但現在我已經背叛了造化城主。」

玄莊大師道：「原來如此。」

五毒夫人道：「我們被造化城主遣派的大批高手，追蹤捕殺，已經趕的無路可走了。咱們到少林寺來，一是投奔，二是請貴寺派遣高手，準備對付造化城主的人。」

玄莊大師道：「夫人，如是本座拒絕了夫人之求呢？」

五毒夫人道：「大師，你最好答應這件事。」

玄莊大師道：「夫人，可是在威脅本座麼？」

五毒夫人道：「不敢，不敢。我只是對大師陳明利害而已。」

玄莊大師道：「本座知道了。這件事我會考慮，至於諸位被造化城主追殺，投奔本寺一事，在本寺還未準備妥當之時，恕難從命。」

五毒夫人道：「大師拒絕了。」

玄莊大師道：「不錯。本寺中不便容納諸位，只好違命了。」

五毒夫人道：「大師，如是咱們非要留下來不可呢？」

玄莊大師道：「本寺可以拒絕不接納。」
五毒夫人笑了一笑，道：「俞少俠，咱們應該如何？」
俞秀凡還未來得及答話，瞥見無名氏大步而出，伸手指著玄莊大師，道：「你作不了主！」
玄莊大師微微一怔，道：「我為什麼不能作主？」
無名氏道：「因為，你根本不是玄莊大師，你是假冒的少林方丈。」
玄莊大師一皺眉頭，道：「你是什麼人？敢對貧僧如此無禮。」
無名氏道：「你不用管我是什麼人，證明此事，並不太難。」
玄莊大師道：「如何一個證明法？」
無名氏道：「那很容易，只要你和咱們一同再去少林寺中一行，那就證明了你是真的。」
玄莊大師道：「俞少俠，這人是何身分，怎會如此無禮。」
俞秀凡笑了一笑，道：「他雖然說話少些禮貌，但他說的話卻很真實。」
玄莊大師冷冷說道：「俞少俠，在下很尊重諸位，但如諸位不能敬重本座，少林寺就要下令逐客了。」
俞秀凡道：「你可以下令逐客，但咱們未必肯聽。」
玄莊大師怔了一怔，道：「諸位是準備在少林寺中撒野了？」
五毒夫人冷笑一聲，道：「但憑你這一句話，就可知曉你不是掌門方丈了。」
玄莊大師道：「五毒夫人，你這話什麼意思？」
五毒夫人道：「很簡單，那玄莊大師乃是有道高僧，怎會說話如此有失風度。」

玄莊大師怒道：「宏法，這些人如此無禮，給我拿下送往戒恃院去。」
五毒夫人笑了一笑，道：「大師，你不覺著帶來的人太少一些麼？」
玄莊大師微微一怔，回目望著宏法。
宏法大師一橫身，先攔住了五毒夫人的去路，高聲說道：「掌門方丈，先請撤走，屬下先拒擋他們一陣。」
但見人影連閃，俞秀凡、方堃、水燕兒，以快速無倫的身法，攔住了去路。
兩個小沙彌迅快地把手中的戒刀和綠玉佛杖，交到玄莊大師手中，卻探手由長袍掩遮之下，取出一把一尺五寸的短刀。敢情他們早有了準備。
五毒夫人冷笑一聲，道：「宏法，咱們這裏有不少是玄莊大師的故識，你這等移花接木的把戲，不覺著太過幼稚了麼？」
宏法大師冷笑一聲，道：「諸位之中，如真的有人見過玄莊大師，那就該知道他是什麼身分。需知少林掌門尊崇無比，如若是受到傷害，諸位就是與整個少林爲敵了。」
茲事體大，一時間全場人，都不禁猶豫起來。
俞秀凡沉聲說道：「金釣翁老前輩，你真的見過少林掌門人玄莊大師麼？」
金釣翁道：「見過。」
俞秀凡道：「這人是不是玄莊大師？」
金釣翁道：「就老朽記憶而言，這人很像玄莊大師。」
宏法大師道：「少林寺是何等莊嚴的地方，豈敢有人冒充掌門人的身分！」
五毒夫人冷笑一聲，道：「無名兄，你應該挺身而出了。」

無名氏緩步行了出來，嘆息一聲，合掌說道：「弟子叩見玄風師叔。」

玄莊大師怔了一怔，道：「你是什麼人？」這一問，無疑是不打自招。

宏法一皺眉頭，道：「你究竟是什麼人，在此胡言亂語。」

無名氏道：「宏法師兄，師弟宏名，離寺中已十餘年。」

宏法大師呆了一呆，道：「你是宏名？」

無名氏道：「不錯，玄風師叔和掌門師尊本來就長得極像，見過一、兩面的人，自然無法分辨真假了。」

俞秀凡暗暗忖道：原來他是少林寺中的和尚，不能說出法號，只好自稱無名氏了。

宏法大師神色恐慌，突然一整容，道：「不錯，我確有個宏名的師弟，但他私自逃離本寺十餘年，聽說，他已逃入造化城去了。」

無名氏道：「不錯，小弟是進了造化城，不過，我不是私逃離去。」

宏法大師道：「不是私逃，難道是造化城主把你給大鑼大鼓請去的麼？」

無名氏道：「小弟是奉掌門人之命，混入造化城中臥底而去。」

宏法大師道：「你如何能證明你是宏名？」

無名氏道：「此事由掌門師尊派遣，何妨去問掌門師尊一聲。」

宏法大師道：「掌門師尊在此地，何不由他證明？」

無名氏道：「他是玄風師叔，不是掌門師尊，騙得了別人，如何能騙得師弟。」

宏法大師道：「滿口胡言，死有餘辜。」呼的一掌，劈了過去。

五毒夫人右手一揚，接下了掌勢，道：「怎麼，把戲拆穿，玩不下去，要殺人滅口？」

宏法大師掌勢被她接下，駭然向後退了兩步，道：「五毒夫人？」

五毒夫人道：「你不用害怕，對付你這等三流腳色，還不用以毒求勝。」

宏法大師臉色鐵青，怒聲說道：「五毒夫人，你……」

五毒夫人冷冷接道：「宏法，少在我面前耍花招，看過造化城主的噱頭，天下所有的花樣都不夠看了。你這位玄風師叔，如若真是少林掌門人，就該帶咱們同到寶殿前面，召集貴寺僧眾，以證實一下他的身分。」

玄風大師怒聲喝道：「住口！用毒妖婦，江湖敗類，也敢在少林寺中撒野，貧僧倒得教訓你一頓了。」

五毒夫人淡淡一笑，道：「聽口氣，你已經沉不住氣了，罵的如此刻薄尖酸，怎會是一掌門之尊。君子絕交，不出惡言，你連君子都談不上，自然也不會是有道高僧了。」

玄風左手捧綠玉佛杖，右手執著戒刀，突然上前一步，一杖迎頭劈下。五毒夫人一閃避開，還擊一掌。玄風大師戒刀疾出，逼開了五毒夫人的掌勢。雙方展開了一場激烈的惡鬥。

玄風左杖右刀，交替攻出，勢道凌厲絕倫。五毒夫人只用一雙肉掌拒敵，指點掌拍，拒擋玄風大師的攻勢，竟然能應付的頭頭是道。這五毒夫人不但是用毒的高手，而且武功上的成就，也算得第一流的高手。玄字輩的僧侶，武功是何等高強，連攻了十刀十五杖，竟然未能把五毒夫人逼退一步。

宏法大師一看苗頭不對，立刻轉身向外奔去。方堃長劍一擺，唰唰兩劍，錯落劍花，灑出一片寒星，硬把宏法大師給逼了回去。

兩個小沙彌各執著一柄短刀，呆呆地站著，不知道如何是好。原來，他們一見出手之人，個個都非弱者，自知難是敵手，只好站著不動。

五毒夫人既不用毒，也不亮兵刃，只用一雙肉掌應付，保持了個不勝不敗的局面。方堃、金釣翁等，幾度要出手助戰，都被俞秀凡示意阻止。

搏鬥之間，突聞一聲響亮的佛號傳了過來，道：「住手！」

五毒夫人聞聲而退，躍開八尺。

俞秀凡轉眼看去，只見八個手持禪杖的和尚，護擁著一位老僧而出，但見那老僧身高八尺，光頭烙下九個戒疤，留著雪白的長鬚。

只見那老僧轉過頭去，望著黃衣老僧，冷笑一聲，道：「玄風，你好大的膽子，你這一身裝束是哪裏來的？」

玄風怔了一怔，道：「師兄！」

白髯老僧道：「玄風，你這是什麼意思？」

玄風道：「師兄，小弟是為了……」

白髯老僧道：「別說了。你是自己受縛呢，還是要老僧動手？」

玄風大師道：「師兄的意思是……」

白髯老僧道：「給我回戒恃院去，聽候長老的裁決，掌門人的處置。」

玄風大師道：「師兄，小弟如是不願束手就縛呢？」

白髯老僧怒道：「師弟，難道你真要我動手麼？」

玄風大師道：「師兄你雖是戒恃院的主持，但咱們是平輩身分，難道師兄真的不肯放小弟一馬麼？」

白髯老僧道：「不行！我掌理戒侍院，執法如若不嚴，如何能使得全寺僧侶服從。」

玄風說道：「師兄，如若不肯放小弟一馬，那就只好請師兄動手了。」

白髯老僧怒道：「膽大孽障，竟敢違抗法諭，給我拿下。」

八個手執禪杖的和尚，突然間散布開去，把玄風、宏法和兩個小沙彌，團團圍了起來。

玄風右手戒刀、左手綠玉佛杖，大喝一聲，猛向外面衝去。刀、杖分取兩個執杖僧侶。

八個僧侶禪杖齊舉，幻起了一片杖影，封開了玄風的戒刀、佛杖。

白髯老僧怒道：「玄風、宏法，你們如若還不肯束手就縛，就別怪我下令要他們施下毒手了。」

玄風道：「師兄如若不肯放小弟一馬，這一戰拚下去，只怕要有很多的傷亡了。」

八個手執禪杖的和尚，也停下了手，環守在玄風、宏法等四周。

玄風大師嘆息一聲，道：「師兄，小弟這身成就，你大概心中明白。如若逼得我情急拚命，那會是個什麼樣的結果。」

白髯老僧肅然說道：「玄風師弟，我希望你懸崖勒馬。現在，還來得及，如若再堅持下去，那就別怪我真的不留一點情面了。」

玄風冷笑一聲，道：「好！師兄如此相逼，小弟只好拚了。」

口中說話，人同時攻出，刀、杖並舉，帶起了強烈的嘯風之聲。

八個手執禪杖的和尚，還未來得及舉起手中的兵刃，玄風的刀、杖已至，但聞兩聲悶哼，一僧中刀，一僧中杖，竟被他衝出一條缺口，脫出了圍困，直向門外衝出。

方堃身形移動，迅快地堵在了大門口處，攔住了玄風大師去路。長劍疾舉，封閉玄風的戒刀，唰唰唰連攻三劍。這三劍威力絕倫，硬把玄風大師的去勢擋住，難越雷池一步。

白髯老僧快步追至，大喝一聲：「大膽玄風，敢抗令諭。」右手一探，抓了過來。

方堃劍招凌厲，逼得玄風不得不全力應付。但他究竟不愧是第一流的高手，雖然在全力拒敵之下，仍然感覺到身後指風襲至。

戒刀施用一招「雲封霧鎖」，封住了方堃的劍勢，綠玉佛杖卻疾快地回掃擊出。白髯老僧右手一翻，五指疾扣，竟然把綠玉佛杖握在手中。

玄風大急之下，戒刀疾掄，斬向那白髯老僧的右臂。白髯老僧右手一抬，屈指輕彈，竟把玄風的戒刀，震得偏向了一側。

方堃長劍急伸，寒芒如電，點向了玄風大師咽喉，一道劍光飛來，噹的一聲，震開了方堃的長劍。

是俞秀凡，封開了方堃的長劍之後，說道：「方兄，少林寺中的事，咱們不能插手干預。」

白髯老僧動作快速，右手屈指連彈，幾縷指風，擊中了玄風大師。但見玄風大師身子搖動了兩下，向下倒去。

白髯老僧左手探出，一把抓住了玄風，道：「給我拿下帶往戒恃院，聽候掌門人的發落。」

八個手執禪杖的和尚，分出四個行了過來，挾持玄風而去。

俞秀凡目睹那老僧出手的威力，三拳兩招就把一玄字輩的高手，制服生擒，內心之中，大力敬佩。

暗道：看此人年紀恐怕已逾七旬，白髮如雪，滿臉紅光，舉手投足之間，招招都是功夫，不知在少林寺中，擔任何等的職司。

這時，知客宏法和兩個小沙彌，已被老僧帶來之人擒服，押往少林寺中，場內，只餘下白髯老僧一人。

俞秀凡忽然一抱拳，道：「大師職司少林戒律，想是一院主持之尊了。」

白髯老僧單掌立胸，道：「老衲戒侍院主持玄相，施主是……」

俞秀凡道：「在下俞秀凡。」

玄相雙目神光一閃，打量了俞秀凡一眼，道：「原來是俞少俠，老衲失敬了。」

俞秀凡道：「不敢，不敢。大師在少林寺中地位尊高，一言九鼎，在下希望借重一言，不知大師可否賜助？」

玄相大師道：「俞少俠有何指教，但請明言。」

俞秀凡道：「在下想晉見貴寺方丈，不知大師可否代為安排？」

玄相大師一皺眉頭，道：「俞少俠，實不相瞞，敝方丈正在坐禪封關之期，恐怕俞少俠很難如願了。」

俞秀凡道：「這個，不知貴掌門要幾時才能出關見客。」

玄相大師道：「確期難料，不過，可以斷言的是，諸位一定等候不及。」

五毒夫人冷冷接道：「貴寺掌門乃一派掌門身分，日理萬機，怎能坐禪、守關，久閉不出？」

玄相大師道：「確然如此，女施主不相信，那也是沒有法子的事了。」

五毒夫人道：「大師，貴寺中的院務，想來定也因此停頓了。」

玄相大師道：「本寺中院務，自有代理，不勞施主費心。」

五毒夫人道：「哪一位代理掌門？」

玄相大師道：「此乃本寺之秘，用不著外人多問。」

五毒夫人道：「咱們有要事，非見貴寺掌門不可！」

玄相大師道：「女施主，語聲如此咄咄逼人，想必是大有來歷的人了。」

五毒夫人道：「不敢當，賤妾湘西五毒門的五毒夫人。」

玄相震動了一下，道：「你就是五毒夫人！」

五毒夫人道：「大師，咱們是不知貴寺情勢，也不知貴寺戒律，在下所作所爲，仰不愧天，俯不怍地，心安理得，也就是了。」

玄相臉色一變，道：「女施主，這麼說來，女施主不是求老衲相求，而是迫老衲就範了。」

五毒夫人道：「大師說得太過武斷，我一個女流之輩，能有多大的本領，敢開罪大師。」

玄相大師蒼眉微揚，冷冷說道：「你要少林寺屈服於夫人之手？」

五毒夫人道：「大師，越說越嚴重了。」

玄相緩緩說道：「俞少俠，敝方丈確實在坐關期間，代理方丈的是達摩院的主持，諸位千里迢迢而來，想必是有十分重大的事，代理方丈只能處理一些寺中常務，老實說，太重大的事，他也作不了主，就算老衲要他和諸位會了面，他也一樣無法答應諸位什麼。」

俞秀凡冷冷道：「大師，這麼說來，不論江湖上發生了如何大事，貴寺也無法應變了。」

玄相大師道：「可以召開長老會，共議共決，就目下情形而言，老衲瞧不出有什麼大事，迫在眉睫，使敝寺非召開一次長老會議不可。」

五毒夫人道：「大師，玄風假冒貴寺方丈，難道不算大事麼？」

玄相大師道：「事情不小，不過，老衲覺著這是本寺中事，用不著局外人來費心思。」

五毒夫人道：「大師可曾想到，他為什麼要假冒貴寺方丈麼？」

玄相大師道：「個中必有內情，本寺自有戒律，會追問明白，也有戒律治他之罪。老衲想不出此事和諸位有什麼關係。」

五毒夫人道：「怎麼沒有關係？」

玄相大師道：「女施主能否說個理由出來？」

五毒夫人道：「貴寺中人，都知道他是玄風大師，他假扮掌門身分，來和我們相見，用心只在騙我們，怎會和我們沒有關係呢？」

玄相大師沉吟一陣，道：「夫人，如此解說，倒也並非無理。」

五毒夫人道：「既然有理，大師就應該有個交代了。」

玄相大師沉吟了一陣，道：「老衲只能答應，回去之後，和代理方丈提一提這件事情，但結果如何，恕老衲無法保證了。」

五毒夫人道：「大師幾時能給咱們回信？」

玄相大師道：「明日午時如何？」

五毒夫人道：「太久了，咱們希望今夜能夠見到貴寺代理方丈。」

玄相大師道：「這個，恕老衲不能答允。」

五毒夫人回顧了俞秀凡一眼，道：「俞少俠，這件事應該如何，希望你俞少俠作主了。」
俞秀凡道：「咱們是冒重重的險阻而來，所以，希望盡早能見到貴寺方丈，今夜最好。」
玄相大師搖搖頭，道：「這個很難辦到，因爲，明晨老衲才能見到代理方丈。」
俞秀凡道：「今夜大師就不能見他麼？」
玄相大師道：「老衲覺著用不著深夜去驚人清夢。」
俞秀凡心中暗道：這老和尙實在固執得可以，看來，如不說幾句嚴厲之詞，他是不會改變主意了。
心中念轉，口中緩緩說道：「大師肯不肯深夜去驚擾貴寺方丈，那是大師的事，在下倒也不便多言了。不過，咱們在黎明時分，還未能接得大師的消息，咱們就只有闖入寺中了。」
玄相大師怔了一怔，道：「俞少俠，你可知道闖入少林寺中的後果麼？」
俞秀凡道：「在下不知，但想來定然十分嚴重了。」
玄相大師道：「很嚴重。少林寺有一個規戒，千百年來，一直未變，任何人未得同意，擅闖入少林寺的人，那就是輕藐我少林門戶，必受到我少林弟子的全力攔截。」
俞秀凡點點頭道：「想當然耳！」
玄相大師一皺眉，道：「看樣子，俞少俠是決心試試了？」
俞秀凡道：「在下是否要試試，那要看你大師的決定了。」
玄相大師道：「好吧！諸位如若一定要試，老衲也只好讓本寺眾僧候教了。」
俞秀凡道：「看來，江湖之上，也是以實力爲主了。咱們如若沒有這點勇氣，也不敢對抗造化城主，也不敢找上少林寺來。」

玄相大師道：「少林寺格於規戒，你們進入少林寺之後，他們必然會全力以赴，那是刀劍並舉的拚命之搏。」

俞秀凡道：「這個麼，在下知道。咱們既然闖進去，那也只好把生死之事置於度外了。」

玄相大師嗯了一聲，舉步向外行去。

目睹玄相大師去遠之後，俞秀凡不禁一皺眉頭，道：「看來，老和尚固執得很。」

五毒夫人道：「少林寺威望太重，這些老和尚們，都變得老大了。」

俞秀凡嘆一口氣，道：「夫人，如若咱們進入寺中，真的引起了一場激烈絕倫的火併，那將如何呢？」

五毒夫人道：「只好拚了。咱們如若不拿一點手段來，只怕很難見到少林寺的掌門人。」

水燕兒突然接口說道：「如是咱們打不過少林寺中僧侶，豈不是受了很大的損失；如若咱們打得過少林和尚，就算他們肯幫忙，那又有什麼大用？」

五毒夫人道：「燕姑娘的話雖然不錯，不過，少林寺的聲勢，究竟非凡。如若他們真的要出全力對付咱們，咱們幾人自然無法抗拒他們，但他們不會出全力對付咱們。」

水燕兒道：「爲什麼？」

五毒夫人道：「他們不能把少林寺全部精銳，集於一處對付咱們，何況，他們也擔心我用毒。」

俞秀凡道：「爲了免去傷亡，最好別和他們群打群毆。」

五毒夫人道：「少林寺羅漢陣，天下聞名，咱們進入寺中，必爲羅漢陣所困。如若咱們不施用凌厲手段，只怕很難使他們屈服。」

俞秀凡道：「夫人，你準備用毒麼？」

五毒夫人道：「是！我準備用毒，而且是施用出我的用毒絕技。」

俞秀凡道：「夫人，咱們只是求見少林寺的掌門方丈，並非是真的要和少林寺的和尚爲敵。」

五毒夫人道：「不錯，要麼咱們就一個人不傷，既然要傷人，就要傷的愈多愈好。」

俞秀凡心中暗道：這五毒夫人，果然是出身邪門，不知仁恕之道。

只聽五毒夫人接道：「如是我一下毒倒了很多的少林寺中和尚，就算他們勝了咱們，也不敢傷害到咱們。」

俞秀凡道：「怎麼說？」

五毒夫人道：「他們如不知解毒手法，我若一死，那些中毒和尚必毒發而死。」

水燕兒微微一笑，道：「原來如此。那只能看你大施身手，我們卻是下不得手了。」

五毒夫人道：「少林寺一向被武林尊爲泰山北斗，寺中僧侶，個個武功高強，如若咱們不能露幾手驚人武功，他們決不會善罷甘休，要他們又驚奇又佩服，才能使他們認輸。」

俞秀凡道：「夫人，如是真要放開手腳，只怕會傷亡不少。」

五毒夫人道：「如是少林和尚真的不堪一擊，就算傷他們幾個，也不算什麼。」

俞秀凡道：「夫人之意是……」

五毒夫人道：「我們要和少林寺中第一流的高僧交手，才能看出少林寺的真正實力，但如不傷他們幾人，如何能使他們派出第一等高手對付咱們。」

俞秀凡道：「話是不錯，不過，兵刃無眼，萬一傷人……」

五毒夫人接道：「傷了人，那也只好傷了。需知你要不傷人，就可能被人所傷。」

水燕兒沉吟了一陣，道：「我贊成五毒夫人的主張，咱們如不能全力以赴，只怕少林寺中的僧侶們，會看不起咱們。」

方堃道：「如是少林寺中僧侶看不起咱們，他們決不會讓咱們見到少林寺的掌門方丈。」

俞秀凡道：「方兄說得也是。」

方堃道：「所以，在下覺著五毒夫人的話不錯，與其讓他們看不起，倒不如讓他們害怕。」

俞秀凡沉吟了良久，道：「好吧！咱們就照這樣做了！」

方堃道：「現在，咱們還有一點時間，我們也要坐息一下。」

群豪坐息了一陣，直到天近五更，仍未見少林僧侶到來。

俞秀凡站起身子，道：「咱們可以去了。」

群豪都已坐息醒來，聞言，霍然站起了身子。

俞秀凡道：「走吧！」舉步向外行去。

五毒夫人道：「慢著！」

俞秀凡道：「夫人，還有什麼吩咐？」

五毒夫人道：「咱們這些人，有強有弱，應該先要分配一下。」

俞秀凡道：「哦！」

五毒夫人道：「俞少俠，如何分配由你作主了。」

俞秀凡沉吟了一陣，道：「好吧！在下居中，五毒夫人居右，方堃居左，燕兒居後，其餘的人請分堵各方面的空隙。」

五毒夫人道：「俞少俠，不是這樣的分配。」

俞秀凡微微一怔，道：「如何一個分配法呢？」

五毒夫人道：「你這布置，是陷入圍攻後的拒敵之法，但少林寺的僧侶只是阻擋咱們。」

俞秀凡道：「夫人的意思呢？」

五毒夫人道：「我只是覺著你這個布置不好，如何去改正，那是你俞少俠的事了。」

俞秀凡苦笑一下，道：「夫人，你明明已經胸有成竹，爲什麼不肯告訴在下呢？」

五毒夫人道：「不錯。我心中確已想出了一個對敵之策，只是俞少俠，咱們這一群人，你是領導之人，爲什麼要我出主意呢？」

俞秀凡道：「這個，這個……咱們就一直進去。然後，在下居中，方兄居左，夫人請在右側，咱們對敵時，由在下先行出手，然後，再由兩位出手。」

五毒夫人道：「這個不算太好，但也勉強可以了。咱們走吧！」

俞秀凡道：「夫人，如有不妥之處，夫人可以修正一下。」

五毒夫人道：「俞少俠，有一件事，我要先行說明，希望你不要介意。」

俞秀凡道：「在下洗耳恭聽。」

五毒夫人道：「你太君子，那是因爲讀了一肚子的書，和你的出身有關。我們在江湖上磨練久了，做事情講求實用、效率，所以，有很多的地方，可能和你不同。」

俞秀凡道：「什麼地方？」

五毒夫人道：「在你和少林寺中僧侶動手時，我就可能對他們下毒。」
俞秀凡吃了一驚，道：「這個，這個……」
五毒夫人道：「我知道你不同意，如等事後爭執，不如事先說明。」
俞秀凡道：「夫人有什麼高見，但請說出來就是。」
五毒夫人道：「江湖上講究的是攻其不備，搶制先機，先發才能制人，我一向喜歡用最直接有效的辦法，所以，常常先發制人，不願受制於人。」
俞秀凡道：「夫人，咱們雖然處於劣勢，但咱們也應該遵守一些江湖的道義才是。」
五毒夫人道：「遵守江湖道義，並非不可。問題是咱們目下處境，似是用不著和人去講什麼江湖道義。」
俞秀凡道：「夫人，這……這做法有些不妥。」
五毒夫人道：「如是俞少俠堅持咱們要一刀一槍，在武功上與他們分個勝負出來，妾身只好放棄自己的主見了。」
俞秀凡道：「這個麼？在下……」
水燕兒道：「俞兄，我覺著五毒夫人的主見很對，咱們不能太君子。」
俞秀凡道：「燕姑娘的意思是……」
水燕兒道：「不要限制五毒夫人，她對江湖的事了解勝過咱們很多，至少，現在咱們應該聽她的話。」
俞秀凡道：「那好吧！諸位覺著應該如此，咱們就照著辦吧！」
五毒夫人道：「好吧！既然俞少俠同意用毒，妾身就放心施為了。」

俞秀凡道：「好！咱們進去吧！」

這時，天色還未亮，莊嚴的少林寺，籠罩在一片夜色之中。

俞秀凡道：「我們由大門進去呢，還是越牆而入？」

五毒夫人道：「越牆而入，便捷一些。」

俞秀凡道：「在下開道。」一提氣，飛身而入。

緊接道，方堃、金釣翁、水燕兒、五毒夫人等，魚貫而入。

少林寺未施暗算，但見一排手執禪杖的僧侶，攔住了去路。一共七人，並肩而立，不言不動，一片莊嚴。

俞秀凡手執長劍，緩緩向前行了兩步，道：「在下俞秀凡，有勞大師們通稟貴寺方丈一聲，有要事求見！」

八僧為首之人，冷冷說道：「施主夜闖少林寺，犯了本寺的戒規。」

俞秀凡道：「哦！」

為首僧侶道：「施主如再前進一步，咱們就要出手阻攔了。」

俞秀凡看八僧並肩而立，成一弧形，似是彼此之間，要保持著某一種默契和彈性。

緩緩舉起了手中長劍，道：「諸位大師，可是不肯替我通報了？」

為首僧侶道：「不錯。咱們不會替閣下通報，如若俞少俠一定要見敝寺方丈，那只有一個辦法，就是衝過我們的攔阻。」

俞秀凡道：「大師，咱們既然來了，非要見到貴寺方丈不可。」

爲首僧侶道：「俞少俠，咱們守在這裏，就是不要諸位衝過去。」

俞秀凡道：「我佛慈悲爲懷，諸位難道就不曾想到，這一陣搏殺下來，那些血流滿地、屍骨堆積的慘狀麼？」

爲首僧侶道：「俞少俠如知我佛是慈悲爲懷，就不該夜闖少林寺。」

俞秀凡道：「我心如鏡，可鑒天日。咱們求見貴寺方丈，那只是爲了天下蒼生請命。」

爲首僧侶道：「俞少俠縱然能舌燦蓮花，也一樣無法使我們完全相信。」

俞秀凡心頭火起，冷冷說道：「大師，如此不講道理，休怪俞某人劍下無情。」

爲首僧侶道：「這是俞少俠唯一能闖過我們攔阻的辦法，不用徒費口舌了。」

俞秀凡冷笑一聲，道：「既然如此，諸位大師請小心了。」

突然揚手一劍，刺了過去。這一劍，刺向第四位僧侶的前胸。

他本是以快劍見長，這一劍，卻是大背他出劍手法，劍勢去得很慢。但見那排列第四的僧侶，忽然間向後退了一步。兩側二僧，兩支鐵禪杖，卻以迅如流星一般，合擊而至。

俞秀凡劍勢忽然一轉，由慢變快，劈向右首一僧的右臂，身隨劍轉，又向左首一僧劈擊。長劍本是輕兵刃，和少林寺和尙的鐵禪杖互相撞擊，自然是吃虧很大。那僧侶右手加快，禪杖上的力道，增加了一倍。但俞秀凡的劍勢很奇怪，一和禪杖相觸，立刻向下滑去。

原來，俞秀凡發出這一劍，完全是用的陰柔之力。滑下的劍勢，速度奇快，一閃之下，劍芒已到僧侶的手腕之上。那握杖僧侶，右手一鬆禪杖，收了回去，但左手卻已來不及。但見血光一閃，那僧侶握杖的左手，連同禪杖落向實地。鮮血迸冒，疼得那僧侶大叫一聲，向後退去。

四七　正邪對峙

這八個僧侶，本已有一套合搏之術，但俞秀凡的劍勢太快，一下傷了一僧，使他們發動的陣勢頓然受阻。

俞秀凡長劍閃轉，展開了快速絕倫的攻勢。

但見寒芒連閃，穿行於杖影之中，片刻之間，八個僧侶，每人都中了一劍，有的傷臂，有的傷手，也有的被刺前胸。八僧全部中劍，只不過片刻工夫。

俞秀凡的快劍，不但傷了八個僧侶，而且也使五毒夫人等大爲驚異，沒有人想到俞秀凡的劍法，如此凌厲、如此快速。八個僧人受的傷都不輕不重，不足以致命，但也無再戰之能。

俞秀凡還劍入鞘，道：「諸位大師，可以請便了。」

少林寺僧侶究竟是出身正大門戶，和江湖一般綠林人物不同。聽得俞秀凡一番話後，相互望了一眼，突然轉身而去。

俞秀凡回顧了五毒夫人一眼，低聲道：「現在，咱們應該如何？」

五毒夫人道：「再向前行去，這只是第一陣，往後會有愈來愈強的阻力。」

俞秀凡道：「夫人，怎的沒有用毒？」

五毒夫人忽然微微一笑，道：「想不到你的劍法如此凌厲，用不著我下毒了。」

俞秀凡道：「夫人，往後應該如何，還是在下出手麼？」

五毒夫人道：「看情形，不妨讓燕姑娘和方劍主也出手試試。」

俞秀凡點點頭，道：「好吧！咱們都輪流出手，讓少林寺僧侶見識一下，也讓他們不要再故步自封，自覺少林寺是武林的泰山北斗了。」

方堃突然向前行了兩步，道：「俞少俠，在下帶路如何？」

俞秀凡點點頭，未再多言。

方堃當先而行，不過兩丈左右，一片松林之後，突然轉出來一十二個僧侶。

這一十二個僧侶年齡不同，有老有少，相差有二十歲的樣子。六個人手執禪杖，六個人手執戒刀。

爲首僧侶年約六旬，手執一把戒刀，冷冷說道：「恭喜諸位施主，闖過了第一道阻攔。」

方堃道：「不用客氣，咱們要如何，才能過這第二道埋伏。」

爲首僧侶冷笑一聲，道：「施主如何過了第一道埋伏？」

方堃道：「哦！那是說咱們非打不可了。」

爲首僧侶道：「不錯。施主既敢夜闖少林寺，自然也不會把少林寺人放在心上了。」

方堃道：「大師，咱們沒有輕視大師之意，但也沒有畏懼之心。在下來自造化城，對造化城之事了解極深，因此，特地求見貴寺方丈。」

爲首僧侶道：「少林寺有少林寺的規矩，你們既然敢不守規矩，咱們似乎也沒有什麼可談的了。」

方堃冷笑一聲，道：「大師如此固執，咱們確然是很難自處了。」

緩緩抽出長劍，低聲道：「燕姑娘，咱們聯手先上。」突上一步，發出一劍。

水燕兒隨在方堃身後，也發動了攻勢，長劍搖動，也攻了上去。

群僧開始迅速地旋轉。戒刀、禪杖，也同時展開了反擊。刀光、杖影，攻勢銳利無匹。方堃、水燕兒兩把劍，也展開了快速攻勢，這是一場勢均力敵的惡鬥，方堃和水燕兒的劍勢，極盡變化之能，但十二位僧侶的禪杖、戒刀，卻也配合得天衣無縫，佳妙異常。

雙方這一陣激烈的拚殺，各極變化之妙，不大工夫，已然互相拚搏了百招以上。雙方仍然保持了一個不勝不敗之局。俞秀凡、五毒夫人冷冷地站在一側，望著雙方的搏殺。

百招之後，俞秀凡一皺眉頭，道：「夫人，他們這樣打下去，要打到幾時才能分出勝負？」

五毒夫人道：「俞少俠，他們兩個人劍道有此成就，已然大出了我的意料之外。」

俞秀凡道：「夫人的意思是……」

五毒夫人道：「我去助他們一臂之力。」

俞秀凡道：「用毒？」

五毒夫人點點頭，道：「不錯，我除了用毒之外，加入動手，也沒有辦法勝過他們。」

俞秀凡點點頭，道：「好吧！不過，最好不要用致命的毒。」

五毒夫人淡淡一笑，緩步向前行了過去，道：「諸位大師小心了。湘西五毒門的五毒夫人，要加入搏殺了。」也不待群僧答話，五毒夫人已然衝入了群僧之中。

但見她雙手揚動，片刻之間，十二個和尚，突然倒了下去。這是一種強烈的毒藥，很快地使人暈迷過去。十二個僧侶一起中毒，幾乎在同一時間倒了下去。

方堃、水燕兒收了長劍，輕輕吁一口氣，道：「少林寺的和尙，果然是名不虛傳，實有過人之能。」

五毒夫人道：「兩位的劍法高強，大約也出了他們的意料之外。」

方堃道：「夫人誇獎，以少林群僧的武功而言，他們決不在造化城十大劍主之下。」

五毒夫人突然伏下身去，把摔倒在地上的少林僧侶移於路側，舉步向前行去。

行不及兩丈，出現了第三道攔路的僧侶。這批和尙，人數更多，共有二十五人。

除了當先一個身披紅色袈裟的老僧之外，其餘之人，都不過三十歲左右。但每個人的臉上，都是凝重端莊之色。一望即知，這是少林寺中年僧侶組成的高手。

五毒夫人停下了腳步，一躬身，道：「我是湘西五毒門的五毒夫人。」

那紅衣老僧，道：「難怪，他們都無緣無故的倒下下去，原來是你下的毒。」

五毒夫人道：「不錯，他們都中了毒，十二位高僧，都在不知不覺身中奇毒。」

紅衣老僧冷冷說道：「可一不可再，如是夫人準備故技重施，對付我等，只怕是夫人打錯了主意。」

五毒夫人微微一笑，道：「這麼說來，大師是不畏奇毒了。」

紅衣老僧道：「至少咱們會小心一些，不讓閣下再施出毒手了。」

五毒夫人道：「如是天下真有人能逃過我五毒夫人的施毒手法，只怕也不會稱我爲五毒夫人了。」

紅衣老僧冷笑一聲，道：「女施主如若是不信貧僧之言，何不出手一試？」

五毒夫人道：「我看用不著試了。」

紅衣老僧吃了一驚，道：「你說什麼，不用試了？」
五毒夫人道：「大概是不用試了。」
紅衣老僧道：「爲什麼？」
五毒夫人道：「因爲大師已經身中奇毒了。」
紅衣老僧道：「有這等事麼？貧僧怎麼一點也感覺不出來？」
五毒夫人道：「大師不妨運氣試試，毒在左肋，一運氣，立刻就可以感覺到了。」
紅衣老僧閉目運氣一試，果然感覺到左肋之上，隱隱作疼，不禁臉色一變，道：「你真的下毒？」
五毒夫人道：「五毒夫人幾時說過謊言了，大師如是不信，不妨招呼他們出來看看，只要他們揚起了手中兵刃，我就叫他們中毒倒下。」
紅衣老僧因爲自身中了奇毒，不敢再存有大意之心，一皺眉頭，道：「你們都運氣試試，看看是否中了毒？」
身後群僧，各自運氣相試，只聽居中兩僧齊聲應道：「回師叔的法諭，弟子們沒有中毒。」
紅衣老僧道：「好！你們小心一些，這位女施主的用毒手法很高。」
五毒夫人淡淡一笑，道：「大師，你說得晚了一步。」
紅衣老僧微微一怔，道：「爲什麼？」
五毒夫人道：「因爲，他們已經中了毒。」
紅衣老僧道：「有這等事。剛剛還沒有中毒，難道說這幾句話的時光，他們就中了毒麼？」

五毒夫人道：「大師，我們已經證明了一件事，我想你應該相信我的話；不過，你還可以再求證一次。」

紅衣老僧道：「哦！你確有這種能力，不過，貧僧還是有些不太相信你的話。」

五毒夫人道：「那就試試吧！你要他們出手吧！」

紅衣老僧自己中了毒，對五毒夫人的話，實有些難測高深，心中也是半信半疑。回顧了身後群僧一眼，道：「你們哪幾個出手試試？」

四僧應了一聲，舉起了手中兵刃。

五毒夫人舉手理一下鬢邊的散髮，笑道：「四位請出手呀！」

四僧突然放下手中的兵刃。

紅衣老僧一皺眉頭，道：「你們怎麼不出手？」

四僧搖搖頭，道：「我們中了毒。」

紅衣老僧道：「什麼樣的毒？」

四僧同時說道：「全身的力道消失，舉不起手中的兵刃。」

紅衣老僧哦了一聲，道：「你們退下來吧！」

四僧應了一聲，向後退去。

紅衣老僧嘆一口氣，道：「我們都中了毒，已無再戰之能，老衲不能眼看他們送死，女施主請過此關。」

五毒夫人一面向前走，一面說道：「大師可否見告，下一陣是什麼埋伏？」

紅衣老僧道：「前面是飛鈸大陣。」

五毒夫人道：「貴寺的羅漢陣，排在第幾道埋伏？」

紅衣老僧道：「第五道。」

五毒夫人未再多問，舉步向前行去。群豪魚貫相隨身後。

五毒夫人一馬當先，行約兩丈左右，到了一片稀疏的松林前面。

只聽一聲金風破空，一片大如輪月的寒芒，盤旋而至。耳際間響起了一個威重的聲音，道：「這是飛鈸大陣。有七十二面鋒利的飛鈸，交錯飛斬，連環取命。諸位如若現在退出少林寺，還來得及。」

少林寺果然不愧是堂堂正正的門戶，在群豪連過了三關之後，少林僧侶們仍然按照規矩提出警告。

五毒夫人一直走得很慢，保持著隨時可以拒敵的準備。所以，當聽得金風破空的聲音之後，立刻停了下來。

俞秀凡有過對付飛鈸的經驗，突然向前行了兩步，擋在了五毒夫人的身前，道：「夫人請退一步，由在下對付飛鈸。」

但那盤旋而來的飛鈸，並非擊向五毒夫人，卻在高過幾人頭頂數尺，掠空而過。飛鈸在群豪眼前打了個轉，竟然又迴旋而去，飛返來處。

五毒夫人皺皺眉頭，道：「久聞少林寺的迴旋飛跋，爲天下最厲害的暗器之一，今日一見，果非凡響。」

俞秀凡道：「在下見識過少林寺的飛鈸大陣，那是造化城中的經歷，但適才見到的飛鈸迴旋力道，似是比在下經歷的飛鈸大陣，更爲凌厲一些。這等連環飛鈸，交錯而至，不但極難防範，而且它本身都帶有著強大的旋轉之力，用兵刃對擋，飛鈸立刻轉向另一個角度飛去，因此拒抗飛鈸的人，要愈少愈好。」

五毒夫人道：「少到什麼程度呢?總不能要你一個人，抗拒飛鈸大陣吧!」

俞秀凡道：「一個人太少了，但至多不能超過四個人。至於要哪四個人參與此事，這要夫人決定了。」

五毒夫人道：「我可不可以算一個?」

俞秀凡點點頭，道：「夫人的技藝龐雜，也許可以找出另一個對付飛鈸的方法出來。」

五毒夫人沉吟一陣，道：「俞少俠，不用誇獎我，少林寺的和尙們也不簡單，至少他們這飛鈸大陣，就把我難住了。超過一丈距離，我就無法對人下毒。」

語聲一頓，接道：「俞少俠，還有兩人，我想一位請方堃，另一位由金釣翁參與，不知尊意如何?」

俞秀凡點點頭，道：「諸位，請向後退兩步，先由在下對付一面飛鈸，諸位請看過之後，記在心中。」

俞秀凡抽出了長劍，舉步向前行去。方堃搶先一步，緊追在俞秀凡的身後，依序是五毒夫人和金釣翁。

俞秀凡行了約十步，兩丈外傳過來那威重的聲音，道：「閣下已進了劃定的禁區，貧僧等立刻要發出飛鈸了。」

俞秀凡高聲說道：「大師儘管請便，在下敬候教益。」

但聞一陣金鐵交鳴，三面近身飛鈸，忽然間，變了方位，橫向一側飛去。三面飛鈸，飛向三個不同的方位。

俞秀凡點開了三面飛鈸，還未來得及站起身子，又有兩面飛鈸疾旋而至。俞秀凡封開了兩面飛鈸，第三波又疾飛而來。

片刻之間，但聞金風破空，漫天寒芒，數十面飛鈸，不停地在空中盤旋飛舞。飛鈸上的旋轉力量十分強大，雖然方位改變，但大都又飛回來處。

俞秀凡已經沒有機會再站起身子，連綿不絕的飛鈸，一直在他頭頂上盤旋飛舞，使他應接不暇，不敢有絲毫大意。

五毒夫人等一直還站在限界之外，少林寺僧侶也一直守著規矩，明明是飛鈸的力道可及，但他們卻未攻向三人。

金釣翁一皺眉頭，道：「俞少俠好長的耐力，如是老朽，只怕早已傷在那飛鈸之下。」

方堃道：「我去助他一臂之力。」

五毒夫人道：「給我站住，不可輕舉妄動。」

方堃道：「俞少俠已被圍在飛鈸大陣，咱們怎能坐視不救？」

五毒夫人道：「不能救。咱們也救不了他，反而害了他。」

方堃道：「也許在下救不了俞少俠，但至少可以和他患難與共，生死同命。」

五毒夫人道：「方兄，你認爲你進入那飛鈸大陣之後，可以幫助俞秀凡麼？」

方堃道：「夫人的意思，可是覺著在下沒有一點能力幫助俞少俠？」

五毒夫人道：「這倒不是。不過，俞秀凡的劍勢，比你快了很多，對是不對？」

方堃道：「不錯，俞少俠的劍招比在下高明了很多。」
五毒夫人道：「這就對了。你既然自知劍招不如，能去給他幫忙？」
方堃怔了一怔，道：「這個，這個……」
五毒夫人道：「所以，你不能去幫助他。」
方堃道：「但咱們既不能幫助他，總不能看著他死於飛鈸之下。」
五毒夫人神情莊嚴，道：「只有等他死了之後，咱們再替他報仇。」
方堃道：「夫人的意思是……」
五毒夫人厲聲說道：「少林和尚不應該殺死俞秀凡，一旦殺了俞秀凡，我相信咱們都不能再忍受下去，諸位可以放火，我要用毒，五毒門中所有的奇毒，都在少林寺施展出來。」
語聲微微一頓，高聲接道：「你們都好好的準備一下，俞少俠一旦受傷，咱們就動手，諸位準備去放火，我就放毒。」
金釣翁嘆息一聲道：「咱們也準備死於這裏了？」
五毒夫人黯然說道：「俞秀凡死了，江湖大事，還有什麼可爲，咱們的生生死死，都沒有什麼價値了。」
方堃哦了一聲，道：「夫人說得是，你準備用毒吧！」
幾人談話的聲音很高，不但使少林寺僧侶聽到，而且正困於飛鈸大陣中的俞秀凡，也聽得很清楚。
忽然間，俞秀凡飛身而起，手中長劍，化作了一片劍幕，環繞在全身上下。只聽一陣叮叮咚咚之聲，傳入耳際，幾面緊追在俞秀凡身後的飛鈸，都被那繞身劍光震蕩開去。

一團劍影飛出了禁區，落在五毒夫人身側。劍光收斂，現出了俞秀凡。大家凝目望去，只見俞秀凡滿頭汗水，滾滾而下。顯然，這一陣飛鈸的困擾，也使他用了全部的氣力。

少林寺發出的飛鈸很怪，受到一定的限制，決不越出禁區一步。

俞秀凡喘了一口氣，道：「好厲害的飛鈸，比我在造化城中遇上的厲害百倍。」

五毒夫人道：「少林寺的和尚，總算還十分聰明，幸好他們沒有傷害到你，只要俞少俠一見血，少林寺的僧侶，就要付出十數倍的代價。」

俞秀凡微微一笑，閉上了雙目。

大約過了半個時辰，太陽已高高升起，照亮了大地，也照亮了所有的景物。這一段時間相當的長，也相當的靜，靜得聽不到聲音。敵對雙方，都保持了一種沉默。

俞秀凡忽然站起了身子。日光下，只見他容光煥發，精神飽滿，雙目暴射出奕奕神光。凝注著數丈外的松林，道：「夫人，方兄，那些施放飛鈸的和尚們，可都是藏在樹林中麼？」

五毒夫人道：「正是如此。」

俞秀凡道：「相距此地有多遠？」

五毒夫人道：「七丈多些。」

俞秀凡道：「遠了一點，但我也只好試試了。」

五毒夫人道：「俞少俠可要我們幫助？」

俞秀凡搖搖頭道：「不用了。」暗中運氣，手捧長劍，凝神而立。

所有人的目光，都投注在他的身上，不知道他要用什麼方法，對付七丈外的少林僧侶。

忽然間，俞秀凡長身而起，一躍四丈多高，半空中身子一轉，甩臂投劍。人劍合一，化作一道白光，直向松林衝了過去。

金釣翁道：「馭劍術！」

方堃道：「是劍道最高的成就，身劍合一，借一口真氣，能取人於十丈之內。」

只見俞秀凡去勢如電，但也不過行過三丈，立刻有四面銅鈸，迎面飛來。

飛鈸來勢，疾如流星，迎向白光飛去。但還未近白光，立刻斜斜向一側劃去，似是那一道白芒，帶有著很強大的潛力，凡是接近的銅鈸，立刻被震飛到一側。

白芒直飛到七丈開外，落入了松林之中。林木掩遮，沒有人看到發生些什麼事情，但卻聽到松林中傳來幾聲悶哼、慘叫之聲。

五毒夫人微微一笑，道：「俞少俠的馭劍術，似是又進了一步。」

方堃道：「夫人，咱們現在應該如何？」

五毒夫人道：「現在啊，應該衝過去！」

方堃長劍一擺，道：「在下開道。」當先向前奔去。

五毒夫人沉聲道：「諸位慢走一步，聽我招呼。」緊追在方堃身後，向前奔去。

兩人雖然奔行甚快，但仍然全神戒備。七、八丈的距離，片刻工夫，已然趕到。凝目望去，只見一排僧侶，並肩而坐，兩具屍體，橫陳眼前。俞秀凡仗劍而立，和群僧相距數尺的距離。

五毒夫人見群僧手中各執一面飛鈸，身側還放著四面，細數僧侶，只有一十二人，除了死去的兩個之外，只餘下了十人。大約是俞秀凡和群僧的距離太近，所以群僧手中雖執有飛鈸，但卻無法施展。

輕輕吁一口氣，五毒夫人緩緩說道：「俞少俠，咱們是不是算過了飛鈸大陣？」

俞秀凡道：「這要問少林高僧了。」

群僧之中，一個七旬灰衣老僧開口接道：「諸位已經過了飛鈸大陣。」

俞秀凡回顧了五毒夫人一眼，道：「諸位請先走一步，在下稍候片刻。」

五毒夫人舉手一招，道：「諸位請過來吧！」群豪依言行了過來，追隨在五毒夫人身後行去。

俞秀凡目睹群豪去遠之後，才緩緩說道：「諸位大師，多多包涵，在下適才控制不好，傷了兩位大師。」

灰衣老僧道：「戰陣之間，難免傷亡，貧僧等只怪學藝不精，如何能怪到施主。」

俞秀凡嘆息一聲，道：「在下想不明白，爲什麼見一次貴寺方丈，竟鬧成如此大的風波。」

灰衣老僧道：「施主的方法錯了，但已見了血，只怕很難回頭了。」

俞秀凡道：「大師可曾想過，這條路走下去，會有更多的傷亡。」

灰衣老僧道：「這個，老僧也明白，施主既然過了飛鈸大陣，那就只有走完這條路了。」

俞秀凡黯然一嘆，道：「過完了貴寺埋伏之後，又將如何？」

灰衣老僧道：「那時，諸位就可以見到敝寺的掌門方丈了！」

俞秀凡淒涼一笑，道：「爲什麼這樣悲淒？少林寺這規矩應該修正一下了！」

灰衣老僧輕輕嘆了口氣，道：「當年少林寺立下了此戒，也許確有它必要之處，但經過幾百年，一切都改變了，實也應該修正了！」

俞秀凡道：「大師保重，在下走了。」

灰衣老僧口齒啓動，欲言又止，但卻合掌當胸，低喧了一聲佛號。

五毒夫人帶著群豪，已和少林寺第五道埋伏，形成了對峙之勢。但雙方既未答話，也未動手。俞秀凡已及時趕到。

五毒夫人退後了兩步，道：「俞少俠，還是由你和他們談吧！」

俞秀凡淡淡一笑，舉步而行。

一隊少林僧侶，足足七、八十人之多，列隊而立，布成了一座陣勢。

俞秀凡距群僧十步左右處，停了下來，一抱拳，道：「在下俞秀凡，哪一位大師請出來答話。」

一個白眉老僧，緩步而出，道：「你就是俞秀凡麼？」

俞秀凡道：「正是區區，大師是……」

白眉老僧道：「老衲玄光。」

俞秀凡道：「大師率領的陣勢，想必是天下聞名的羅漢陣了？」

白眉老僧道：「不錯。俞少俠正面對著少林寺的羅漢大陣。」

俞秀凡道：「大師，晚輩有重要大事，要求見貴寺掌門方丈，想不到竟鬧出偌大風波。」

玄光大師嘆息一聲，道：「你們傷了本寺不少的人。」

俞秀凡道：「那實非在下之想，但貴寺埋伏厲害，常常把晚輩等逼入絕地。」

玄光大師沉吟了良久，道：「近百年來，少林寺無人用過毒。」

俞秀凡接道：「關於用毒一事，雖然壞了貴寺戒規，但卻是一片好心。」

玄光大師道：「俞少俠，能否再解說得明白一些？」

俞秀凡道：「中了毒，可以解救，但如是兵刃搏殺，生死一定，再無救治之望了。」

玄光大師暗施傳音之術，道：「俞秀凡，和老衲多耗一些時間，少林寺內部，也正有爭執，也許掌門人會有法諭傳下，須知羅漢陣一旦發動，那就很難停歇下來。」

俞秀凡重重咳了一聲，高聲說道：「有一件事，在下要稟告大師，一旦遇上了羅漢陣，我們也不會硬拚。」

玄光大師道：「是否因爲你們會用毒，一種立刻使人倒下去的奇毒？」

俞秀凡道：「大師已從上一陣得到了經驗，知道在下所言不虛了。」

玄光大師道：「五毒夫人的用毒手法，確然是很可怕，不過，羅漢陣有羅漢陣的威勢，老衲還不太相信，五毒夫人能在舉手翻掌之間，把整個羅漢陣中人，全部毒倒，只要她留下一點時間，陷入羅漢陣，老衲相信，她就沒有再施毒的能力。」

俞秀凡道：「大師，別忘了，還有在下和同來之人，我們都會出全力保護五毒夫人。」

玄光大師沉吟了一陣，道：「別人老衲還不放在心上，不過，對你俞少俠，老衲有些顧慮。」

俞秀凡道：「大師太過獎了。」

玄光大師道：「老衲相信，你的快劍，確有一種力量，可以阻止羅漢陣發動之初的快速合圍，那將留給五毒夫人施用毒手的機會。」

俞秀凡道：「大師，在下一人也許不足，但我相信我們如能聯手而出，很可能會阻止了羅漢陣的合圍之勢。」

玄光大師道：「俞少俠，老衲覺著，免去一場悲慘的群毆，只有一策。」

俞秀凡道：「請教？」

玄光大師道：「老衲覺著，把這一場群毆，移在咱們兩人身上如何？」

俞秀凡道：「大師的意思是，你要和我一決勝負麼？」

玄光大師道：「老衲正是此想。但不知俞少俠願否答允？」

俞秀凡道：「大師請說！」

玄光大師道：「老衲和施主，單打獨鬥，不用任何人從中助拳。」

俞秀凡道：「大師，在下此來，只求一見貴寺方丈，既不求名，也不求利。大師和在下單獨一決勝負可以，但必須要有條件。」

玄光大師道：「老衲明白你的意思。如若老衲敗了，那就算諸位過了羅漢陣。這是最後一關，過了此關，敝寺方丈，自會隆重接待諸位了。但不知俞少俠敗了之後，又將如何？」

俞秀凡道：「大師要在下如何呢？」

玄光大師道：「俞少俠回頭而去，帶人離開少林寺。」

俞秀凡道：「這個，在下沒有勝過大師的把握，所以，我不想做此一賭。不過，在下可以賭上自己一條命。如是在下敗了，在下就自絕而死。」

玄光大師道：「這賭注，俞少俠不覺太過吃虧麼？」

俞秀凡道：「不吃虧。我們進入少林寺來，辦不好事，就沒有打算活著回去。」

玄光大師道：「我相信你要見敝寺方丈，一定是很重大的事情，不過，你是否想到過，就算你見到了敝寺方丈，又能得到什麼？」

俞秀凡道：「這個麼，在下只奉告他幾件事情。」

玄光大師道：「敝寺方丈，如是相信了，也還可說，如是他不相信呢？」

俞秀凡道：「鐵證如山，不容他不信。」

玄光大師道：「俞少俠立志可嘉，但敝寺規戒重重，太過重大的事，必由長老會來決定。事實上，敝寺方丈，也不能對你有太大的承諾。」

俞秀凡道：「唉！既是如此，見一下貴寺方丈，又會如何，何以竟如此的困難重重？」

玄光大師道：「施主的方法錯了。」

俞秀凡道：「大師，如是爲了減少傷亡，咱們最好放單一戰吧。」

玄光大師道：「老衲同意，俞少俠請亮劍吧！」

俞秀凡道：「恭敬不如從命，晚輩放肆了。」

面對著少林寺的高僧，俞秀凡也不敢絲毫大意，長劍出鞘，立刻擺出了驚天劍式。

玄光大師呆了一呆，道：「好精奇的劍法！」口中說話，右手也舉起了手中的禪杖。

也許是俞秀凡出手的劍式，太過凌厲，使得玄光大師也有些緊張起來，寬大的僧袍，有如鼓氣一般，突然間膨脹了起來。俞秀凡也運集了全身的功力。

五毒夫人一皺眉，低聲道：「兩人都已運集了全身的功力，這一下，只怕立刻要分出生死存亡。」

眼看雙方就要展開生死存亡的一擊，突聞一個急驟的聲音，傳了過來，道：「暫請住手！」

一個小沙彌，快步奔了過來。

那小沙彌手中捧著一根綠玉佛杖，急奔而至，道：「奉掌門方丈令諭，破例迎請俞少俠等進入方丈室中敘話。」

玄光大師緩緩收了禪杖，道：「俞少俠，這一仗不用打了。」

俞秀凡也收了長劍，道：「俞某人幸而逃脫一劫。」

玄光大師舉杖一揮，高聲說道：「掌門傳出了綠玉佛令，撤去羅漢陣。」

但見布陣群僧，紛紛向後退去，片刻之後，走得一個不剩。

玄光大師單掌立胸，道：「希望俞少俠，舌燦蓮花，能夠說服敝寺方丈。」

俞秀凡道：「大師，長老會，還望大師能爲武林正義執言，則天下武林同道……」

玄光大師接道：「老衲如有能盡力處，自會全力以赴。」

俞秀凡道：「多謝大師。」

玄光大師道：「俞施主請吧！別讓敝方丈等得太久。」

俞秀凡一笑，轉身行去。

小沙彌帶路，直行到一方幽靜別院之中，兩個中年僧侶，站在別院門口。小沙彌低言數語，直向內院行去。俞秀凡等跟著魚貫而入。

行到了一座禪室門外，小沙彌回頭說道：「敝寺方丈早已在客室中等候，不過，諸位這樣多人，不能夠全部進去。」

音。

俞秀凡道：「我們可以進去幾個人？」

小沙彌道：「至多三個。」

俞秀凡道：「好！五毒夫人，方兄和在下一起進去，其他的人，請在室外稍候。」

小沙彌一閃身，道：「諸位請吧！」

俞秀凡當先而入，五毒夫人和方堃緊隨而入，這是一間很大的靜室，靜得聽不到一點聲

一個寶相莊嚴、身著黃色袈裟的五旬僧侶，盤膝坐在一張蒲團之上。

俞秀凡一抱拳，道：「在下俞秀凡，見過掌門方丈。」

那黃衣老僧緩緩睜開了微閉的雙目，打量了俞秀凡一陣，道：「俞施主請坐！」

俞秀凡道：「晚輩謝座。」盤膝在地上坐了下去。

黃衣僧侶目光轉到了五毒夫人的身上，道：「這位是……」

五毒夫人道：「湘西五毒門的五毒夫人。」

黃衣僧人道：「貧僧玄莊，夫人，掌一派門戶，貧道有失迎了。」

這裏看出了少林寺的規矩，接待掌門人，和一般人完全不同。

玄莊大師目光轉到方堃的身上，道：「這位施主是……」

方堃接道：「在下方堃，原是造化城中的十大劍主之一。」

玄莊大師道：「施主出身造化城？」

方堃道：「所以，在下對造化城中的事，了解得很多。」

玄莊大師點點頭，道：「俞少俠，不惜觸犯少林規戒，一定要見老衲，現在見到了。」

俞秀凡道：「晚輩有要事奉告，此事關係著武林大局。」
玄莊大師道：「也關係著造化城？」
俞秀凡道：「江湖亂局，根本肇因於造化城。」
玄莊大師接道：「俞施主，對造化城，你了解多少？」
俞秀凡道：「大師問得好，在下隨來同道，大都出身於造化城，大師如想知曉內情，最好由他們詳爲述說。」
玄莊大師臉上，突然間閃掠過一抹凄苦的笑容，道：「俞施主說吧！老衲洗耳恭聽。」
俞秀凡道：「簡明的說，造化城包藏禍心，志在武林。就算貴寺不找他們，他們也不會放過貴寺，人間地獄，有一座少林別院，那裏面就住著貴寺中人。」
玄莊大師接道：「俞施主，造化城中事，老衲也有一些耳聞，只不過耳聞是虛，眼見爲真，老衲一直未見其事。而且，造化城在江湖上惡跡不彰，老衲也無法興師問罪。」
俞秀凡怔了一怔，道：「聽口氣，大師對造化城之事知曉不少？」
玄莊大師道：「也不算太多。至少，造化城對江湖上的威脅不大。」
俞秀凡道：「這就錯了。造化城氣候已具，一旦興師外出，貴寺很可能首當其衝。」
玄莊大師道：「俞施主，老衲聽到的消息，和施主有著很大的距離。」
俞秀凡道：「大師聽到了什麼？」
玄莊大師道：「老衲聽到的消息是，造化城主閉關自守，無意於爭雄江湖。」
俞秀凡道：「這麼說來，咱們是很難談得下去了。」
玄莊大師道：「施主千里迢迢而來，只怕大感失望了。」

俞秀凡嘆息一聲，道：「確然很失望，真是見面不如聞名了。」
玄莊大師道：「俞施主，少林寺是武林的大門戶，有著上千的弟子，我們不能像江湖遊俠一樣的輕率。施主的消息，老衲當記在心中，俟查明證實之後，本寺自會有所行動。」
這一番話，說得雖然婉轉，但事實上卻有如下了逐客令一般。
五毒夫人忍了又忍，到最後還是忍耐不住，冷笑一聲，道：「俞少俠，不用談了。少林寺的掌門方丈，只不過應付咱們罷了。」
玄莊大師臉色一變，似要發作，但卻又忍了下來，道：「女施主不覺著有些言重麼？」
五毒夫人道：「大師敢說出口，難道還怕我揭穿了不成？」
玄莊大師道：「老衲掌少林門戶，如非證明確鑿，豈能輕舉妄動。」
五毒夫人道：「以我看，少林寺對造化城了解不至如此，所以才不敢輕舉妄動。」
玄莊大師道：「女施主利口如刀，出家人也有著被傷害的感覺。」
五毒夫人道：「我說的是實話，所以，大師聽起來很不入耳。」
玄莊大師合掌當胸，低喧一聲佛號，道：「女施主，請便吧！話不投機半句多，何況，老衲這靜室從未接見過女客，女施主也不宜久留。」
五毒夫人道：「是你把我們請進來的！我既然來了，就要把話說完才走。」
玄莊大師道：「女施主，老衲不願再留貴客。」
五毒夫人道：「你也不願我們到少林寺來，但我們還是來了。」
玄莊大師臉色大變，高聲說道：「護法何在？」
但見人影閃動，一座畫著如來佛像的屏風之後，突然間閃出來四個身著灰袍、白襪布履的年僧人。四個裝束一樣，都在腰間掛著一把短刀。

玄莊大師合掌當胸，低喧一聲佛號，道：「女施主，你們是自己走呢，還是要老衲下令逐客？」

五毒夫人冷笑一聲，道：「飛鈸大陣、羅漢陣，都攔不住我們，何況你大師幾句話，就可以把我們攆走了？」

玄莊大師緩緩說道：「我這隨身四位護法，都是少林寺年輕一代的高手，他們出手很重，四位合擊之術，更是嚴密無比，三位請多多考慮一下。」

五毒夫人道：「我也要請掌門人考慮一下，我是當今武林用毒高手，逼我出手時，我就可能用毒。」

玄莊大師道：「用毒？」

五毒夫人道：「湘西五毒門的掌門人，自然是用毒高手了。」

玄莊大師一皺眉頭，道：「這是少林寺，怎會輕易讓人用毒？」

五毒夫人道：「不讓我們用毒，那是你們的事，非要用毒不可，那又是我們的事。」

玄莊大師道：「你是一派掌門人的身分，怎能輕易用毒？」

五毒夫人道：「五毒門的聲譽不好，江湖上也沒有人說我是好人，所以，我的聲譽好壞，也不放在心上。」

玄莊大師突然嘆一口氣，道：「少林寺，情勢複雜，掌門人雖然受盡了敬重，但並無多大的權力。」

五毒夫人道：「我知道，你們要開長老會。」

玄莊大師點點頭，道：「是！老衲不能給你們滿意的答覆。」

五毒夫人道：「大師，論你身分，在武林德高望重，但如論江湖經驗，你只怕要往後排名了。所以，你那一套，別在我們的頭上耍。大師，你不是不能為，而是不敢為。」

玄莊大師道：「你這是……」

五毒夫人冷冷笑道：「聽你剛才的口氣，你對造化城確不陌生，但你對造化城，也是有著很大的畏懼。」

玄莊大師道：「女施主，不可含血噴人。」

五毒夫人冷笑一聲，道：「我不是信口開河，而是能夠指證。」

玄莊大師道：「哦，你說說看！」

五毒夫人道：「你明明知道，少林寺中僧侶，陷入了造化城中，但你卻不敢提出來。」

玄莊大師道：「老衲為何不敢？」

五毒夫人道：「因為，你可能是生命受到威脅，也可能是親人被執，也可能是敵對勢力太龐大，你自知無法抗拒，不願玉碎，只求瓦全。」

玄莊大師冷冷說道：「五毒夫人，你敢對老衲如此無禮麼？」

五毒夫人道：「為什麼不敢，我還要用毒毒你們。」

玄莊大師道：「五毒夫人，就算你真的用毒，把老衲和四個侍衛毒倒，但少林寺中的僧侶，不下千百位，難道你都能毒倒不成，何況，毒倒了少林寺的掌門人，少林寺的僧人決不會放過你們。」

五毒夫人道：「那也沒有什麼不敢。少林寺僧人，敢接近我，我就敢用毒毒他。」

玄莊大師道：「唉！看來你們是有備而來。」
五毒夫人輕輕吁一口氣，接道：「大師！我們不但是有備而來，而且也有很大的決心。」
玄莊大師哦了一聲，接道：「你們是什麼決心？」
五毒夫人道：「要你們掌門人，挺身而出，帶領著我們，抗拒造化城。」
玄莊大師道：「老衲一人，就算是答應了你們，但也沒有什麼用，因爲，這等大事，超越了我這掌門人的權限。」
俞秀凡突然大笑出聲，道：「夫人，咱們走吧！天下聞名的少林寺，不過是一群隱名逃世的人，他們禮佛念經，只不過是爲了自求心安。天下人的生生死死，和他們全無關係。慈航普渡，也不過是說說算了。天下武林同道，最爲敬重的少林掌門人，也不過是貪生畏死，自求多福的這種人。咱們就算把他逼得出面，又能對武林大局有什麼幫助？」
少林寺的掌門中人何等尊貴，但被俞秀凡的一罵，竟然罵得呆在那裏了。
俞秀凡臉色冷漠，望也不望玄莊大師，道：「咱們走吧！」當先轉身，向外行去。
五毒夫人、方堃緊追在俞秀凡的身後，向外奔去。

四八　長老大會

玄莊大師臉上神色數變，突然高聲喝道：「站住！」他本是有道高僧，但這聲站住，卻喝得十分激動。

俞秀凡停下腳步，冷冷說道：「大師還有什麼吩咐？」

玄莊大師道：「三位請留步片刻，老衲想和三位仔細地談談。」

五毒夫人哦了一聲，道：「俞少俠，咱們再多留片刻如何？」

俞秀凡道：「夫人如若覺著咱們應該留下來，咱們就不妨多留一陣。不過，我不願再和他談什麼了，要談，你們談吧！」

五毒夫人點點頭，道：「俞少俠太倦了，你借機會坐息一陣吧！咱們既然來了，我們就多費一番唇舌吧！」

三個人，重又行了回去。俞秀凡果然盤膝而坐，閉上了雙目。

五毒夫人道：「大師，你想告訴我們什麼，還是要知道什麼？」

玄莊大師道：「老衲想知道造化城主是誰？」

五毒夫人道：「這件事麼，是他個人的隱密，除了造化城主之外，只怕知道的人不多。」

玄莊大師道：「這麼說來，女施主也不知那造化城主的出身？」

五毒夫人道：「雖然不能肯定，但卻聽到一些有關他身世的傳說。」

玄莊大師道：「女施主可否說出來？」

五毒夫人道：「可以。聽說他是金筆大俠艾九靈的師弟，因為艾九靈的成就太高，俠譽不作第二人想，他師弟自知無法在這方面超過師兄，所以別走蹊徑，組織了造化城，窮搜天下武林高手，集於一身，希望能壓倒艾九靈。」

玄莊大師道：「艾大俠為人公正，江湖道上，無不奉他有如神明。他如真是艾大俠的師弟，同出一師，怎會有如此大的不同，形如天壤之別。」

五毒夫人道：「此事只是止於傳說，是否真實，無法求證。」

玄莊大師道：「至少有三個人知道，一個是艾大俠的師父，一個是艾大俠，還有一個是造化城主，三個人知曉的事，算不得是什麼隱密了。」

五毒夫人道：「以少林寺掌門人的身分地位，應該知曉那艾九靈的師父是誰了。大師知曉麼？」

玄莊大師苦笑一下，道：「老衲不知。」

五毒夫人道：「大師都不知道，天下又有什麼人能夠知曉呢？」

玄莊大師道：「這個……這個……老衲不常在江湖上走動，對這些事自然是知曉不多，不過，對造化城這等大事，老衲確早有耳聞了。」

五毒夫人道：「貴寺早知曉，何以不肯過問。此時想過問，只怕也力難從心了。」

玄莊大師嘆口氣，道：「女施主，本寺戒規太多，並非掌門人一道令諭，就可大興干戈。」

五毒夫人道：「現在，我們找上了貴寺，至少你應該把它當一件大事處理，偏偏又設下了無數埋伏逼我們出手拚命，鬧出流血喪命的事。」

玄莊大師道：「這就是少林寺的規矩，老衲也受著這些規戒限制。」語聲一頓，接著道：「如若我們能找出那造化城主的出身、底細，老衲覺得可收事半功倍之效。」

五毒夫人道：「艾九靈很多年消息杳然，生死不明，造化城主不會說出他的出身來歷，咱們又不知他師父是誰。其實，就算知道他出身來歷，也已經於事無補了。」

玄莊大師道：「女施主，可否解說得清楚一些？」

五毒夫人道：「可以。大師要找出那造化城主的出身，無非是想查出他武功的底細。但這些年來，造化城主，廣吸博收，一身武功，至少集十數家之長，除了武功之外，他還學得了暗器、用毒的手法，那都是武功最精華的手法。」

玄莊大師哦了一聲，道：「女施主的意思呢？」

五毒夫人道：「我的意思很明白，大師是少林寺的掌門人，目下江湖正面臨著空前大劫，貴派是武林的領導人物，應該振奮而起，領導江湖各大門派，共抗強敵，這才是咱們來找大師的原因。」

玄莊大師沉吟了一陣，道：「女施主，但老衲可以答允諸位一事，我立刻召集長老會商量此事，如何決定，在下再通知各位。」

五毒夫人道：「這要多少時間？」

玄莊大師道：「縱我今日就傳下綠玉佛令，今晚之前，就該有個決定。」

五毒夫人突然站起身子，躬身一禮，道：「大師，賤妾很高興，咱們這一趟沒有白來。」
玄莊大師苦笑一下，道：「女施主，長老會是否能通過這件事，老衲毫無把握。」
俞秀凡突然睜開雙目，道：「大師，少林掌門人向來受全寺尊重，怎會有人反對大師。」
玄莊大師嘆息一聲，道：「俞少俠，老衲確有很多的苦衷，而且，又很難啓齒。」
俞秀凡道：「大師，此刻情形特殊，必需合力施爲，才能改變情勢。」
玄莊大師一皺眉頭，道：「俞少俠的意思是……」
俞秀凡接道：「在下的意思很明白。大師如要在下明說，在下就直言了。」
玄莊大師道：「好！俞少俠請明說吧！」
俞秀凡道：「貴寺之中可能有一股反對你的力量。」
玄莊大師沉思了良久，點點頭，道：「不錯。」
俞秀凡道：「那一股反對你的力量，可能和造化城早有勾結。」
玄莊大師怔了一怔，道：「這個，俞少俠，事關重大，不可信口輕言。」
俞秀凡道：「只要不是別有用心的人，誰都看得清楚，目下江湖正面臨著空前浩劫。傾巢之下無完卵，這道理，誰都應該明白。但貴寺竟有人反對此事，那人是不是別有用心呢？」
玄莊大師道：「這個……這個……要拿證據出來！」
俞秀凡沉吟了一陣，道：「大師，晚輩有一愚見，但不知大師是否願意採納？」
玄莊大師道：「俞少俠請說。」
俞秀凡低聲說了數語。
玄莊大師一皺眉頭，道：「這個，這個不太方便吧！」

俞秀凡道：「如若咱們聽不到大師的信號，決不輕舉妄動。」

玄莊大師道：「話雖不錯，但如一旦被他們知曉，老衲也要受門規制裁。」

俞秀凡道：「事非得已，大師非要冒險不可。」

五毒夫人道：「大師如若決定抗拒造化城，就不該有此一慮。」

俞秀凡道：「事機稍縱即逝，錯過了今日之後，只怕再沒有機會了。」

五毒夫人道：「你爲一派掌門，領袖天下武林，如不能當機立斷，那就遺憾終身。」

玄莊大師臉上神情屢變，沉吟了一陣，道：「好吧！老衲拚受門規制裁，冒此一險。」

少林方丈傳出了綠玉佛令，召開了少林寺最權威的長老會議。

少林寺的長老會，一般都在戒恃院或達摩院召開，但這一次，卻大反常態，改在了方丈的養心禪室召開。

事情很緊急，午末時分，少林長老們已集聚在養心禪室之中。

玄莊大師坐了首位，群僧各以順序入座。

長老會一共有九位長老，加上了達摩院、戒恃院和藏經閣三位主持，合一十二人，再算上掌門方丈，共有一十三人。

這是少林寺最權威的集會，除非發生了重大變故，只有三年一次的例會。

自然，二院一閣的主持，是寺中重要人物，九位長老，也都是經過推選的人，都是玄字輩的僧侶，只有一位是上一輩的高僧，神木大師。

玄莊神情嚴肅，望了群僧一眼，道：「江湖新秀俞秀凡和湘西五毒夫人，帶著離開了造化城的十大劍主等，找上了少林寺，闖過飛跋大陣，本座為了免去無謂傷亡，遣人迎他們進入方丈室。」

話至此處一頓，見群僧無人接口，又緩緩說道：「和他半日傾談，知道了造化城主的為人，也了解目下江湖形勢，覆巢之下無完卵，如若少林派不肯挺身而出，整個江湖，都可能淪入了造化城主的統治之下。本座了解了內情之後，亦覺著事態嚴重，所以不得不召請諸位，議論一番，共商大局。」

聽完了玄莊一番話，所有的目光，都投注在神木大師的身上。

這位木字輩的高僧，雖然是上一代唯一的遺老，但在遺老之中，卻是最具聲望的人。沒有誰能正確說出神木的年歲，他鬚眉已白，臉上也堆滿了皺紋，看上去，有些老態龍鍾。但他雙目卻含蘊著一種強烈的神光，炯炯逼人。

在眾僧目光逼注之下，神木緩緩啓齒說道：「掌門人可是要聽聽老衲的意見麼？」

玄莊大師道：「不錯，正要聽聽師叔的高見。」

神木大師點點頭，道：「老衲已三十年未出少林寺的大門一步，對江湖事，知曉的有限。老衲也只能根據掌門人的意見，提供出老衲的看法。」

語聲微微一頓，目光四顧，看了周圍的僧侶一眼，緩緩說道：「如若掌門人說得不錯，江湖上確是已經面臨著從未有過的浩劫，問題是咱們是否能夠對抗造化城，是否要出盡全寺之力，和造化城的高手周旋？」

玄莊大師道：「師叔對此事的看法呢？」

神木大師沉吟了一陣，道：「這件事老衲也無法作主。不過，事情已到了此等情勢，除非全力以赴，就不能捲入這場紛爭之中。」

他說了一番道理，但卻沒有說出對付造化城主的辦法。

這時，一個灰袍僧侶忽然站起來，道：「稟掌門人，貧僧有點意見，不知可否說出來？」

說話的是玄莊大師的師弟，玄方大師。

玄莊大師一揮手，道：「你說吧！」

玄方道：「為了少林寺，為了千百位僧眾，貧僧之意，此事不宜咱們少林寺出面。」

玄莊大師呆了一呆，道：「師弟的意思是……」

玄方接道：「貧僧的意思是，我們要聯合其他門派一起出面。」

玄莊大師道：「你已經聽我說明內情，只怕時間上來不及了。」

玄方大師道：「掌門人，此事要慎重，不可輕率。因為，事關整個江湖，少林一門，為什麼要先擋銳鋒？」

玄莊大師道：「玄方師弟，江湖上面臨著如此大難，我們怎能坐視不問？何況，少林派一向被人推崇為武林的泰山北斗。」

玄方大師道：「掌門人，咱們如只憑少林實力，難道真正能管得了麼？」

玄莊大師道：「師弟，咱們如若不管，造化城總有一天會找上少林寺來。」

玄方大師哼了一聲，道：「不錯。造化城可能會找上咱們，不過，那是以後的事，咱們還有很多的時間準備。如是現在咱們找上造化城，那是要立刻火併的事。老實說，咱們少林寺精銳盡出，如無外援，只怕也難是造化城的敵手。」

玄莊大師沉吟了良久，突然說道：「你怎麼知道咱們不是造化城的敵手？」

原來，玄莊大師在沉吟之時，聽到了俞秀凡的傳音指導。

玄方似是未料到玄莊大師會有這樣的反問，不禁一呆。

但他乃是很有心機的人，略一猶豫，立刻說道：「貧僧很少離開過少林寺，對江湖事知曉不多，造化城的實力，完全是聽從掌門人適才口述。」

玄莊大師道：「原來如此。」語聲一頓，接道：「本座已經權衡過輕重利害，覺著，只有趁造化城還未完全準備成熟之時，先聯合江湖上義俠志上，和他們合力聯手，對強敵一擊。」

玄方大師搖搖頭，道：「對掌門人的高見，貧僧不敢苟同。」

玄莊大師道：「師弟一力反對此事，不知是何用心？」

玄方大師道：「貧僧是爲了少林寺，我們不能獨擋銳鋒。」

玄莊大師道：「如是有很多江湖俠士和咱們結合在一起呢？」

玄方大師道：「什麼人？咱們先要知道他們的實力如何。」

玄莊大師一皺眉頭，道：「玄方師弟，你不覺著太過分一些麼？」

玄方笑了一笑，道：「掌門人，這是長老會，在這裏，任何人都可以說出他心裏的話。」

玄莊冷冷一笑，道：「玄方，長老會不是一個人可以決定的。」

玄方大師道：「貧僧覺著，掌門人應該把此事提出共決。」

玄莊大師點點頭，道：「好！我要看看，長老會，有幾個人會贊同你的意見。」

玄方大師道：「掌門人，貧僧一心爲公，自信不會有很多人反對貧僧。」

玄莊大師臉色微微一笑，目光四顧，道：「神木師叔和諸位師兄、師弟，你們哪一位贊成玄方師弟的高見，請站起身來！」

這等表決之法，對玄方本是大爲不利的事，但出乎意外的是，在座之人，竟然有一大半站了起來。

少林寺長老會的決定，一向是從不更改。

玄莊大師一看情勢不對，立時隨機應變，雙手一揮，道：「諸位師兄、師弟請坐！」站起身的僧侶，都依言坐了下來。

玄莊大師究竟是一代掌門之才，不但感覺情勢對己不利，也感覺著掌門人權已經旁落，長老會的力量，不但已非己所能控制，而且反而成了控制他掌門人權力的力量。

目光轉注在神木大師的臉上，緩緩道：「本座覺著，此事應該多聽聽神木師叔的高論。」

神木大師是剛才少數坐著未動的僧侶之一。

玄方大師搖搖頭，道：「掌門人，咱們少林寺有一條戒規，不知掌門人是否還記得？」

玄莊大師不得不理會，只好一皺眉，道：「什麼規戒？」

玄方大師道：「如若長老會和掌門人意見不同之時，掌門人應該如何處理？」

玄莊大師道：「掌門人可以辭去掌門之位，或是同意長老會的意見。」

玄方大師道：「辭去掌門之位，太過麻煩，小弟倒希望師兄同意長老會的意見，保存下少林寺的命脈。」

玄莊大師忍下心中的怒氣，低喧一聲佛號，道：「阿彌陀佛，可是已覺著長老會已支持你的高見麼？」

玄方大師笑了一笑，道：「我記得掌門已付表決，但小弟沒有看清楚。好在，長老會還未散去，掌門人不妨再付表決。」

玄莊大師點點頭，道：「玄方師弟說得是，不過，本座覺著，這件事還要問問神木師叔。」

玄方大師望了玄莊大師一眼，道：「掌門人說得是，聽聽神木師叔的高見也好。」

玄莊大師輕輕吁一口氣，道：「長老會正陷爭論之中，還望師叔指示我們一條明路。」

神木大師緩緩睜開雙目，道：「老衲思索良久，覺著玄方說得不錯。」

玄莊大師驟然間感覺到有如一盆冷水，由頭上澆了下來，全身都生出了一股寒意。

但他是一位有道高僧，雖然覺出了局勢險惡，但仍然能保持著相當的平靜，一語未發。

神木大師目光環顧了四周一眼，接道：「造化城氣候已具，如若咱們不能慎重處置，很可能造成了少林寺和造化城的對壘局面，武林道中，都覺著少林寺實力雄厚，未必會有人派來高手馳援，單是少林寺和造化城對決生死，勝負之分，那就很難說了。」

玄方大師道：「勝也勝得很慘，敗則全派覆滅，因此，貧僧主張，還是慎重一些的好。」

玄莊大師點點頭，道：「很有道理。」

玄方大師笑道：「掌門人明察。小弟完全是爲少林門戶著想，如有開罪掌門人的地方，還望掌門多多的原宥。」

玄莊大師笑了一笑，道：「玄方師弟，本座覺著，這中間還有商榷的餘地，可否讓我再考慮一下？」

他實在未想到，連神木大師也會支持玄方的意見，一時間頓覺孤立無援，不知如何才好。

但他表面上，還保持了相當的鎮靜。

玄方大師笑了一笑，道：「掌門人召集一次長老會，並非易事，何不一次決定，傳下令諭，也好使人有所遵循。」
玄莊大師搖搖頭，道：「玄方師弟，本座覺著茲事體大，如若不深思熟慮，很可能造成大錯、大憾的事，故而必需再多想一想。」
玄方大師道：「掌門人，長老會的權威，一直在掌門人之上，也是本派歷代長老制訂的規戒，如若在這一代掌門人手中破壞，那才是一樁大憾、大恨的事。」
玄莊大師道：「玄方，本座還是掌門人的身分，有些事在我的權職以內，似是用不著在長老會商談了。」
玄方大師道：「掌門人此言差矣！既是請長老會議決的事，自然是早已超過了掌門人的職權，如是長老會議決之事，不能約束掌門人，這長老會似是也不用存在了。」
玄莊大師臉色冷肅，緩緩說道：「玄方，你敢對本座如此頂撞，用心何在？」
玄方大師道：「掌門人如若不肯接受長老會的約束，小弟就是想尊重掌門師兄，也是尊重不來的了。」
玄莊大師慈眉聳動，雙目閃光，冷笑一聲，道：「玄方，這雖是長老會，但你不能如此失態。本門戒規森嚴，切望你不可以身相試。」
玄方大師搖搖頭，嘆息一聲，道：「掌門人，小弟也正在全力維護本門戒規。」
玄莊大師道：「長老會雖可暢所欲言，但也不能對本座如此不敬。」
玄方大師道：「掌門人如若覺著小弟有冒犯之處，貧僧願立刻退席。」
說退就退，霍然站起了身子，轉身向外行去。
玄莊臉色一變，道：「當值的護法何在，給我攔下來！」

兩個灰衣僧侶，應聲而出，擋住了門口。

玄方大師停下腳步，朗朗說道：「掌門人，你既干預了長老會的職權，又如此嚴厲的對付小弟，實叫人心中不服。」

這時，兩個灰衣僧侶，已然欺到了玄方的身側，道：「師叔，你是自己就縛呢，還是要我們出手？」

玄方大師淡淡一笑，道：「這是在召開長老會，你們沒有插口的身分。」目光轉注到神木大師的身上，接道：「師叔有何高見，指教弟子。」

兩個灰衣僧侶齊聲說道：「玄方師叔，弟子奉的掌門之命，如若師叔不肯就範，休怪弟子開罪了。」

神木大師搖搖頭，先制止兩個灰衣僧侶的行動，道：「掌門師姪，這作法有些太過分了？」

玄莊大師道：「哦！師叔的意思呢？」

神木大師道：「老衲覺著，對玄方師姪的處置，太過嚴厲了一些。」

玄莊大師道：「玄方師弟出言無狀，舉止失態，竟然要中途退席，這口氣，豈不是難忍得很麼？」

神木大師道：「長老會一向可暢所欲言，掌門人要包容各方意見，綜合之後，再決定可行之法。玄方師姪雖然言語有冒犯掌門人的地方，但他一本大公，並無私恨在內，這一點，老衲覺著他並無大錯。」

玄莊大師陡然間覺著自己是那麼孤立無援，長老會，似是已落入別人的控制之中。他寄望於神木大師，以他在寺中的身分、聲望，助自己一臂之力，或可有所轉機。但玄莊失望了。

輕輕吁一口氣，神木緩緩說道：「這只是就事論事而言，還望掌門人能夠網開一面，放了玄方。」

玄莊大師忽然間感覺到神木大師，也有著很多的可疑之處，對玄方袒護的有些過分。

點點頭，玄莊大師舉手一揮，兩個灰衣護法，應手退了下去。

玄莊大師道：「師叔吩咐，弟子怎敢不遵。」

神木大師道：「玄方，掌門人已不追究你頂撞他的過失，還不謝過。」

這方面，玄方改變得很快，立時合掌當胸，一躬身，道：「玄方謝過掌門人的寬恕。」

玄莊大師究竟是一代掌門之才，立時決定暫時把情勢緩和一下，先對玄方一揮手，道：「神木師叔已把話說明，事情已過去了，師弟不用多禮了。」

語聲微微一頓，接道：「造化城已成氣候，志在武林，少林寺就算要閉關自守，不理江湖事，只怕造化城也不會放過咱們。但如此時振袂而起，難免會先擋銳鋒，兩害相權，輕重頗難斟酌，長老會一時間只怕也難做決定，神木師叔暨諸位師兄、師弟，請休息一會兒。也可借機多做一番思考，再行會商大計。」

玄方大師笑了一笑，道：「掌門師兄，依小弟看，事宜早決，兵貴神速。我們既然已知造化城志在武林，自應當早謀對策，拖延時間，又於事何補？」

玄莊大師心中明白，玄方是逼他就範，心中暗暗震動，表面上卻保持了相當的鎮靜，笑了一笑，道：「師弟說得也是，但一時難做決定，除非有人能想出一個新的策略。」

玄方大師道：「良謀難求，小弟覺著，倒有一策可用。」

玄莊大師道：「師弟請說！」

玄方大師道：「何不遣派一人，和造化城訂下和平共存之約。」

玄莊大師哦了一聲，接道：「誰能擔保造化城能守信約？」

玄方大師道：「就算造化城不守信約，咱們也取得一段緩衝時間，可以從容準備一下。」

一個白眉老僧突然冷笑一聲，道：「玄方師弟，小兄不能同意你的高見。」

說話之人，正是率領羅漢陣的玄光大師。

玄方笑了一笑，道：「師兄有何高見？」

玄光大師道：「少林寺能受武林同道敬重，就是少林寺一向能主持武林正義，如若派人向造化城求和，不但大損少林威名，而且背棄了武林正義。」

玄方道：「師兄說得不錯，不過，武林正義，決重不過少林派門戶的存亡絕續，這一點，不知師兄想過了沒有？」

玄光大師道：「我想過了，而且，想得很清楚，所以，我等到現在才說話。」

玄方大師道：「這麼說來，師兄是早想過了。」

玄光道：「不錯。所以，我才主張不能派人到造化城求和。自達摩祖師東來之後，建立了這座少林寺，數百年來，咱們一直是武林的象徵，那些光榮的歷史，不能在咱們這一代手中破壞。」

玄方大師冷笑一聲，道：「師兄，你這話聽起來很有道理，但如要深一層想，那就情形不同了。」

玄光大師道：「怎麼說？」

玄方大師道：「咱們所謂求和，不過是策略的運用而已。」

玄光大師接道：「玄方師弟，小兄覺著，目下，造化城沒有找上咱們，似乎也用不著什麼策略。」

玄方大師道：「防患未然，制敵機先，小弟的方法，有什麼不對？」

玄光大師道：「至少咱們還不知道造化城目下有什麼行動，如若咱們先派人去向造化城求和，那不是一大笑話麼？」

語聲微微一頓，突然高聲說道：「諸位師兄、師弟，貧僧感到此事關係重大，不可輕率決定，是否再多想一會兒？」

他一連問了數聲，場中無人回答。但他卻發覺了，有不少目光，偷偷向玄方看去。情勢愈來愈明顯。玄方已控制了長老會大部分的人。

玄光大師暗暗嘆息一聲，又道：「諸位師兄，你們覺著白雲師伯的為人如何？」

這時才有一個六旬老僧，點點頭應道：「不錯啊，咱們應該去問問白雲師叔。」

但聞玄莊大師說道：「神木師叔，白雲師伯現在何處？」

神本大師道：「他去採集幾種藥物，要煉製一樣丹丸，目下不在少林寺。」

玄莊大師笑了一笑，未再多問。

玄光大師卻是聽得恍然大悟，忖道：無怪他剛才說得那樣大方，原來白雲師伯不在寺中。

只聽玄方朗朗說道：「玄光師兄，小弟越想越覺著不對，這件交易，我們吃虧太大了。」

玄光大師茫然說道：「吃虧，吃什麼虧？」

玄方大師道：「造化城有備而來，而且準備了十年時光，咱們卻是連一點準備也沒有。」

玄光大師道：「師弟的意思是……」

玄方大師接道：「小弟的意思是，咱們必須爭取一些時間，好好的準備一下。」

玄光大師道：「師弟的意思，可是仍要遣人和造化城接觸麼？」

玄方道：「小弟正是此意，不過，這是爲整個少林寺千百位僧眾著想。」

玄光大師道：「我還是有些不明白，就算咱們派人去了造化城，又能有什麼樣的結果？」

玄方道：「這要隨機應變了，無法說出個一定演變的常規。」

玄莊大師道：「這要遣派哪些人去才好？」

玄方大師笑了一笑，道：「這要派幾個口齒伶俐的人去，我們一面準備，一面要說服對方，拖延時間。」

玄莊大師道：「很有道理，如若真有這麼一行，只怕要借重玄方師弟的大力了。」

玄方道：「如若掌門人看重小弟，小弟自當全力以赴。」

玄莊大師道：「一旦要與造化城接觸之時，還請師弟幫忙。」

玄方道：「小弟萬死不辭。」

玄莊大師緩緩站起身子，道：「此事太過重大，諸位任何決定，都可以影響到少林寺數百位僧眾的生死榮辱，也可能影響了少林寺在江湖上的聲譽，本座請諸位再多想想，晚齋之後，咱們在寺中藏經閣再作集會，希望能商討出一個妥善之策。」

玄方一皺眉頭，道：「掌門人，兩個時辰，又能想到多少事情，何不就此決定，咱們也好行動。」

玄莊大師冷冷說道：「玄方師弟，這件事，老衲就此決定了，師弟不用再勸阻了。」起身向外行去。

情勢逼人，他不得不作決斷性的處置了。

但見人影一閃，玄方突然攔在了玄莊大師的身前，道：「掌門人，此時若不做決定，只怕很難壓制下長老會激動的情緒。」

玄莊大師道：「別人都可以忍受，最不能忍受的是你玄方師弟了。」

玄方道：「小弟一心秉公，長老會諸位師兄，大都明白，就是神木師叔，也知小弟的苦心，掌門師兄如若不肯答允小弟之求，只怕……只怕……」

玄莊大師冷冷說道：「只怕什麼？」

玄方大師道：「只怕掌門師兄很難使咱們心服。」

玄莊大師道：「不服又能如何？」

玄方冷冷說道：「如若是一派掌門身分，讓人心中不服，只有兩途可循。」

玄莊大師道：「哪兩途可循？」

玄方道：「一條是請你掌門人辭去現職，一條是少林寺的長老會，把你掌門人的職位免除。」

玄莊大師哦了一聲，道：「玄方師弟，有一件事，我必需說明，師兄對這掌門人的職位，並不留戀。如若我辭去了這個掌門的職位，能使少林寺蒙受利益，小兄立刻可以辭去。」

玄方大師道：「師兄如若不能使長老會對此事感到滿意，師兄就算不辭去掌門之位，只怕長老會也不會見容於你。」

玄莊大師道：「玄方師弟，你好像已經控制了長老會，是麼？」

玄方大師道：「不敢。小弟只是和長老會大多數的長老們，看法一致。」

玄莊大師淡淡一笑，道：「這麼說來，長老會召開之前，玄方師弟和他們早有默契了？」

玄方大師道：「那倒沒有。」

玄莊嘆息一聲，道：「玄方，你是否想接替掌門之位？」

玄方道：「小弟並無此心。」

玄莊大師道：「如若師弟沒有這個用心，為什麼你能使長老中人，都聽從你的指令？」

玄方大師道：「那是因為他們同意小弟的意見，覺著這事對少林寺的關係很大，所以，他們才不肯聽從掌門人的令諭。」

玄莊大師道：「玄方師弟，就目下情勢而言，你們似是早已經有安排了？」

玄方大師道：「掌門師兄，小弟覺著目下的情況，似是用不著再討論這件事了，我們應該有所決定。」

玄莊大師道：「我已經說過了，晚齋之後，藏經閣再做決定，可以讓我出去了吧！」

玄方大師道：「不行！掌門人如若不做一個明確的交代，小弟不能任你揚長而去。」

玄莊大師淡淡一笑，道：「玄方師弟，你可是逼我出手麼？」

玄方道：「掌門人，你如對小弟出手，可曾想到後果的嚴重麼？」

玄莊道：「什麼樣的嚴重後果？」

玄方道：「你對小弟出手，那無疑是對長老會的決議挑戰。」

玄莊怒道：「玄方，我再三相讓，你卻苦苦相逼，難道小兄真的會怕你不成？」

玄方哈哈一笑，道：「掌門人，你發怒了。需知少林寺千百僧侶的生死，大部分握在你一人手中，你如此容易動怒，我又怎敢以此重責大任相托？」

玄莊吸一口氣，道：「護法何在，給我拿下，送入戒恃院去！」

兩個護法應聲行了過去。

玄方大師厲聲喝道：「給我站住！你們如若真敢動手，別怪我這做師叔的手下無情了。」

兩個護法僧侶，都是玄莊的親信，齊聲說道：「師叔，掌門令諭，就算咱們死在師叔的掌下，那也是沒有法子的事了。」

玄方冷笑一聲，道：「好！兩位覺著真的能夠對付了我，那就請出手吧！」

只聽神木大師冷冷喝道：「不許出手！」

玄莊大師怔了一怔，道：「師叔再三攔阻本座下令護法出手，是何用心？」

神木大師道：「少林寺長老會，由來一經召開，必有議決，掌門人卻使長老會議而不決，半途而廢，老衲覺著，玄方師弟的措施沒錯。」

玄莊大師冷冷說道：「無怪玄方敢對我如此無禮，原來是有你師叔撐腰。」

神木冷笑一聲，道：「掌門人如此責怪老衲，豈不是存心輕藐長老會嗎？」

玄莊感覺到事態嚴重，因爲神木不避嫌疑地正式出面，祖護玄方，顯然是事先早有默契。局面發展到這等情形，似乎是已很明顯，神木可能是主持其事的人，玄方反成了次要人物。

搖搖手，示意兩個護法暫時退下，玄莊緩緩把身軀轉向神木，道：「師叔，本座想請教一事？」

神木大師笑了一笑，道：「掌門人太客氣了，有事但請吩咐！」

玄荘大師道：「這少林寺，以何人的權位最爲尊崇？」

神木大師道：「自然是掌門人。」

玄荘大師道：「師叔覺著本座對應付造化城一事的處置，有不當之處麼？」

神木大師道：「老衲並無此感。」

玄荘道：「師叔對玄方師弟對本座的連番頂撞，有何指教？」

神木大師道：「玄方師姪對掌門人的舉動，也許有不敬之處，但他認事之真，老衲卻頗表同情。」

玄荘輕輕吁一口氣，道：「師叔認爲玄方師弟的看法正確？」

神木點點頭，道：「老衲正是此意。」

玄荘肅然說道：「師叔，如若本座以掌門人的身分，令諭師叔，你是否願意聽從令諭？」

神木大師道：「這要看掌門人的令諭是否可行。」

玄荘微微一怔，道：「本座傳綠玉佛令，神木長老聽命。」

神木大師道：「老衲在。」

玄荘道：「玄方不敬尊上，連番頂撞掌門人，著令神木長老立刻出手，擒下玄方，送往戒侍院，面壁三年。」

神木回顧了玄方一眼，道：「掌門人，這是長老會，與會長老，都可暢所欲言，不受寺中的戒律限制，法有明文，老衲不能從命。」

玄荘大師道：「師叔可知抗拒綠玉佛令，爲不赦的死罪麼？」

神木道：「老衲知道，不過長老會是少林寺最高的權威，其權力尤過掌門人。」

玄莊點點頭，道：「長老會已暫停止，掌門人權冠全寺。」

神木大師道：「長老會可以不開，既然開了，就不能任意暫停。」

玄莊沉聲說道：「師叔是否早已和玄方師弟有所約定？」

神木淡淡一笑，道：「掌門人想的太多了。」

玄莊大師道：「情勢如此，本座不能不如此想。」

神木大師道：「如若掌門人不能尊重長老會，要我這個做師叔的，又怎能敬重你這個掌門人呢？」

玄莊點點頭，道：「看來，玄方師弟和師叔合作，非要把我留在這裏不可了。」

神木大師道：「長老會可以接受掌門人的辭退，然後，向全寺僧侶說明。」

玄莊哈哈一笑，道：「看來，師叔非要逼我退休了。」

神木大師道：「如是掌門人心存此想，老衲也是沒有法子了。」

玄莊大師默察形勢，已到了非分出是非不可的局面了，沉吟了一陣，道：「哪一位願助本座一臂之力，請行過來！」

玄光大師當先行了過來。

玄莊默數人物，連自己只有四人，算一算，是四對九的局面。但最使玄莊傷心的，是戒恃院的主持，竟然也背叛了他。

黯然嘆息一聲，玄莊高聲說道：「神木師叔，諸位師兄、師弟，本座如有什麼不對之地，爲何從不聞戒恃院向我提出過什麼？」

玄方大師冷冷說道：「識時務者爲俊傑，目下大勢已去，師兄何不辭了掌門之位，免得傷了和氣。」

玄莊道：「本座辭去了掌門職位，何人接替本座？」

玄方大師道：「這不勞師兄費心，長老會自會決定。」

玄莊大師冷笑一聲，道：「如是本座不肯辭去掌門之位呢？」

神木大師道：「這就是掌門人的不對了。你，不肯辭去掌門之位，豈不是藐視長老會麼，老衲既是長老會的唯一上代遺老，自然要主持大義了。」

玄莊道：「迫我去職？」

神木道：「你用人不當，判事不明，如若還站在掌門人的職位上，豈不是要誤了全寺的僧眾麼？」

玄莊回顧了玄光一眼，道：「玄光師兄意下如何？」

玄光道：「貧僧之意，掌門人不能輕易言退，需知長老會權威雖重，但卻從來沒有免去掌門職位的事。」

玄方冷冷接道：「每一件事，總要有個第一次。師兄此言，大背眾意。」

玄光怒道：「就算長老會免去了玄莊師弟的掌門之位，也不會由你頂替。」

玄方大師道：「小弟並無佔有掌門職位之心，師兄不用含血噴人。」

玄光冷笑一聲，道：「寺中還有白雲前輩，何不請他說一句話？」

玄方道：「白雲師伯不是長老會中人，如何能夠出席長老會議。」

玄莊嘆一口氣，道：「神木師叔，本座不會辭退，師叔又準備如何呢？」

神木冷笑一聲，道：「你輕藐長老會，依戒規應該擒交戒侍院，聽候裁決。」

玄莊還未來得及答話，忽見屏風後面轉出一個身佩長劍的俊美少年。是俞秀凡，緩步行入場中。

對俞秀凡的出現，群僧並未表現出驚訝之色，似是此事早已在預料之中。

神木望了俞秀凡一眼，道：「掌門人，這一位施主是什麼人？」

俞秀凡道：「區區麼，俞秀凡。」

玄方大師道：「閣下就是率人夜闖少林寺，勾結本寺掌門人的俞秀凡。」

俞秀凡道：「大師不覺著話說得太重麼？」

玄方冷冷說道：「掌門人，這位俞施主，怎會隱藏在方丈室中？」

玄莊大師道：「這沒有什麼好奇怪的，飛鈸大陣，攔不住別人，人家衝進了方丈室，我就讓他們進來了。」

玄方冷笑一聲，道：「不是掌門師兄勾結他們來的麼？」

玄莊大師淡淡一笑，道：「玄方師弟，你已經對本座污蔑很多，多幾句，本座也不放在心上了。」

玄方大師道：「掌門人，你勾結外人之事，可以暫且不談，但造化城之事，不得不做個決定！」

玄莊大師道：「我已經宣布長老會會議暫時停開，你們一定要開，那是你們的事了。」

玄方大師道：「小弟可以代表長老會，告訴掌門人一件事，掌門人已經被免除了掌門職位。」

玄莊大師淡淡一笑，道：「玄方，長老會可曾決議，由何人代理我掌門之位？」

玄方道：「小弟。」

玄莊道：「玄方師弟，狐狸終於露出尾巴了。你處心積慮，就是要謀佔這個掌門之位。」

神木大師接道：「這是長老會的決定，和玄方無關，你先背棄了長老會，自然不能怪我們背棄你了。」

玄莊大師冷笑一聲，道：「可惜的是，在此情景下，本座無法接受。」

神木大師冷冷說道：「如是你堅拒不認，老衲受長老會的委托，擒你交付戒侍院定罪。」

俞秀凡突然接口了，道：「人說少林寺爲武林道上的泰山北斗，但照在下的看法，卻是傳言失實了。」

神木大師道：「這是少林派的家務事，不用外人插口。」

俞秀凡接道：「在下眼不見爲淨，也就算了。但既然叫在下碰上了，那就只好非管不可了。」

神木大師緩緩站起身子，道：「施主太過自負了。」

這時，神木大師已然欺到了俞秀凡的身側。兩人相距也就不過是三、四尺遠。

四九　內奸現形

俞秀凡右手緊握劍柄，雙目盯注在神木大師的身上。神木大師看了俞秀凡握劍的姿勢一眼，停了下來，未再向前欺進。顯然，俞秀凡的握劍手法，使他心中有所警惕。

玄方突然一側身，道：「殺雞焉用牛刀，這件事，由弟子出手就是。」

其實，他勢在言前，口中說話之時，右掌已然遞出。

俞秀凡右手握劍未動，左手拍出一掌，硬接下玄方的掌勢。雙掌相觸，響起了一聲蓬然大震。俞秀凡被震得向一側橫跨了兩步。

但玄方也未沾光，也被震得向後退了一步。

神木大師突然一伸手，身子隨著向前伸的手臂忽然間飛了起來，疾如流星般衝向俞秀凡。

俞秀凡右手緊握的劍柄，一直準備對付神木大師。但見寒芒一閃，一片劍光，繞身而起。

神木大師但覺俞秀凡全身都為劍光籠罩，竟然無處下手。他武功之高，已到了收發隨心之境，倏忽前進，但在一吸氣間，人又退回了原處。

俞秀凡橫劍當胸，冷笑一聲，道：「兩位大師配合得很好啊！」

神木大師只覺臉上一熱，道：「施主左掌、右劍，似也到了爐火純青之境。」

他究竟是有身分的高僧，對俞秀凡這等獨拒兩人的攻勢，心中佩服異常。

俞秀凡道：「大師誇獎了！」

玄方一皺眉頭，道：「師叔，這人對師叔無禮，看來是饒他不得了。」

言中之意，是暗示神木大師，施展殺手，一擊取對方之命。

神木大師表情嚴肅，緩緩由項下取下了一串佛珠。

玄莊臉色一變，道：「師叔，不可施下毒手。」

神木大師冷笑一下，道：「少林寺從未受過這等奇恥大辱，如若不把此人毀在寺中，不但師叔的一生英名盡付流水，少林寺亦將難洗此污。」

玄莊大師道：「師叔，就算咱們要對付俞秀凡，也應該用一些光明正大的手段，若用佛珠傷人，豈不是有失咱們少林寺的氣度和榮譽。」

神木大師臉色微變，道：「掌門人的意思，是要老衲憑仗真實的武功，勝過俞秀凡了？」

俞秀凡突然向前行了兩步，一拱手，道：「大師，俞某有一事請教。」

神木大師道：「什麼事？」

俞秀凡道：「造化城中，隱藏了無數高手，眼前就要發動一場血雨腥風的江湖大劫，貴寺是領導武林同道的盟主，不思挽救這一場浩劫，卻還在自相爭權奪位。」

神木大師道：「這是我們少林寺之事，和施主何關？實在用不著你來插手。」

玄方大師突然接口說道：「俞施主可以率領著用毒高手，不惜以生命作注，衝入少林寺，為什麼不率領這批人手，和造化城主決一死戰呢？」

俞秀凡道：「我們願為前驅，但要少林寺出面召集各大門派，共禦強敵。」

玄方道：「閣下已把信息傳入少林寺，此刻已經沒有你的事了，殺死本寺僧侶的事，我們也可以不予追究，你們可以去了。」

俞秀凡淡淡一笑，道：「大師，我們既然來了，就得把事情辦好。」

玄方道：「俞少俠可是想威脅本寺麼？」

俞秀凡道：「談不上威脅。在下等千辛萬苦才找上少林寺，如若不把事情辦個明白，那豈不是完全白費精力。」

玄方大師道：「你要我答允什麼，乾脆把條件說出來吧！」

俞秀凡道：「第一，我們要貴寺答允對抗造化城主，第二麼，你們不能免去玄莊大師的掌門之位。」

玄方怒道：「兩個條件，我們一個也不能答應。」

俞秀凡點點頭，道：「我明白了，少林寺所以會受蒙蔽，就是寺中有一些所謂高僧，如閣下這等長老階級的人物，心懷叵測，早已和造化城主勾結，謀圖個人名位，把少林聲譽、江湖正義，拋諸九霄雲外。」

玄方道：「施主血口噴人，羞罵貧僧，不知是何用心？」

俞秀凡道：「除你之外，還有那位神木大師，以及和你們站在一邊的少林長老。」

玄方哈哈一笑，道：「施主，少林寺最權威的長老會，被你罵的一文不值了。」

俞秀凡冷冷說道：「用不著挑撥，玄莊大師莊嚴、公正，不但身受少林寺的弟子擁戴，而且也受著武林同道的敬重。凡是參與逼退玄莊大師辭去掌門之位的人，都是少林寺的叛徒，武林的敗類。」

這幾句話說得很重，神木大師和身後群僧，個個都聽得臉色大變。

但除了神木大師和玄方大師之外，都緩緩地垂下了頭。

俞秀凡冷笑一聲，道：「你們都覺得慚愧，是麼？既然還知道慚愧，爲什麼還要聽從玄方和神木的指使？」

垂首群僧，似都是有苦難言，面面相覷，卻無一人開口。

俞秀凡輕輕嘆息一聲，道：「亡羊補牢，時猶未晚，如若你們都還有慚愧之心，現在，還來得及改變。」

神木身後群僧，突然有一個人大步行了過來，直到玄莊大師的身前，突然跪了下去，道：「小弟玄慈，向掌門人領罪。」

玄莊大師合掌當胸，低喧佛號，道：「過而能改，仍屬完人，師弟請起吧！」

玄慈大師一拜起身，道：「多謝掌門人的恩典。」

玄莊一揮手，玄慈退到了掌門人的身側。

俞秀凡道：「諸位大師都是有道高僧，想來心中早已把是非分得清清楚楚了。」

不容俞秀凡把話說完，玄方大師已搶先說道：「玄慈，你忘記了你的誓言麼？」

玄慈道：「脫去臭皮囊，魂登西天上，貧僧不會再受死亡威脅了。」

玄方大師突然右手一揮，鏘的一聲，一聲脆響，傳入耳際，玄慈也突然捧腹蹲了下去。

第二聲脆響，接連傳出。玄慈大叫一聲，仰臥於地，七竅流血，氣絕而逝。

這變化來得太突然，俞秀凡和玄莊大師，眼看著玄慈死去，卻無法解救。

玄莊大師呆了一呆，道：「玄方，你用的什麼手段，傷了玄慈？」

玄方冷冷說道：「他立下了毒誓，自己又不肯遵守，所以應了誓言。」

俞秀凡道：「哼！故弄玄虛。」

玄方大師道：「好好的玄慈，突然死去，俞少俠又如何解釋呢？」

但聞一個女子聲音，接道：「這不是什麼難事。」

說話的是五毒夫人，緩步行了出來。

玄方一皺眉頭，道：「女施主是……」

五毒夫人接道：「湘西五毒門的五毒夫人，閣下聽說過吧？」

玄方道：「女施主聲名狼藉，想不到竟然也和敝掌門人，勾結在一起。」

五毒夫人冷笑一聲，道：「當今武林之中，人人都知道我會用毒，所以，我的聲名不好。但大師用毒之能，不在我之下，可怕的是，卻沒有人知道。」

玄方道：「少林寺正大門派，貧僧怎麼會用毒？」

五毒夫人指著玄慈的屍體，道：「這一位大師，就死在奇毒之下。」

玄方大師道：「女施主信口胡言。」

五毒夫人接道：「這是造化城主的把戲，想不到竟然傳到了少林寺中來了。」

玄方臉色一變，道：「你含血噴人。」

五毒夫人笑了一笑，接道：「玄方，有一種毒，人服了後，聽不得金玉相擊之聲，如若我沒有說錯，你袖中藏有金、玉之器，金玉互撞，其聲鏘鏘，中毒人會立刻毒發而死。」

玄莊點點頭，道：「女施主，這麼說來，玄方確然早已和造化城有勾結了。」

五毒夫人道：「若他們未拿出這套把戲之前，賤妾還不敢妄言，如今事實俱在，那是鐵證如山了。」

玄莊神情冷肅地道：「玄方，你還有什麼話說，少林寺待你不薄，貴爲長老會一員……」

玄方冷笑一聲，接道：「玄莊，你已經被免去了掌門之位，還有什麼身分，來干涉到本座的事？」

玄莊大師微微一笑，道：「玄方，你是什麼身分，敢這般自稱？」

玄方大師道：「如若說，我已經長老會的商決，接掌了少林門戶，你可服氣？」

玄莊大師搖搖頭，道：「玄方，你勾結造化城，謀害了玄慈師弟，罪無可逃，事到如今，你還有什麼可以解說的？」

玄方大師道：「我用不著向誰解說。」

玄莊厲聲接道：「孽障！事實具在，你還敢如此張狂麼？」

他口中雖然聲色俱厲，但卻一直未下令出手。原來，玄方一方，人手眾多，還有神木大師爲助，所以，玄莊不敢輕易下令出手。

玄方快步行到神木大師的身側，低聲道：「師叔，咱們應該如何處置？」

神木大師低聲道：「先下令封鎖方丈室，不許其他的僧眾接近。」

玄方點點頭，道：「俞秀凡這班人……」

神木大師道：「調入十二金剛對付他們。」

玄方道：「玄莊呢？」

神木道：「由老衲對付，你和幾位長老，對付玄莊的隨身護法。」

玄方得到了指示，膽氣一壯，道：「法雷何在？」

法雷應了一聲，轉身而出。

玄莊笑了一笑，道：「玄方，你們早有準備了。」

玄方道：「談不上什麼準備，不過，對俞秀凡等一班人很不放心，不得不稍做安排。」

談話之間，十二金剛，魚貫行了進來，年紀都在三十歲左右。

玄莊大師看清楚了來人之後，不禁有著心疼的感覺，他悲痛下一代優秀的弟子，爲什麼都會被玄方收羅旗下，爲什麼甘願做出背叛少林寺的事情。

十二金剛緩緩散開，隱隱間採取了一種合圍之勢。

玄莊大師淡淡一笑，道：「玄方，你在少林寺中，不止建立十二金剛這一股力量吧？」

玄方道：「少林寺中的僧侶，我們至少控制了一半。還有一半，雖然沒有受我控制，但我相信他們會被多數征服。想想看，你還有好多人？」

玄莊神情出奇的平靜，合掌當胸，低聲祈禱道：「我佛有靈，爲了少林寺的前途、傳統，弟子要開殺戒了。」

俞秀凡突然說道：「大師，咱們可否插手？」

玄莊道：「可以，貧僧重整了少林寺的規法之後，自會盡出全力，和造化城一決勝負。」

目光一掠五毒夫人，接道：「貧僧還要請問女施主一事。」

五毒夫人道：「大師吩咐！」

玄莊道：「看他們是否也中了毒？」

五毒夫人道：「他們雙眉之間，隱隱泛起了一層黑氣，那就是中毒之徵。」

玄莊道：「多承指點。」

俞秀凡突然一閃身，道：「大師，請留下精神，對付主腦人物，對付十二金剛，由我俞某人代爲效勞如何？」

玄莊道：「俞少俠，十二金剛，都是本寺優秀的人才，你要多小心了。」

俞秀凡道：「在下知道。」

玄方突然哈哈一笑，道：「十二金剛一齊出手，對付這等狂徒，用不著和他們客氣了。」

俞秀凡道：「對，十二金剛同行同現，想來定已練成了合搏之術，諸位一起上，既可發出合搏的威力，俞某人也可以省一點事了。」

忽然間，寒光閃動，四把戒刀，分由四個方位攻了過來。十二金剛中，四個人，出了手。

俞秀凡只見戒刀來勢，已知不是好對付的人物，長劍疾轉，閃起了一片護身劍幕。噹噹兩聲金鐵交鳴，封開了兩柄近身戒刀，閃避過了另外兩柄戒刀。

俞秀凡雖脫圍而出，但內心卻凜駭不已。四個僧侶手中的戒刀沉重，力道強猛。

忽聞金風破空，另外四柄戒刀，疾如閃電一般，又一次合圍而至。

一樣的方位，一樣的角度，四把刀封住了八方去路。除非硬接一刀之外，另無脫圍之法。

但這一次，俞秀凡只接下了一刀攻勢，運劍全力反擊，人隨劍衝了過去。噹的一聲金鐵大震，一僧被阻，手中的戒刀也被封震開去。俞秀凡就借那一刹空隙，閃身而出。

但他忘了四僧也有了上次的經驗，戒刀落勢奇快，俞秀凡人雖脫圍而出，但覺背上一涼，三道寒芒，掠體而過。兩刀劃破了身上衣服，一刀中背，劃傷肌膚，鮮血湧出，片刻間濕透了一半衣衫。

傷得不輕，好的是還未傷到筋骨。但俞秀凡身上的一件青衫，卻被劃了三個大口。

五毒夫人一皺眉頭，道：「俞少俠，傷勢如何？」

俞秀凡吸一口氣，道：「傷得不太輕，但在下還忍得住。」
第三波攻勢，已布成了出手的陣勢，但卻停下來沒有出手。
玄莊大師雙眉軒動，沉聲說道：「俞施主，這一陣讓給老衲。」
俞秀凡道：「大師！在下有一句話，不便出口。」
玄莊大師接道：「但說無妨。」
俞秀凡接道：「他們合擊的刀法，非常凌厲，除了以牙還牙之外，很難破解。」
玄莊大師道：「俞少俠的意思是……」
俞秀凡接道：「我怕傷了貴寺中人，不敢全力反擊。」
玄莊大師嘆口氣，道：「俞少俠，這些人已經喪心病狂，不是少林門中人了。」
俞秀凡點頭，道：「有大師這麼一句話，在下就可以下手了。」喝聲中，突然攻出一劍。
但見寒芒一閃，急如流星一般，攻向了十二金剛領頭的法靜大師。
法靜右手一抬，戒刀突然閃起了一片寒芒，渾成了一片刀幕。這一刀，頗具奇幻之變，亦有著俞秀凡那護身一劍的威勢。但聞一聲金鐵交鳴，法靜右手戒刀，竟把俞秀凡的一劍封開。
但見俞秀凡隨著那一刀的來勢，揮劍直灑，攻向另一個僧侶。
這一劍之快，快的如流星閃光一般。
那僧侶還未來得及舉起手中的戒刀，劍芒已然刺入了前胸。
那僧侶前胸中劍，但卻未發出一聲呻吟，右手一抬，戒刀如電，迎頭劈了下來。這一刀，來勢奇猛，也顯出了那和尚的剽悍。俞秀凡一收劍勢，閃退離開，避過一刀。
那僧侶身子一顫，突然倒摔在地上。

十二個僧侶，死了一個，突然間整個的陣勢變化，也受了影響。

這是一陣很慘烈的搏殺，俞秀凡快劍發揮出了無比的威力，片刻之間，十二僧侶，全部中劍。十二個受傷的僧侶中，有五個傷得很重，已完全失去了再戰之能。七個和尚，手中舉著戒刀，似是還準備再戰。但卻都站在原地，未立即出手。

片刻間，連傷十二金剛，不但玄莊大師看得心中敬佩，就是神木大師也爲之臉色大變。

俞秀凡的劍緩緩舉起，擺出一個劍式，冷冷說道：「諸位如若覺著還有再戰之能，那就請出手！但諸位如是無意和我動手，那請閃開去路。」

法靜微微揮手，七僧緩緩而退。

俞秀凡的劍式，轉向了玄方。

玄方是識貨人，目光一掠俞秀凡擺出的劍式，駭然說道：「驚天三劍！」

神木緩緩行了過來，道：「你閃開，我來應付。」伸手拔出玄方佩帶的戒刀。

這不過剎那的時光，神木已越過了玄方和俞秀凡保持的對峙之狀。

神木的臉色很凝重，手中的戒刀，高舉過頂，兩道目光，不望俞秀凡，卻望在戒刀上。

這是一個奇怪的刀式，俞秀凡只看得茫然不解，也不敢輕易出手。少林寺中的長老，豈可輕侮。

玄莊長嘆一聲，道：「俞少俠，這是達摩九式中演化出的伏魔一刀，俞少俠不可輕敵。」

俞秀凡心中暗道：他看也不看我一眼，怎知我幾時出手？

心中念轉，口中問道：「大師，他不看我，怎知我幾時出手？」

玄莊道：「他所持戒刀的角度，有反光，你一動，他立刻可以由刀光的反映看到你，揮刀還擊。」

俞秀凡抬頭看去，果然發覺神木大師手中舉著的戒刀，不停地轉動。點點頭，俞秀凡緩緩說道：「多謝大師指點。」

神木大師一直沒有說話，只是不停地轉動著手中的戒刀。

玄莊大師似是突然間想起了一件重大之事，道：「俞少俠，這伏魔一刀，威力絕倫，但卻有一個缺點。」

俞秀凡道：「什麼缺點？」

玄莊大師道：「這伏魔一刀，無法搶先攻襲敵人。」

俞秀凡沉吟道：「佛法降魔，不離仁慈，想來這伏魔一刀是寓威力於防範之中。」

玄莊點點頭道：「俞少俠，身受刀傷，仍能保持著靈台清明，實是武林之幸。」他突然對俞秀凡生出了無比的敬意。

俞秀凡突然收了長劍，退後了一步，對神木道：「大師，咱們用不著各出全力一拚，在下還想留著這有用之身，能和造化城主一戰。」

神木收了戒刀，表情是一片嚴肅，誰也不知道他心中想的什麼。只見左手握著刀柄，右手食、中二指，夾在刀身之上，用力一扭，竟把一柄純鋼打成的戒刀，扭斷了一截。片刻之間，一柄戒刀，被他扭斷成七截，一語未發，緩步向外行去。

玄方心頭震動，急忙叫道：「師叔，意欲何往？」

神木恍如未聞，仍然舉步而行，離開了方丈室。

玄莊冷冷喝道：「玄方，神木師叔究竟是修養有素的人，頓悟前非，立刻回頭，苦海無邊，你難道非要沉淪至滅頂麼？」

玄方苦笑一下，道：「玄莊師兄，藏經閣經櫥中，藏有解藥，小弟罪孽深重，無顏再生人世，我要去了。」突然反手一掌，自擊在天靈要穴之上，身軀一晃，倒摔在地上。

他說去就去，落掌奇快，玄莊等想救援，已自不及。

這時，留在玄方身後的諸位長老，突然一個個盤膝坐了下去。

玄莊突然大聲喝道：「佛門廣大，無所不包，你們怎的如此痴呆？」

俞秀凡心中正在奇怪，這些和尚們怎的一個個盤膝坐下。聽得玄莊大喝之聲，心中才突然醒悟。原來，這些少林長老們，一個個覺悟前非，都準備以死領罪。

心中念轉，急急接道：「諸位大師，在下不是佛門中人，不懂佛法因果之說。但人非聖賢，孰能無過，過而能改，仍是完人。諸位如自知有罪，贖罪之途，理應以數十年苦修藝業，爲武林開太平，爲蒼生結善緣。自絕一死，豈不有負數十年的苦修了？」

盤坐群僧，忽有一僧緩緩站起身子，道：「俞少俠，我等身受奇毒，就算活在世上，也無能爲少林寺出力了。」

玄莊道：「玄方師弟，一點靈光未昧，死前覺悟前非，解藥現存在藏經閣，我立刻著人取來，諸位師兄、師弟身中之毒，豈不可立刻解去了。」

那站起身的僧侶，突然嘆息一聲，道：「掌門人，我們中毒的人就算服了解藥，也一樣是身受控制。」

玄莊道：「這話怎麼？」

那僧人接道：「我聽玄方說過，這藥物含有雙重毒性，他能掌有的解藥只能解一種毒。」

玄莊大師道：「玄月師弟，可知曉是兩種什麼樣的毒性？」

玄月道：「我們服的毒藥不同，第一重奇怪的毒性，連玄方師兄也不知道破解之法；第二重毒性，卻在玄方師兄的控制之內，適才玄慈師兄之死，掌門人已經親眼看了。」

玄莊大師嘆口氣道：「為什麼玄慈死亡，你們卻毫無傷害。」

玄月大師道：「每人的音帶不同，傷害我們的聲音，也各有異。玄方師兄，控制了我們的生死，所以，我們不得不聽他之命。」

玄莊大師道：「原來如此。但就算你們真的服了兩重毒性的藥物，也不用立刻死亡，最壞的辦法，你們暫離少林，逃開這一場搏殺。」

俞秀凡低聲道：「大師，五毒夫人為當世有數的用毒高手，何不向她請教一、二？」

玄莊道：「貧僧幾乎忘懷了，現有用毒大行家在此，貧僧竟然忘記請教了。」目光轉到五毒夫人的身上，接道：「女施主都聽到了？」

五毒夫人點點頭，道：「都聽到了。」

玄莊大師道：「那麼，女施主自然能解這二重之毒了？」

五毒夫人道：「不能，每一個調配毒藥的人，手法都不同，其用心也不一樣，所以，另一個人就無法找出可解兩種毒性的解藥。」

俞秀凡道：「夫人，這麼說來，我們完全無法可施了？」

五毒夫人嘆息一聲，道：「就賤妾所知，天下用毒高手中，只有一個人能夠調配二重毒性的解藥。」

玄莊大師道：「什麼人？」

五毒夫人道：「花無果。除這位神醫外，天下再無人能夠配出非自己調製奇毒的解藥。」

玄莊大師嘆道：「這位神醫已然失蹤多年，我們又如何能找得到他？」

語聲微微一頓，接道：「再說，造化城主不知道在少林寺中布置了多少耳目，所以，我們沒有多餘的時間，得先計劃抗拒造化城主的攻勢要緊。」

目光轉注玄月大師等身上，說道：「諸位師兄弟，先解第二重毒，然後，躲在少室峰後一處隱密所在，好好的休息一下。我佛有靈，自會護佑你們。」

神木離去，玄方自絕，中毒受制的少林僧侶們失去了控制，局面暫時回復了平靜。

玄莊大師計點了一下，中毒的僧侶，竟然有一百餘人。而且，這些人，大都是少林寺三代僧侶中的精英人物。

玄莊暗暗吃了一驚，回頭對俞秀凡一合掌，道：「俞少俠，如非你及時而至，少林寺用不著造化城來對付我們，再過一年半載，整座的少林寺，都會變成了造化城一處分舵了。」

俞秀凡道：「這樣厲害，連俞某也感到意外。」

金釣翁突然插口說道：「掌門方丈，少林寺元氣大損，抗拒造化城，只怕實力不足，但以掌門人的威望，只要登高一呼，江湖各大門派，必有一半人可以挺身而起。」

玄莊苦笑一下，道：「貧僧有一個不祥的預感，不知是否會成事實。」

金釣翁道：「什麼事？」

玄莊大師道：「以少林寺門規的森嚴，就被造化城乘虛而入，其他的門派，只怕也早被造化城滲透了。」

金釣翁道：「這話不錯。」

玄莊大師道：「所以，兩位不要多費心了。貧僧覺著，現在求人已然不及，少林寺還有八百位僧侶，其中，有二百名以上，可以列入一流高手，如若對抗造化城主，貧僧相信可以和他們一決勝負。自然，主要的還要請諸位對付造化城的主要人物，貧僧全力支援你們就是。」

俞秀凡點點頭，道：「好！就這樣決定了，大師有什麼詳細的計算。」

玄莊道：「此事重大，自然不能不做一番仔細的策劃。」

爲了使計劃不洩漏出去，俞秀凡和玄莊大師舉行了一次很機密的會議。雙方參與的只有四個人，俞秀凡、五毒夫人，與玄莊和玄光大師。四個人研商了對付造化城主的辦法，然後，分頭行事。俞秀凡率領群豪，離開了少林寺。

五毒夫人望望那莊嚴的少林寺門，輕輕吁一口氣，道：「此處交給玄莊大師吧！咱們該立刻行動了。」

目光轉到了桃花童子的身上，道：「桃花童子，造化城主什麼最可怕？」

小桃童怔了一怔，道：「他一身武功最可怕。」

五毒夫人微微一笑，道：「的確很可怕，不過，如若俞少俠、水燕兒和我三個人，聯手對付他呢？」

小桃童道：「這個麼，在下就不敢說誰勝誰負了。」

五毒夫人道：「最可怕的不是造化城主本人，而是怕他布置在江湖上的耳目。」

小桃童啊了一聲，道：「我明白夫人的意思了，是希望我帶你們消滅造化城主布置在江湖上的耳目。」

五毒夫人道：「正是如此。你是造化城主的耳目之一，我想其中定有連絡的暗號。」
桃花童點點頭，道：「好！我試試看。」
五毒夫人笑道：「你要我們如何配合你？」
小桃童沉吟了一陣，道：「你們不能這樣浩浩蕩蕩的行動，他們一見就怕了，怎敢再和我連絡。」
五毒夫人道：「我們配合你。」
桃花童子點點頭，說出了一番計劃。

不知不覺，又到了一個大鎮，四通八達的碼頭——江州。
小桃童恢復了過去的裝束，穿著一身化子裝。
江州著名的臨江樓，臨江而立，正是客來客往的時候，臨江樓前，人如穿梭。
小桃童就在臨江樓前，擺出了一個不起眼的姿態。
不到一盞茶的工夫，忽見一個中年漢子，行了過來。那是一個穿著青衣褂子的腳夫模樣。
他行到桃花童子的身前，輕輕咳了一聲，道：「東面日出西邊月，一頭水桶一頭火。」
桃花童子笑道：「東面日出被雲遮，西邊月兒江中落，火燒水來，水澆火。」
穿著青布褂子的人，緩緩由桃花童子的面前行過，道：「小兄弟，跟在我後面來，小心一些，目下這地方，雲集了很多的江湖高手。」
桃花童子道：「我知道。大哥帶路。」
青衣大漢，應了一聲，快步向前行去。

桃花童子遠遠地追在那青衣大漢身後，保持著三丈左右的距離。

表面上，看不出有什麼人追蹤桃花童子，其實，改扮易容的俞秀凡、五毒夫人等，分別扮成各種不同的身分，追蹤在他的身後。

青衣人帶著桃花童子，穿過了兩條大街，轉入了一條小巷之中。在一座黑漆大門前，停了下來。

這是一條僻靜的小巷，兩面都是高大宅院，行人很少。青衣大漢很快地閃入了宅院之中。那高大的宅院，雖然是雙門緊閉，但卻是虛做掩閉。桃花童子也跟著行了進去。

青衣大漢帶著桃花童子，直入正廳。

一個面目冷肅的中年人，穿著一件青綢子長袍，手中抱著一只水菸袋，呼嚕、呼嚕地吸了兩口，道：「你叫什麼名字。」

桃花童子道：「我是花字部的……」

青袍人放下了水菸袋，接道：「原來是花字部中的健手，在下是木字部的江州暗舵總管，上部有何需人效力之處？」

桃花童子道：「我發覺有人追蹤我。」

青袍中年人吃了一驚，接道：「什麼樣子的人，會不會找上此地？」

小桃童道：「我想不會。我行來時十分小心。」

語聲一頓，接道：「怎麼稱呼總管？」

青袍中年人道：「在下常七。」

小桃童道：「常總管，我收集了一些機密要呈報，因為被人追蹤，只怕無法傳達上去了，請常總管幫個忙。」

常七道：「行！東西在哪裏？」

小桃童道：「藏在一處很隱密的地方，我想今夜就送來，唉！只要東西出手，我就不怕什麼人追蹤我了。」

常七滿臉笑容，道：「好！好！你送來，我立刻用十萬火急的傳遞，送上去。」

小桃童道：「咱們二更時分見面，我如過了三更不來，就是出了事情，不用等我了。」

常七道：「要不要我派些人手幫忙？」

小桃童道：「不用了。我自己會應付，不能暴了堂口，我走了。」

常七低聲道：「有四位巡視護法，昨天才到，要不要他們幫忙？」

桃花童子道：「不用了，兄弟告辭。」

常七道：「好！我不送你了。」

小桃童一抱拳，轉身而去。

就在桃花童子離開了那宅院之後，突然間湧進去一批蒙面人。那些人進去之後，一語不發，動手就殺。一陣激烈的搏殺之後，又恢復了平靜。

這批人不但出手凌厲，而且，手段很毒辣，片刻之間，宅院裏的人，全數都被光。然後，立刻呼嘯而去。

是五毒夫人等一班人，他們殺了這些人後，集中於一處隱密所在，然後取下了蒙面黑紗。

五毒夫人輕輕嘆息一聲，道：「一共殺了多少人？」

方堃道：「二十七口。」

俞秀凡嘆息一聲，道：「這一陣殺戮得很厲害。」

五毒夫人道：「俞少俠，殺得是很慘，不過，在江湖上行走，不能夠太仁慈，尤其是對造化城主的耳目。」

俞秀凡點點頭，未再多言。

這是一條路，充滿著血腥的路，於是，就這樣展開了一場屠殺。

造化城在江湖上布下很多的眼線，就這樣在桃花童子的設計下，挑了造化城主在江湖上布置的一十八處眼線，費時不過一月。

那時，他們已在廬州。

桃花童子在大街上走了一天，擺出了各種姿勢，但卻沒有一個人和他搭訕。就這樣他們失敗了。

離開廬州，他們又走向了應天府。六朝繁花，秦淮風月，那是舉國有名的熱鬧地方。

桃花童子又擺出了造化城的暗記。這一次，很意外，又很快得到了反應。

是一個很年輕的人，戴著文生巾，穿著一襲藍衫。說過了暗語，藍衫人突然伸手一招，馳過來一輛篷車。

藍衫人翻身上了篷車，舉手一招，道：「上來！」

桃花童子應了一聲，飛身上篷車。藍衫人伸手拉下車簾，篷車立刻向前奔去。

遠隨在身後的方塋和金釣翁，立刻放步向前追去。

篷車馳出東北門，直奔雨花台，一口氣，直馳出十餘里，仍不肯停下。

金釣翁究竟是老江湖，越看越覺情形不對，低聲道：「方少兄，情形有些不對，咱們要追上去了。」

方堃應了一聲，快步奔去。兩個人快步如飛，衝過了馬車，方堃一橫身，攔阻了去路。

趕車的大漢長鞭一揮，嘶的一聲，直向方堃的臉上抽去。

方堃左手一抬，抓住了長鞭，右手一掌，拍向了馬頭。原來，那馬車仍未停下。

但聞那拉車的健馬長嘶一聲，倒摔在地上。馬車仍然向前衝了七、八尺遠，才停了下來。

金釣翁由懷中取出魚竿，右手一揮，金芒閃動，繞在那趕車漢子的項頸之上，金釣翁一收手，鋒利的魚鉤，刺入了趕車人的咽喉之中。篷車停了下來，但車中人仍然沒有下來。

方堃冷冷說道：「出來！咱們看到閣下上車，用不著再裝作了。」

這地方已遠離了應天府，是一片很荒涼的地方。

車簾啓動，緩緩行出來一個藍衫人。

方堃道：「桃花童子呢？」

藍衫人道：「死了。」

方堃微微一怔，道：「死要見屍？」

藍衫人伸手一抓，拖出了桃花童子的屍體。

方堃凝目望去，只見桃花童子臉色鐵青，果然早已氣絕而死。

金釣翁早已收回了魚鉤，道：「怎麼死的？」

藍衫人笑了笑，道：「我點了他的死穴，他應該被凌遲處死的，這死法太過便宜了他。」

方堃道：「你在造化城中是什麼身分？」

藍衫人道：「護法。」

方堃道：「你認識我麼？」

藍衫人道：「不認識。」

方堃道：「造化城有十大劍主，我就是那十大劍主之一。」

藍衫人道：「現在呢？」

方堃道：「現在，我已經離開了造化城。」

藍衫人道：「哦！」

方堃道：「你是否自信有能力和我動手一戰？」

藍衫人突然伸手在懷中取出一物，向上一拋。直升到五、六丈高，才蓬然一聲，閃出了一片流星。

方堃點點頭，道：「你們來了很多人？」

藍衫人道：「可惜。他們就在左右，而且已經看到了我的信號。」

方堃唰的一聲，抽出了身上暗藏的長劍，道：「你亮兵刃，我要替桃花童子報仇。」

藍衫人伸手向車內一抓，摸出了一把單刀。

方堃道：「你出手！」

藍衫人也不謙辭，右手一抬，單刀出手，突然揮刀而進，直劈下去。方堃右手一抬，長劍硬封藍衫人的單刀。金鐵大震聲中，方堃劍勢忽生奇變，一招斜斜劈下。

這一劍的角度很奇特，藍衫人想擋已自不及。劍芒閃處，鮮血淋漓。藍衫人右大腿被削下一大片肉來，藍衫人十分剽悍，不顧傷疼，攔腰斬來，這一刀，刀勢雄渾，帶起了一股淩厲的刀風。

方堃被那強厲的刀風一逼，身不由己地向後退了兩步。

藍衫人一刀逼退了方堃之後，吸一口氣，突然飛身而起，直向前面奔去。

但見人影一閃，一個人疾如流星而至，攔住了藍衫人，道：「方兄，他跑不了。」說話的是俞秀凡。

但見寒光一閃，藍衫人手中的一把刀，帶著一截右小臂，突然跌落下來。

但見俞秀凡右手一抬，一指點了藍衫人的右臂。泉水般的鮮血，立刻停了下來。

藍衫人冷笑一聲，左手一抬，疾向頭頂上拍了下去。

俞秀凡左手一抬，扣住藍衫人的右腕，道：「不要死！」

五毒夫人疾躍而至，屈指一彈，一粒丹丸，投入了那藍衫人的口中，冷笑一聲，道：「俞少俠，放開他，他不會死了。」

俞秀凡一放手，道：「爲什麼？」

藍衫人向前奔了兩步，突覺兩腿一軟，倒摔在地上。左手一抬，拍上了天靈要穴。但是，他忽然覺著，他雙腿、左臂，都已經失去了力量。這一擊，毫無損傷。

五十　反客為主

五毒夫人冷笑一聲，道：「你閣下不但不會死了，而且片刻後，你會感到極端的痛苦。」

藍衫人道：「你是什麼人？用的什麼毒？」

五毒夫人道：「五毒夫人。用的軟骨毒，你現在不能跑，不能走，也不能自絕而死。」

藍衫人長嘆一聲，道：「我不會死，也不能跑，但我可以不說話。」

五毒夫人道：「你可以不說話，但會受到悲慘的待遇。」

藍衫人道：「我可以忍。」突覺一陣劇疼，襲上心頭。藍衫人急急運氣抗拒，竟然提不起真氣。

五毒夫人冷冷說道：「你要不想吃苦頭，現在說話，還來得及。」

這時，藍衫人已痛得滿頭大汗，滾滾而下。

藍衫人苦笑一下，道：「我說，但要先解去我身受的痛苦。」

五毒夫人伸手向藍衫人的身上，拍出了兩掌，那藍衫人的痛苦，立刻稍止。

藍衫人吁一口氣，道：「答應我一件事，我就說出我知道的事。」

五毒夫人道：「什麼事？」

藍衫人道：「我說完之後，給我一顆奇毒的藥物，讓我很安靜的死去。」

五毒夫人道：「可以，不過不許你說一句謊言。你說吧！」

藍衫人道：「桃花童子利用連絡的暗訊，挑了一十八處暗舵，已傳入了造化城主耳中，我們就是奉命來殺死他的人。」

五毒夫人道：「還有什麼？」

藍衫人道：「造化城主派出了一十八位暗殺高手，和我們同時趕到了應天府，準備對付你們。」

五毒夫人道：「他們要用什麼方法暗殺我們？」

藍衫人道：「聽說是一種很歹毒的暗器，但我不知道是什麼暗器。」

五毒夫人道：「還有什麼消息？」

藍衫人道：「我只知道這些。」

五毒夫人道：「你可以去了。」

藍衫人道：「我不能走，也不願走。你答應的藥物……」

五毒夫人嘆口氣，接道：「你活不下去的，我只好成全你了。」屈指一彈，一粒藥物，飛入了藍衫人的口中。

藍衫人苦笑一下，道：「多謝了！」一語未完，毒性已發，氣絕而死。

俞秀凡望了桃花童子的屍體一眼，黯然說道：「咱們太大意了。如是小心一些，桃花童子可能會保住性命。」

方堃道：「在下慚愧得很，竟然未能保護住他的安全。」

五毒夫人道：「不能怪方兄，是我大意了。」語聲一頓，接道：「十八個殺手，已到了應天府，對付咱們，敵暗我明，咱們要小心應付。」

俞秀凡道：「不錯，咱們不可再有傷亡。」

五毒夫人道：「只有兩個辦法，一是三十六計，走爲上策，咱們盡早離開應天府；一個是咱們改裝易容，和他們捉一陣迷藏，機會好，相機把他們除去。」

俞秀凡道：「十八殺手如是齊集金陵，那就是說明了，造化城主早已判定我們到此的時間，十八人不能留，想法子誘殺他們。」

五毒夫人道：「如何誘殺他們？」

俞秀凡道：「十八殺手的用心，以殺我爲主。如若我以本來面目出現金陵，定然可誘使他們暗殺於我。」

五毒夫人道：「不行！如是他們一擊射死了俞少俠，對我們而言，豈不是損失更大。」

俞秀凡笑了一笑，道：「我如不去，如何能找出那十八個殺手，這一點不用爭辯了。」

五毒夫人道：「俞少俠如是一定要如此做，至少也應該準備一下才是。」

金釣翁點點頭，道：「老朽昔年曾見人設計了一套防止暗器的衣服，隱隱尚可記憶，不過需要數日的時間，才可以造成那樣的一件衣服。」

五毒夫人道：「幾天的時間，不算太長，不過，要造，就一下造它三件防暗器的衣服。」

金釣翁道：「對！做三件，要找兩位陪著俞少俠。」

三天後，俞秀凡穿著一件很光鮮的衣服，帶著方堃和五毒夫人，出現在秦淮河畔的萬花樓上。

那是金陵城最豪華的一座酒樓，新建不久，生意鼎盛，再加上秦淮三英，酒樓賣唱，真是座上常客滿，樽中酒不空，歌聲滿酒樓，每天都到深夜不輟。

這正是上燈不久的時光，夜市初展，酒樓正在上客。

俞秀凡和方堃及五毒夫人，坐在正中一張木桌上，那是酒樓最好的位置。

五毒夫人目光轉動，四顧了一眼，低聲說道：「俞少俠，小心一些，有動靜了。」

俞秀凡道：「在哪裏？」

五毒夫人道：「在左後面第三張桌位上，四個年輕人。」

俞秀凡哦了一聲，緩緩回頭望去。果見四個藍衫的少年，手中執著摺扇，圍坐一桌。

五毒夫人側過身，剛好把眼光投在四個藍衫人的身上。

四個藍衫人，似是也看到了俞秀凡，雙方都很矜持，保持了一種對峙的形勢。

突然間，四個藍衫少年齊齊一揚右手。那只是輕微的一抬，一般人很難瞧得出來。

五毒夫人、俞秀凡、方堃，立刻一低頭，全身收縮。只聽波波波三聲輕響，俞秀凡、五毒夫人、方堃背上各中一擊。感覺中，那是很細小的東西，但力道卻強勁絕倫。

正在歌台上打板清唱的一位姑娘，卻突然身子一歪，倒了下去。連一聲慘叫也未喊出。

三條人影，突然飛了起來，直向四個藍衫人衝了過去。那是凶險絕倫的一擊，四個藍衫人，有三個發出一聲慘叫。三個人頭，齊齊飛了起來，滾落到八、九尺外。另一個藍衫人，突然向外奔去。

雙方面發動得都很快，快的像電光石火一般，滿樓聽歌的人，直到此刻，才算是驚覺過來。忽然間，響起了一陣亂叫，所有的人，都向外奔了出去。

那藍衫人第一個奔出了歌場，一步跨出大門，忽然間飛過來一道細索，繞在了那藍衫人的雙腿之上。藍衫人雙腿被絆，一跤跌在地上。

一條人影，疾如流星而至，一腳踢在那藍衫人的身上。

那人腳踢在藍衫人的身上，借一腳之力，突然飛身而起。

另一條人影，疾如流星而至，一把抱住那藍衫人，飛身而起。

兩個人，配合得十分佳妙，一瞬間，把那藍衫人生擒活捉而去。

萬花樓的歌台上，倒下去的那個歌女，也突然被人抱了去。

是五毒夫人，抱著那位氣絕而逝的歌女，離開了萬花樓。

矗立在南大街一條小巷中，一座高大宅院的客廳中，此刻正燒著一支融融紅燭。

明亮的燭光，照亮一整個大廳。大廳中，站滿了人。

那被點了穴道的藍衫人，被放在大廳的一角處。萬花樓歌台上死去的歌女，卻被放在大廳正中。

是俞秀凡一行人。他們覓下了一座空宅院，暫做棲身之地，也保住了他們行蹤的隱密。

五毒夫人翻轉了一下歌女的身軀，低聲說道：「傷勢在前胸之上。」

一伸手，撕去了那歌女身上的衣服。

只見她前胸上，腫起了一片紅紫的顏色。顯然那暗器上藥物的毒烈。

五毒夫人輕輕吁一口氣，道：「好毒的藥性，不知是什麼樣子的暗器。」

伸手由頭上拔出一根銀簪，撥開傷口看去，竟然不見暗器。

俞秀凡道：「這傷口有綠豆大小，想來，那暗器不會太小。」

五毒夫人搖搖頭，忽然翻轉過那具屍體。凝目望去，只見那屍體背後，也有一個小小的孔洞。敢情那暗器竟然由這歌女的前胸，洞穿到背後，不知暗器射向了何處？

方堃道：「好強勁的暗器，可怕的是，無法見到那暗器的形狀。」

五毒夫人笑道：「咱們還抓到一個伙計，至少也該問問他了。」

金釣翁右手一探，取去那藍衫人插在衣領上的摺扇，道：「你聽著，最好是實話實說，免得身上受苦。」

藍衫人完全沒有表達意見的辦法，穴道被點數處，身不能動，口不能言。

金釣翁提起那藍衫人，摔到了俞秀凡和五毒夫人的身前，道：「老朽的經驗是，最好能使他一下感覺到黔驢技窮，有什麼話，就會直說出了。」

五毒夫人道：「那容易，最多是再浪費我一粒丸藥。」伸手由懷中取出一個玉瓶，倒出一粒丹丸，投入那藍衫人的口中。

方堃伸手拍活了藍衫人的穴道。藍衫人一挺而起，往前行了兩步，忽覺雙腿一軟，又跌倒在地上。

方堃冷笑一聲，道：「朋友，你死不了，也跑不了。目下你只有兩條路走，一條是說出你知道的事，我們給你一個痛快；一條是我們萬般折磨之後，你再一句一句的說出來。」

藍衫人忽然張口猛合，連咬了幾次牙齒。

五毒夫人冷笑一聲，道：「你咬不破口中的毒藥，就算是吞下了口中藏藥，也不會死。」

方堃接道：「你先嘗一下碎指的滋味如何？」

一腳踏下，應聲響起了一聲慘叫。那藍衫人的左手小指和無名指，被方堃一腳踏得血肉模糊，骨肉盡碎。

藍衫人抬頭望了方堃一眼，仍是閉口不言。

方堃冷冷說道：「好！硬骨頭！我不信你真是鐵打銅澆的人。」

針釵湯蘭忽然接道：「方兄，讓小妹來！」

緩步行近藍衫人，道：「我叫湯蘭，我會一種金針穿穴的手法，你閣下試試吧！」

探手從懷中取出七枚金針，接道：「先來三星伴月，再來五福臨門，你能忍下去，再來七針釘魂。」口中說話，右手已然用三枚金針，刺入了藍衫人的前胸和小腹。

三針入穴，藍衫人忽然間出了一身冷汗，只覺心中有如萬蟻齊集，有一種非人所可忍受的痛苦。

湯蘭點頭道：「好！咱們試試五福臨門。」

這時，那藍衫人已然疼得臉色大變，這時金針刺穴的痛苦，似乎是已然超過了一個人所能忍受的極限。

湯蘭手中兩枚金針還未刺入，藍衫人已急急說道：「姑娘，手下留情。」

湯蘭冷冷說道：「我還認爲你是鐵打的人，想不到你也是血肉之軀。」

藍衫人緩緩說道：「你要我說什麼？」

湯蘭道：「說出你知道的事，一字不能漏，一句不能少，如是被我們聽出破綻，你就有苦頭可吃了。」

藍衫人道：「我知道的事情不多，我們一行十八人，奉命來此，用一種絕毒的暗器，行刺俞少俠和五毒夫人。」
湯蘭冷笑一聲，道：「只有這些麼？」
藍衫人道：「只有這些。我們知道的事情太少。」
湯蘭道：「你們的暗器藏在何處？」
藍衫人道：「所謂暗器，就是這摺扇的扇骨，整個的摺扇，就是暗器，構造精妙的彈簧，就藏在這摺扇之中。開動機關，就可射出一枚暗器。」
五毒夫人道：「你們之間，應該有一個落足的地方，集會的所在。」
藍衫人接道：「有。就是今夜，在凌煙閣外會齊。」
五毒夫人道：「會齊之後呢？」
藍衫人道：「聽從指令第二天的行動。」
五毒夫人道：「現在距子時還有多少時間？」
金釣翁道：「半個時辰。」
五毒夫人道：「走！包圍凌煙閣，一網打盡。」

俞秀凡等分成數路，攻了過去，快劍、利刀，展開了一場屠殺。
殺死十八殺手，奠祭過桃花童子，俞秀凡一行人又開始了第二次行動。
那是趕往王翔、王倘約會之地。兩人正自等得不耐，俞秀凡卻及時而至。
這時的江湖，有如密雲不雨，平靜中充滿著緊張。
暗中和五毒夫人及水燕兒研商了一陣，一行人決定趕往十里傷心坡，去見神醫花無果。

這一次隱密的行動，除了五毒夫人、水燕兒、俞秀凡三人之外，連王翔、王尙都不清楚。

一行人，分成三波，改扮成各種不同的身分。有苦行腳夫，也有乘坐篷車而行。

但這隱密的行動，仍然無法逃避過造化城的耳目。一行人行程百里，就遇上了造化城的伏兵攔擊。那是一片生滿著荒草的平原，草深及人，中間一條是康莊平坦的官道。俞秀凡等深入了十餘丈左右，草叢中忽然飛出一片如雨弩箭。

這一陣箭雨，來勢奇快，俞秀凡等一行人，雖然早已有準備，但仍然有四個人中了弩箭。

但見，寒光閃動，群豪紛紛拔出了兵刃。人影如梭，疾如流星一般，分向兩側草叢中飛了過去。刀光、劍影疾如流星，在亂草之中閃飛滾動。但聞一陣慘叫之聲，傳入耳際，血肉和亂草橫飛。

群豪這一陣反擊，都用出了全力，刀勢凌厲，劍光如雪。慘叫聲中，有人紛紛倒了下去。

俞秀凡一馬當先，人和劍，合於一處，但見一道白芒，在深草中流星般劃了過去。每當劍光過處，立刻有慘叫之聲，傳入耳際。這是一陣很悲慘的搏殺，慘叫之聲不絕於耳。

俞秀凡的劍勢最快，但卻進入的最深。忽然間，火舌閃動，草叢中閃起了一片火光。這片火光流動，散發得很快，片刻之間，俞秀凡的周圍，已成了一片火海。

俞秀凡心中一動，暗道：這又是一個陰謀，看來他們是故意把我隔入這片火海之中了。

心中念轉，口中大聲叫道：「諸位，快些退回大道，那些弓箭手只是誘我們深入的餌，他們是有意把我們引入這片草地，想用火攻把我們燒死。」

水燕兒道：「他們只在對付你一個人，你要想法子出來！」

俞秀凡流目四顧，但見火勢熊熊，已經蔓延到目力難及之處。

水燕兒高聲說道：「俞兄，我們如何能助你一臂之力？」

俞秀凡道：「四面火勢，有多遠的距離？」

水燕兒道：「大約有十丈以上，而且火勢正在蔓延。」

俞秀凡道：「來不及了，你們退出去吧，好在火勢只困住我一人。」

五毒夫人高聲說道：「好！我們會集於一處，相信我們能應付任何變化，不過，希望你俞兄亦自珍重，不要身受傷害。」

俞秀凡道：「在下自有應付之道，諸位不用擔心。」

五毒夫人道：「我們去了。」

俞秀凡拔出長劍，迅快地在停身之處，挖出了一片兩丈方圓的凹地。這時，火焰已延燒到俞秀凡的停身之處，烈火雖然無法燃燒過來，但那炙人的熱氣，卻一陣陣地直逼了過來。

忽然間，俞秀凡嗅到了一股輕淡的怪味。心中忽生警覺，暗道：他們不待五毒夫人等趕到，就引起火來，而且一起就不可收拾，似乎是四面八方同時燃了起來，顯然是已經進入了他們早已算計好的範圍，所以等不及另外的人進來了。

心中念轉，人卻盤膝坐了下來，五心向天，運起先天呼吸大法，使全身完全鬆懈下來，行血也靜止到某一種限度之內。這一來，身外的炙人熱氣威脅，頓然消滅。

俞秀凡熟讀驚天劍譜，有很深刻的記憶，這一靜坐調息，不知不覺，照著熟記於心的要訣，行起功來。

靜坐之中，不知道過了多少時間，才由禪定清醒過來。這一次，他神遊物外，已進入忘我之境，才發覺身上的衣服，大部分被高溫炙焦，一站起身，全身衣著有一半隨風飛去。

伸手一摸，頭上方巾，化作了片片飛灰落下，手中卻抓了一把燒焦的頭髮，原來，強烈的火氣，已烤焦了他方巾內的頭髮。但俞秀凡的身體，並無不適之感。

流目四顧，但見一片殘陽，滿天流霞，已是紅日西下的時分。

忽然間想起了五毒夫人等，立刻放步向官道之上奔去，人在數丈外，已瞧到了官道上激烈的搏殺。

十餘個白衣劍手，正圍著五毒夫人等全力搶攻。地下已橫七豎八地躺下了不少屍體。一眼望去，躺在地上，重傷和死亡的人，至少有三十個以上。

俞秀凡來不及仔細瞧看，大喝一聲，疾奔而去。距搏殺現場還有三丈左右時，突然飛身而起，直撲過去。身在半空，劍已出鞘，身劍合一，化作一道白芒，直射過去。

這正是驚天三式中，第三式「天地合一」。

俞秀凡在大火圍困之下，盤坐悟出了劍路和變化之妙。這是劍法中絕妙之學，果然威力非凡，但見劍光一陣折轉飛騰，血雨飛濺，響起了一連串慘叫之聲。當叫聲傳入耳際時，俞秀凡已停下了攻勢。

這人劍合一的一擊，腰斬了七個白衣人，西、南兩個方位，全成了空隙。餘下七個白衣劍手，全都被俞秀凡這一劍鎮住，不自覺地停下了手，愣在當場。

俞秀凡吸一口氣，長劍橫胸，道：「諸位是退下去呢，還是要我動手？」

這些白衣劍手，似是還可以作主，四顧了一眼，悄然向後退了八尺。

這時，俞秀凡目光轉動，向場中望了一眼。

只見方堃、五毒夫人等，個個滿身鮮血，站立在當地，看不出身上的傷勢，是被別人所傷，還是染上的鮮血，花花妃子及水燕兒兩個從婢，已然倒臥在地上，不知是死是活。

金釣翁頭上中劍，正盤膝閉目而坐。王翔、王尙也是身上負創數處。

俞秀凡心中殺機泛動，目光凝注七個白衣劍手，道：「你們自作了斷呢，還是要我出手？」

七個白衣人互相望了一眼，突然欺身而上，七劍並舉，攻向俞秀凡。

俞秀凡冷笑一聲，揮劍直迎上去。劍光閃動，刺倒了當先一個白衣人。

就是那一剎工夫，兩柄劍也刺中了俞秀凡。一中左臂，一中右臂。

原來，這些白衣人的劍法，也和俞秀凡出手的劍法一樣，快速、凌厲無匹。

暗裏咬牙，俞秀凡強忍傷疼，長劍連連刺出。但見寒光閃動，鮮血在冷芒中飛濺四射，七個白衣人連綿倒了下去。俞秀凡一口氣刺倒七人，但自己身上，卻也中了四劍。

不用再問什麼，俞秀凡已明白了方堃等人，爲什麼會有那麼大的傷亡了。

這些白衣劍手，都是天下第一等的劍手，俞秀凡以快爲主，這些白衣人卻也以快爲主，雙方以快對快，俞秀凡以身中四劍之傷，換了白衣人七條性命。

這真是一場賭命般的搏殺，全場所有參與搏鬥的人，沒有一個是完整的。

水燕兒身中七劍，但她身法輕靈，七劍都非要害，人還可以行動。緩步行了過來，低聲道：「俞秀凡，你的傷如何？」

俞秀凡道：「我比他們劍招快了一點，所以，他們只能傷到我的皮肉，你們怎麼樣？」

水燕兒道：「沒有一個全身無傷的人，我不知道詳情，這是第三批連綿而現的殺手，也是最厲害的一批殺手。你身陷火海，我們撤退到官道上，一直到現在，都沒有停過拚鬥。如不是金釣翁的經驗老到，叫我們集於一處拒敵，只怕是難有一個人活命了。」

俞秀凡苦笑一下，道：「我雖然傷得不太輕，但也不算重。而且和他們這一番交手，使我長了不少的經驗。」

水燕兒道：「得到些什麼經驗？」

俞秀凡道：「他們劍招太快，而且配合得十分嚴密，除非能夠一對一的動手，很難防止身受傷害。對這樣的一級劍手抗拒，只有一個辦法，那就是一出手就是殺手，而且要一擊成功，或是各自認定對象，分頭各個擊破，不能讓他們有合擊的機會。」

水燕兒點點頭，道：「你自己才要保重，這一戰，使我們都有一個感覺。你才是造化城主心中真正畏懼的人。」

這時，五毒夫人和方堃，以劍觸地，緩緩行了過來，道：「俞少俠，我們很慚愧！」

俞秀凡道：「兩位傷勢如何？」

其實，四人的身上，都有著劍傷，少則三、四處，多至十餘處。但他們都是武功造詣極深的人，身法靈便，所以身上雖都中劍，但都未傷及要害。如若那些白衣劍手的武功再高一些，劍勢的速度，再快那麼一些，這些人，都已死在劍下。

俞秀凡似是突然想到了一件事，道：「夫人，你爲什麼不用毒？」

五毒夫人道：「我來不及用，他們的劍招太快，等我想到用毒時，已經來不及施用了。」

方堃道：「造化城中有十大劍主，我是其中之一，但這批劍手是何時訓練的，我卻一點也不知曉，他們的劍招，似是別走捷徑，和一般劍術不太相同。」

俞秀凡道：「他們只是練習出劍手法，沒有招術，沒有變化，這就深得了出劍的要訣，所以，他們的劍招特別的快。」

方堃道：「劍術上沒有變化，那還算什麼劍法？」

俞秀凡道：「少一分變化，就多一分快速。」

方堃道：「如是一擊不中呢？」

俞秀凡道：「一擊不中，他們可以再出第二劍。」

方堃道：「一收一發之間，豈不是耽誤了很多時間？」

俞秀凡道：「雖然收發之間，延誤了不少的時間，但他們劍勢沒有變化，卻也甚具威力，所以，他們一個人、一劍，兩個人合起的威力，卻不只是增加一倍，那是用乘法乘上去的。」

方堃道：「俞少俠，可否說得清楚一些，在下還有些不太了解。」

俞秀凡道：「第一個人刺出一劍，收劍的時間，第二個人的長劍，正好刺了去。」

方堃道：「原來如此。」

俞秀凡道：「三個人的配合，使他們殺人的速度，又增加了一倍。」

方堃道：「俞少俠，我們都受了傷，而且也死了很多的人。」

俞秀凡道：「查查看，活的有幾個？」

五毒夫人等取出金創藥物，互相包紮傷勢。查點人數，活的計有王翔、王佝、五毒夫人、水燕兒、無名氏、金釣翁、方堃等七個人。餘下的人，全部因重傷而死。

俞秀凡目睹慘重傷亡，不禁黯然一嘆，道：「我們一行十餘人，只餘下八個活的人了。」

只聽一聲輕輕嘆息，刀釵冷萍和針釵湯蘭，突然接口道：「十個人，我們兩個還活著。」

轉頭望去，只見花花妃子和顏成的屍體之下，挺身坐起了兩個人。冷萍和湯蘭，都受傷很重，全身浴血，長髮散披，形態狼狽。

俞秀凡顧不得養息傷勢，快步奔了過去，道：「兩位姑娘，傷得很重麼？」

冷萍點點頭道：「傷得很重，顏兄在劍中要害之後，示意我們兩人伏地裝死。」

湯蘭接道：「說來很慚愧。」

俞秀凡道：「兩位姑娘的措施很對，在下佩服至極。」

方堃快步行了過去，取出金創藥物，替她們包好傷勢。

俞秀凡仰臉向天，長長吁一口氣，道：「死者，我們要替他們報仇；傷者，我們要全力保護。我們只餘下了十個人，我希望咱們十個人，都能眼看到造化城沒落、覆滅，不希望咱們再有傷亡。」

五毒夫人道：「俞少俠，咱們目下需要找一處隱密的地方，好好的休息一下，大家養好了傷勢，再作計議。」

方堃低聲說道：「夫人，除非目下有一種丹藥，能使咱們的傷疼稍減、體能稍復，不然只怕不宜立刻行動了。」

俞秀凡道：「在下習過的內功，有一種似乎是可以療治傷勢，在下想傳授諸位，不知諸位是否願學？」

於是俞秀凡開始把內功傳授出來。群豪學習過口訣之後，開始坐息起來。

這正是療傷之學，經過了一次坐息之後，立刻感覺到傷疼減輕了不少。

五毒夫人伸展一下雙臂，道：「果然是療傷最好的內功。俞少俠，傷後體弱，都得好好的進補一番，才會充沛體能，使傷勢早癒。」

冷萍緩緩站起身子，道：「咱們可以走了。」當先向前行去。
群豪掩埋過死者屍體，改變了行程，轉向一座市鎮。
找了一座客棧住下，五毒夫人開始配製藥物。那是補神、益氣、療傷的藥物。
俞秀凡、方堃、水燕兒，三個人傷勢較輕，復元最快，也就由三個人擔負起戒備的責任。
好的是，這十人雖然是全部受了傷，但卻無人落下殘廢之身。
內功、外療，使得群豪的傷勢，在七日內好了十之七、八。冷萍、湯蘭、金釣翁，傷勢最重，但也復元甚快。
第八日中午時分，五毒夫人突然提議說道：「俞少俠，咱們該走了。」
俞秀凡回顧了冷萍、湯蘭、金釣翁一眼，道：「三位傷勢如何？」
冷萍道：「已好多了，相信可以行動了。」
俞秀凡道：「唉！這幾日太平靜了，平靜得有些出人意料之外。」
五毒夫人道：「賤妾也有此感，這一切太反常，所以，賤妾覺著此地不可留。」
俞秀凡道：「夫人發現了可疑之處麼？」
五毒夫人道：「造化城主是不甘忍受挫折的人，我相信，他按兵不動，可能是正在準備什麼。他對咱們已恨如刺骨，可能會全力施襲。」
目光轉注到金釣翁身上，接道：「金老，你看他會不會要親自趕來？」
金釣翁道：「大有可能。」
五毒夫人淡淡一笑，道：「這次遇上造化城中人，我不會再讓他們先出手了……」

五毒夫人話沒說完，瞥見一個店小二匆匆奔了進來。
那店小二滿臉慌急之色，快步直奔到五毒夫人身前，急急說道：「哪一位是五毒夫人？」
五毒夫人怔了一怔，道：「什麼人找五毒夫人？」
店小二道：「一位老婆婆，帶著一位年輕貌美的姑娘。」
五毒夫人道：「哦！」
店小二道：「有沒有五毒夫人？」
五毒夫人道：「我就是……」
店小二轉身向外奔去，一面接道：「我去告訴那位老夫人。」
五毒夫人冷冷說道：「慢著！」
方堃一伸手，扣住了店小二的右腕脈穴，道：「要你慢一點。」
回顧了五毒夫人一眼，道：「咱們要不要去看看？」
五毒夫人道：「好吧！咱們去瞧瞧。」
俞秀凡道：「在下和夫人同去。」
五毒夫人點點頭，道：「放開他，讓他去吧！」
店小二滿臉惶恐之色，快步向前奔去，直奔入賬房中。原來，那些人混入了賬房。
賬房很寬大，坐著一個戴眼鏡的老者，老者旁側，站著一個白髮老嫗，老嫗的身後，站著一個十七、八歲的藍衣少女。藍衣少女手中執著一柄長劍，架在那老者的項頸之上。
五毒夫人微微一笑，道：「我道什麼人，原來是五花婆婆。」
白髮老嫗手中執著一柄五角杖，臉上帶著淡淡的微笑，道：「五毒夫人，你認識老身？」

五毒夫人道：「你手中執的五角杖，那就是明顯的標識，當今武林之中，除了你五花婆婆之外，還有誰？」
白髮老嫗道：「原來五毒夫人從老身的拐杖上認出了……」
五毒夫人接道：「婆婆有五位義女，怎會只有一個隨來。」
五花婆婆道：「老婆另四位義女，都到了此地，只不過，她們沒有進來此地罷了。」
五毒夫人道：「她們埋伏在什麼地方？」
五花婆婆道：「她們就在店外，只要老身招呼一聲，她們就會出現。」
五毒夫人笑了一笑，道：「婆婆要找我，有什麼事？」
五花婆婆道：「我是奉命而來。」
五毒夫人道：「造化城主之命？」
五花婆婆道：「不錯，正是造化城主之命。」
五毒夫人道：「現在，你見到了，有什麼話，可以說了。」
五花婆婆道：「城主想請諸位見面。」
五毒夫人道：「哦！」
五花婆婆道：「夫人如若敢去，那就跟著我們走；如若不敢去，咱們就回去回報城主。」
俞秀凡道：「我們的決定，只怕大出了你意料之外。」
五花婆婆道：「怎麼說？」
俞秀凡道：「我們不怕和造化城主見面，但我們也不願投入造化城主布下的陷阱。」
五花婆婆道：「閣下的意思是……」

俞秀凡道：「時間、地點，由我們決定，你要造化城主來見我。」

五花婆婆道：「你好大的架子。」

俞秀凡哈哈一笑，道：「不錯。我的架子很大，你只管把訊傳到，來不來，是造化城主的事了。」

五花婆婆道：「好！就此一言爲定。老身告辭。」

俞秀凡道：「慢著！」

五花婆婆道：「還有什麼指教？」

俞秀凡道：「傳訊只要一個人，所以，你們留下來一個。」

五花婆婆怒道：「你這是……」

俞秀凡冷冷接道：「我在跟造化城主學，他行事夠惡毒，也夠狠辣，我學他，還學不到百分之一。」

五花婆婆道：「老身不會答允。」

俞秀凡道：「那就試試我的快劍。」

五花婆婆冷哼一聲，道：「你可是覺著，一定能夠勝過老身麼？」

俞秀凡道：「那你就小心了。」

話似是和劍連在一起，話出口，劍已出鞘，只見寒芒一閃，重還鞘中。

但五花婆婆的白髮，卻突然散落而下。這一劍快速、凌厲，五花婆婆只嚇得臉色大變。

俞秀凡冷冷說道：「五花婆婆，你現在還有什麼意見？」

五花婆婆道：「好吧！我把女兒留下來。」

俞秀凡道：「這應該是我決定的事，我決定了把你留下來。」

五花婆婆道：「看來，我是非留下來不可了。」

目光轉到那少女的臉上，接道：「孩子，你去吧！告訴城主，就說我被圍在此地，看看他要如何救我。」

那少女應了一聲，轉身而去。

五花婆婆道：「俞秀凡，你現在還有什麼話說麼？」

俞秀凡冷笑一聲，道：「借這個機會，咱們好好的談一談，好麼？」

五花婆婆道：「你要和老身談什麼？」

俞秀凡道：「談談造化城主的為人如何？」

五花婆婆道：「老身一向不批評長上。」

俞秀凡道：「我們只是隨便談談造化城主，似乎不是一件很嚴重的事。」

五花婆婆搖搖頭，道：「老身不願和你談這些事，所以我不再回答問話。」閉上雙目，盤膝而坐。

五毒夫人冷笑一聲，緩緩說道：「五花婆婆，俞少俠是正人君子，不會對一個全不反抗的人出手，但我不會。湘西五毒門，從來不知道什麼叫做仁慈。」

五花婆婆睜開雙目，道：「你的意思是……」

五毒夫人道：「很明顯，俞秀凡做不出的事，我能夠做得出來，難道還不夠明白麼？」

五花婆婆道：「五毒夫人，老身擋不住俞秀凡的快劍，卻不會把你放在心上。」

五毒夫人舉手理一理鬢邊散髮，道：「五花婆婆，你已經中了毒，我不給你解藥，你活不過十二個時辰。」

五花婆婆呆了一呆，道：「我幾時中了毒？」

五毒夫人道：「就是現在，難道你不相信麼？」

五花婆婆運氣一試，接道：「高明啊，高明！你幾時下的毒手？老身竟然完全不知道。」

五毒夫人道：「就是剛才我舉手一理長髮之際。我用毒手法不但高明，而且，下的毒也很厲害，兩個時辰之後，毒性開始發作，全身肌肉就開始收縮，那是極端痛苦的收縮。」

回顧了俞秀凡一眼，接道：「咱們走吧！」轉身向外行去。

五花婆婆道：「慢著！有什麼條件，你可以說出來了。」

五毒夫人笑了一笑，道：「我想知道，造化城主現在何處？」

五花婆婆道：「那地方沒有名字，只是一個小農村，不過三、五戶人家。」

五毒夫人道：「他帶了多少人來？」

五花婆婆道：「四、五十人之多。」

五毒夫人道：「都是些什麼人？」

五花婆婆道：「大半是新人，老身從未見過，十幾個老江湖，卻是江湖上極負盛名的人，老身就是其中之一。」

五毒夫人道：「有什麼辦法，才能使你倒反造化城，和我們聯合對付他？」

五花婆婆道：「這也算是條件麼？」

五毒夫人道：「不錯，一個人活在世上，最重要的是什麼？」

五花婆婆道：「名、利兩個字之外，那就是一個人的生命了。」

五毒夫人道：「生死一事既是難免，所以，個人的生死算不了什麼大事。」

五花婆婆道：「老身想不到你五毒夫人，還有這樣的高見。」

五毒夫人緩緩說道：「我用最簡單的話，說出最深奧的道理，你是不是很明白？」

五花婆婆沉吟了一陣，道：「我明白。不過，給老身一段時間，想一想如何？」

五毒夫人道：「可以，給你一盞熱茶工夫的時間。」

片刻之後，五花婆婆突然抬起頭來，道：「五毒夫人，我可以答應你，但我有條件。」

五毒夫人道：「什麼條件？」

五花婆婆道：「簡單得很，我要一顆藥，一顆入口就死的毒藥，你能答應了，老身就立刻倒反造化城。」

五毒夫人沉吟了一陣，道：「你想死麼？」

五花婆婆笑了一笑，道：「老身不想死，但我知道背叛造化城主非死不可，所以，我想死得舒適一些。」

五毒夫人道：「好吧！你接著。」

一揮手間，一粒白色的丹丸，直飛了過去。

五花婆婆笑了一笑，道：「吃下這粒藥丸，要多久時間，才會死去？」

五一　誘敵深入

五毒夫人道：「大約是呼吸一口氣的時間。」

五花婆婆忽然嘆一口氣，道：「俞少俠，你們準備作何打算？」

俞秀凡道：「準備放手和他一戰。」

五花婆婆搖搖頭，道：「不行！如若和他們動手，只怕咱們獲勝的機會不大。」

俞秀凡道：「你的意思呢？」

五花婆婆道：「不理他。早些離開此地。」

俞秀凡道：「造化城耳目遍布，豈會找不到咱們？」

五花婆婆道：「這個老身自會安排，使他們行入歧途。」

五毒夫人淡淡一笑，道：「俞少俠早存了和造化城主做一了斷之心，我們也一掃過去對他的敬畏。造化城主並不可怕，可怕的是他在我們心中建立的權威，那使我們驚恐，對他唯命是從。」

五花婆婆道：「夫人說得是，片刻之前，老身的感覺中，對那造化城主任何一句批評的話，都是大逆不道的事。現在卻感覺到他是大奸大惡、凶狠絕倫的人。」

俞秀凡道：「這就是『朝聞道，夕死可矣』的道理，難得婆婆具此慧根。」

五花婆婆道：「老身慚愧。」

語聲一頓，接道：「造化城主派遣了十路人手，追尋你們的下落，而且是親率高手，主持其事，實已存有必殺諸位之心。自然經過了一番處心積慮的策劃，他已感覺到如不早把諸位除去，對他是一個很嚴重的威脅……」

突然，放低了聲音，說出一番計謀來。

俞秀凡、五毒夫人連連點頭。群豪立刻安排布置，離開了客棧。

就在群豪離開客棧不久，四十餘匹快馬，和一輛特殊四輪篷車，趕到了客棧。

但客棧只餘下了五花婆婆一人。她被點了穴道，獨坐在客棧的上房之中。

首先奔入的是四個穿著藍色勁裝的佩劍少女。緊隨著行入了一個面目肅冷的半百老者。

五花婆婆認識那老者，是造化城中的地獄總管，冷面閻羅莫凪。

眼看著師父被人點了穴道，坐在木椅上，四個少女，卻不敢擅自行動，望著莫凪，臉上是一片乞求之色。

莫凪冷厲的目光，回顧了一眼，才緩步行近五花婆婆，揮掌拍活了穴道，道：「人呢？」

他似是不願多說一個字，能用一個字說完的話，決不用兩個字。

五花婆婆吁一口氣，道：「跑了。」

莫凪冷肅的臉上，閃掠過一抹殺機，道：「你洩了密？」

五花婆婆道：「我用了計。」

莫凪道：「說！」

五花婆婆搖搖頭，道：「我不能告訴你，我要面見城主。」

莫風道：「好！」轉身向外行去，五花婆婆緊隨身後。客棧外大街上，停著一輛特製的四輪篷車，垂著金黃色的篷簾。

分著紅、黃、黑、白四種服色的武士，每色八人，環圍在篷車四周。

這些人，服色不同，但卻都佩著長劍。紅色衣著的佩著雙劍，黃色的僅佩單劍，黑色衣服的一把長劍之外，腰間還佩著一把刀。白衣武士竟然一個人佩著三支劍。

這些人，年紀不大，都在二十五、六歲的樣子，但卻有一個相同之處，每人都寒著一張臉，冷若冰霜。他們長得都不難看，事實上，還很俊秀，但卻給人一種陰森、冷酷的感覺，似乎是經過了千年寒冰凍過的人，不帶一點活人味兒。

不用那白衣人的喝叫、莫風的指點，五花婆婆看到那篷車，立刻跪了下來。

篷車傳出一個威重的聲音，道：「五花婆婆，你知罪麼？」

五花婆婆道：「屬下知罪，但不知犯了哪一條門規？」

車中人道：「疏忽大意，爲人所乘，縱敵逃走，罪該分屍。」

五花婆婆口中早已含了五毒夫人給她的毒藥，只要輕輕咬破，立刻可毒發而死，心中勇氣倍增，道：「五毒夫人的武功，和老身在伯仲之間，且他們人手眾多，俞秀凡更爲可怕……」

莫風接道：「放肆！敢頂撞城主。」

車中人道：「讓她說下去！」

五花婆婆道：「俞秀凡劍出如電，老身招架無力，被他點中了穴道。」

車中人道：「你爲什麼不死於劍下？」

五花婆婆道：「老身本有自絕求死之心，但想到無人把消息轉告城主，故而苟且偷生，但等消息轉報於城主之後，自當以死謝罪。」
車中人道：「你不用死了，站起來吧！」
五花婆婆道：「多謝城主恩典。」一拜起身。
車中人道：「他們逃往何處去了？」
五花婆婆道：「城東有一座破落的馬王廟，地勢隱密，可以設伏。」
車中人沉吟了一陣，突然冷笑一聲，道：「五花婆婆，你好大的膽子！」
五花婆婆怔了一怔，道：「屬下又錯了麼？」
車中人道：「俞秀凡等既有逃命之心，又怎會把消息洩露給你？」
五花婆婆道：「這個，屬下也在懷疑。他們不殺我，顯然是有意的留下我的性命，又故意說出他們的去處，不知是否存心誘城主入伏？」
車中人冷笑一聲，道：「他們也很明白，決逃不出我手中，只有作困獸之鬥了。」
語聲一頓，接道：「他們一行，共有幾人？」
五花婆婆道：「屬下不能肯定，大約是八人到十人之間。」
車中人嗯了一聲，道：「你知道那馬王廟的所在之地麼？」
五花婆婆道：「五年之前，老身曾經來過此地，在馬王廟停過一宿，此刻尚有一些記憶。」
車中人道：「好！你帶路，咱們趕往馬王廟去。」
五花婆婆道：「屬下遵命。」轉過身子，當先向前行去。

馬王廟，距離這座城只有十里左右，但卻是一片亂墳環繞的淺山，出城二里之外，已然不見人跡。

通往馬王廟，倒有一條很寬闊的大道，只是很久沒有人走了。寬闊的大道上，也長滿了荒草。

馬王廟，不是著名的廟宇，一般的馬王廟，大都只是比土地廟稍微大一點罷了。但這一座馬王廟有些特別，特別的大，前後有兩、三進院子。想來，這座馬王廟，當年初修時，定然是香火十分鼎盛。

不知為什麼，忽然間冷落下來，冷落到人跡罕至。廟前、廟後，都長滿了青草，高可及膝的雜草。

看上去，這座馬王廟建成的時間，並不太久，門窗都完整無缺。只是年久無人管理，看上去有點陰森的味道，兩扇紅色的木門，緊緊地關閉著。

莫風突然向前行了兩步，道：「五花婆婆，帶著你四個女兒，先進去。」

五花婆婆應了一聲，帶著四個藍衣少女，直行過去。伸手叩動木門，木門突然而開。

木門雖開，但卻不見人蹤。五花婆婆帶著四個女兒，直行入廟中去。

廟門未閉，但行入廟中的五花婆婆和四位少女，卻如投入海中的泥沙，聽不到一點聲息。

足足等過了一盞熱茶工夫之久，仍不聞一點聲息傳出。

其實，這是五花婆婆和俞秀凡等商量好的辦法，師徒五人，進入了廟門之後，立刻被守在門後的刀釵冷萍和針釵湯蘭，迎了進去。

五毒夫人低聲說道：「大姊姊，造化城主來了沒有？」

五花婆婆道：「他坐有一輛特製馬車，車簾低垂，不論何人，都無法瞧到車中人的形貌，是不是，老身也無法確定。」

五毒夫人道：「同來的都是些什麼人？」

五花婆婆道：「內府總管莫風、陰陽叟，鐵手劍王白濤……」

五毒夫人怔了一怔，接道：「莫風、白濤也來了？」

五花婆婆道：「夫人識得他們麼？」

五毒夫人道：「見過一面，這兩人都是當世武林極負盛名的高手，想不到，竟然甘願做造化城主的從衛……」忽然想到自己乃一門之主，也被羅致於造化城中，不禁啞然。

俞秀凡低聲問道：「莫風和白濤在武林的聲譽如何，是正是邪？」

五毒夫人笑了一笑，低聲道：「未入造化城之前，這兩人都算是正派人物，至少，他們的聲名，要比賤妾好一些。」

五花婆婆接道：「如論這兩人在江湖的地位，足可當得仁俠之稱。」

俞秀凡嘆息一聲，接道：「他們爲什麼要進入造化城中？」

五毒夫人道：「任何人初見造化城主時，都會被他那氣度、儀表和動人的口才折服，心生敬慕。但處久了，才會看出他的陰沉、險惡。可怕的是，你知曉了內情之後，人已被他控制，可以使你生，也可以使你死。」

這時，刀釵冷萍已疾奔而至，道：「他們已發覺情勢不對，向廟中行來了。」

俞秀凡道：「是四路包圍呢，還是一路行來？」

冷萍道：「未見他們分人包圍。」

五花婆婆道：「他帶的人手不太多，也無法包圍咱們。」

俞秀凡道：「咱們就集中實力，分頭合擊，殺他們一個是一個。」

群豪都商量好了埋伏的方法，各自奔向原位。

這些人，傷勢雖都好轉很多，但大部分的人，傷口還未完全復元，但卻沒有一個人現出畏懼之色。

五毒夫人最忙，前後奔行，各處布毒。

按照馬王廟的形勢，布成了梅花埋伏。以俞秀凡、方堃、水燕兒和五毒夫人四人，形成正面拒敵的主力。王翔、王佾，形如雙鉗，金釣翁、冷萍、湯蘭等，隨時接應。

虛掩的廟門，砰然大開，堅牢的木門，硬生生地脫了門框，飛到八、九尺外。是莫風那開碑碎石的強猛掌力，打破了大門。廟門前是一片廣場，生滿及膝的荒草。

面對著俞秀凡和五毒夫人等強敵，莫風和白濤，似是也有著相當的畏懼，步履之間，顯得是那樣的謹慎、小心。莫風和白濤，錯開一步，先後而行。兩人行到了廣場之中，停下了腳步。

莫風高聲說道：「五花婆婆，你是死了，還是活著？」

五花婆婆隱身在一座廂房之中，默不出聲。

莫風連呼數聲，不聞五花婆婆相應，立刻改口叫道：「俞秀凡，別說你躲在馬王廟，就是你躲在老鼠洞，我們也一樣能把你抄出來。」

又連呼數聲，仍然不聞回答之言。

回顧了白濤一眼，低聲道：「白兄，他們躲在裏面不出來，咱們應該如何？」

白濤道：「衝過去！」

莫風舉手一招，八個佩劍掛刀的黑衣武士，快步行了過來。

八個人進入廟中之後，立刻分列兩班，四個人站在莫風身後，四個人站在白濤的身後。

白濤突然急行而前，超過了莫風，道：「莫兄，兄弟入內搜查，你在後面把風。」話罷，快步衝到二門前面。

這座荒涼的前院，大約四丈多寬，白濤一口氣衝到二門前面，停下了腳步，抬頭四顧了一眼，冷冷說道：「五花婆婆，你出來！再要拒不遵命，我打進去，就把你亂劍分屍。」

二門內，傳出來五花婆婆的笑聲，道：「姓白的，老身既然倒反造化城，連城主也不放在心上了，還會把你姓白的看在眼中麼？」

白濤從未聽過有人敢對造化城主有如此不敬之言，不禁一呆，道：「五花婆婆，你敢罵城主？」

二門內又傳出五花婆婆的聲音，道：「我爲什麼不敢，他是武林最惡毒的騙子，最陰狠的兇人。」

白濤臉色大變，接道：「你好大的膽子，你這個大膽的叛徒。」

忽然間，寒芒閃動，一篷銀芒，疾射而至。白濤霍然拔劍一揮，一片銀光，繞體而生。但聞一陣波波叮叮之聲，一十二枚銀針，盡都被擊落在二門前面的台階上。

目光一掠銀針，白濤冷笑一聲，道：「針釵湯蘭。」

湯蘭的聲音，飄入耳際，道：「白爺，好妙的一招『雪花飛舞』。」

白濤怒道：「湯蘭，你也敢背叛城主？」

湯蘭道：「敢！而且，我還想勸你白爺幾句話。」

白濤道：「住口！背盟叛徒，還能說出什麼好聽的話！」

湯蘭道：「我的話可能不太好聽，但忠言逆耳，良藥苦口。你閣下也是一代俠人，至少，有分辨是非的能力，你自己想想看，你在造化城做些什麼事？算個什麼樣的身分？」

白濤道：「湯蘭，你信口開河，語無倫次，還不出來受死。」

只聽另一個女的聲音，接道：「不用勸他了，一個人愛做奴才，就讓他做下去吧！」

白濤道：「冷萍。」

接話的正是刀釵冷萍，緩緩說道：「白濤，你該醒醒了。湯蘭、五毒夫人、金釣翁、水燕兒、五花婆婆母女、十大劍主之一的方堃，我們都離開了造化城，你又為什麼不敢？」

白濤冷冷接道：「所以，你們要死。」

冷萍接道：「白濤，造化城是一個大染缸，任何人，只要一進入這造化城中，好人會變成壞人，壞人變得更壞，你白濤在江湖上頗有俠名，但你進入了造化城之後，變成了什麼樣子，你所作所為，和過去是否相同，你自己心中應該明白。」

白濤道：「冷萍、湯蘭，少給我逞口舌之利，你們如是還有點骨氣，那就給我滾出來！」

冷萍格格一笑，道：「白濤，造化城中人，不可相信，這一點，你心中大概也很明白。」

白濤臉色大變，回顧了莫風一眼，道：「莫兄，這兩個丫頭，利口如刀，留她們不得，我去把她們宰了。」

莫風道：「白兄，不可大意，在下和你一起入內。」

白濤道：「不用了。莫兄請留在二門外面，準備接應兄弟，他們不肯出來迎敵，二門之內，定然會有埋伏了。」

莫風道：「不錯，定然會有埋伏，你一個人去，豈不是太過危險？」

白濤道：「兄弟帶四個黑衣劍士同去，莫兄請留在門外接應。」

莫風道：「長嘯爲號，兄弟立刻衝入，我先去稟報門主一聲。」

白濤點點頭，帶著四個黑衣武士，舉步向前行去。

他一刀當先，進入二門。只見二門內，一片廣場上，並排站著三個人。

俞秀凡居中而立，五毒夫人和水燕兒，分站兩側。左側七尺處站著方堃，右側七尺處站著金釣翁。

白濤望了俞秀凡一眼，道：「閣下就是俞秀凡？」

俞秀凡道：「不錯。你叫白濤？」

白濤點點頭，道：「冷萍、湯蘭，兩個丫頭何在？要她們出來見我。」

俞秀凡道：「閣下先勝了俞某手中之劍，再見她們不遲。」

白濤冷笑一聲，突然拔劍衝了上去。

劍勢指向俞秀凡前胸時，突然停了下來，道：「俞秀凡，聽說你的劍法很快？」

俞秀凡道：「閣下試試便知。」翻腕出劍，噹的一聲，震開了白濤手中的長劍。

白濤劍招連變，刺出三劍。俞秀凡封開三劍後，一劍刺出，劃裂了白濤的左臂，鮮血流出。

白濤道：「好劍法！果然名不虛傳。」

突施傳音之術，道：「四個黑衣劍士，劍中藏刀，技術不凡，咱們同時動手，先殺了他們。」

不容俞秀凡答話，一舉手，道：「上！」

四個黑衣武士應聲出手，左劍右刀，緩步行了過來。

四個黑衣人相當的持重，白濤雖然下令要四人快攻，但四人仍然是不忙不慌，步履穩健。只看這四人的行動，就可以瞧出具有了一流高手的氣勢。

金釣翁見識廣博，見四人刀執在右手，劍握在左手，立時高聲叫道：「刀爲主，劍爲輔，傷人的絕技，定在刀上，諸位千萬不要受了他們的劍光誘惑，忘去防他們的右手短刀。」

金釣翁一言驚醒場中人，群豪都不禁把目光投注在四個黑衣武士的握刀右手之上。

只見四個人右手上暴現出青筋，顯示出那握刀的右手，特別的有力、堅定。

四個黑衣武士，接近白濤時，突然停了下來。八道目光，一齊投注在白濤的身上。這些武士們絕少講話，但他們卻在陰森中透著精明，投注在白濤的目光，似是代表了詢問，也似是表示出了懷疑。

白濤很沉著，也很冷靜，大聲喝道：「圍攻俞秀凡！」

長劍一揮，當先而上，一招風雷並發，幻起了一片寒芒、劍花，攻向了俞秀凡。

四個黑衣武士，突然閃電般的迅快，衝向了俞秀凡。

俞秀凡一劍封開了白濤的劍招，四個武士已由四個方位同時攻到。四把長劍，在同一時刻飛出，和快速搖動的劍芒，結合成一片劍幕。劍光連結，有如一道盾牌。但聞一陣叮叮之聲，封開了俞秀凡攻出的劍。

四把堅定有力的短刀，卻在俞秀凡劍勢閃擊的空隙之中，攻了過去。

刀法和劍招，完全是兩種不同的手法，劍光出手，寒芒閃爍，看上去極具威勢，但刀法卻走得完全是陰柔的路，寒光一點，直刺要害。這真是惡毒無比的一刀，俞秀凡也有慌張失措之感。

需知四把短刀，分由四個完全不同的方向，攻了過來，俞秀凡的劍勢再快，也無法能在這一瞬間，同時封開四把短刀。何況，四個黑衣武士的四把長劍，還在封著俞秀凡的長劍。

俞秀凡心急之下，突然一提真氣，飛身而起。劍光護體，直飛起兩丈多高。

這是驚天劍法中一招保命奇學，專在無法閃避的圍攻中，破空而起，避開敵人的合擊之勢，叫做「破空斬」。

雖然俞秀凡閃避夠快，但左腿上仍被劃了一刀，留下半尺長的大血口。

這不過是一眨眼的工夫，方堃和五毒夫人，都有著救援不及的感覺。

卻未料到白濤反戈一擊，在四個人合擊俞秀凡的同時，突然退後五尺。他手中長劍疾快出手，刺向了一個黑衣武士。這一劍，力道很強，由一個黑衣武士的背後，直透前胸。

來不及抽出長劍，另一個黑衣武士，已警覺還擊，長劍橫斬，短刀直刺。白濤成名江湖數十年，自是技藝非凡，右手微帶，封住長劍。但那短刀，卻加閃電一般，抵隙而入，直刺向白濤的右肋。

這一刀取位適中，白濤避過的機會很小。敢情這些黑衣人的武功，並不在白濤之下，他們是受過長期嚴格訓練，調教出來的殺手。

白濤暗暗嘆息，不再做閃避的打算，揚起左掌，準備和那黑衣刀手同歸於盡。

這當兒，突然寒光一閃，一柄長劍飛來，錚的一聲，封開了那致命的一刀。是俞秀凡由空中直瀉而下，救了白濤一命。

白濤飛起一腳，踢開了那中劍之人，回手一劍，接住了另一個黑衣武士的短刀。因爲，那中劍黑衣武士，發覺劍勢透胸而過，在必死無救的情景下，竟然棄去兵刃，雙手抓住劍身，猶感不足，低頭咬住了劍尖，所以，白濤竟無法一下抽出穿在那黑衣人身上的長劍。

俞秀凡快劍如電，劈倒了兩個黑衣人，僅餘下的一個黑衣人，卻和白濤惡鬥於一處。在這時刻，最忙的算是五毒夫人了，她開始在二門內布置下奇毒。

直鬥到四十個回合之後，白濤才一劍把黑衣人刺死。但他自己也累得頂門上隱隱見了汗水。

方堃吁一口氣，道：「好厲害的劍、刀，如若被他們合力包圍，就算第一等武林高手，也很難解圍、脫困。」

白濤道：「四色衛士之中，聽說白衣從衛武功最好，而且，三劍化一氣，尤爲劍道絕藝，其餘三衛，在伯仲之間。」

只聽莫風的聲音，傳了過來，道：「白濤，你認輸了？」

白濤道：「是又怎樣？」

莫風道：「城主有諭，要你橫劍自絕而死。」

白濤道：「城主要在下死，在下只好拖一些時間了。」

莫風道：「叛徒，你好大的膽子，出來納命！」

白濤道：「莫風，你何不進來瞧瞧？」

莫風冷冷說道：「黑衣劍衛何在，先殺了叛徒覆命。」
白濤冷笑一聲，道：「莫風，他們都死了，都死在俞少俠的快劍之下。」
莫風道：「啊！」
白濤道：「莫風，造化城主的為人如何，大約你心中比我還清楚，這是咱們脫離造化城的機會，你也應該拿個主意了。」
不再聞莫風的回答之言，也不見有人衝入二門中來。
白濤皺皺眉頭，回顧了五毒夫人一眼，低聲道：「怎麼回事？」
五毒夫人道：「我想造化城主已經離開篷車，莫風無法作主意了。」
這時，水燕兒已包好了俞秀凡的傷勢。俞秀凡用長褲掩起了傷處。
白濤目光轉動，四顧了一眼，道：「莫風和隨來的十幾位江湖高手並不可畏，可怕的是那些隨行武士。這些人，才真的是造化城的主力。」
俞秀凡道：「白兄，那些武士一共有多少？」
白濤搖搖頭，道：「不知道。這一次有四種不同服色的人同來，合計三十二人。但還有好多，除了造化城主之外．只怕無人知曉。」
俞秀凡道：「目下，咱們應該如何？」
白濤低聲道：「俞少俠，是準備和他們一決勝負呢，還是準備離開此地？」
俞秀凡道：「準備在此一決勝負。」
白濤沉吟了一陣，道：「俞少俠，你見過那黑衣劍士的身手。據說白衣劍術比他們更為高明。」

俞秀凡道：「白兄的意思是……」

白濤接道：「任何一個劍士，都可以和在下纏鬥百招，如若他們兩個人聯合出手，在下決非他們之敵。」

俞秀凡道：「白兄覺著咱們應該如何？」

白濤道：「那些年輕的劍士，決不會背叛造化城主，所以，咱們先要有對付他們的辦法。」

五毒夫人突然接口說道：「白兄，你能否確定那篷車中真是造化城主？」

白濤怔了一怔，道：「這個，應該不會有錯。」

五毒夫人道：「造化城主如若真的來了……」

話未說完，瞥見人影晃動，一個全身黑衣，左手執劍、右手握刀的人，大步行了進來。

其實，不只是五毒夫人看到，俞秀凡、白濤等，也都看得十分清楚。那黑衣人當先而行，踏過了五毒夫人布下的毒陣。五毒夫人神情冷肅，凝注在那黑衣人的身上。只見他安然而過，全無中毒之徵。

俞秀凡緩緩向前行了兩步，面對黑衣劍士。奇怪的是，這黑衣人既未爲毒所傷，也未立刻出手。

金釣翁揚起了手中的魚竿，呼的一聲，掃了出去。他手中的魚竿，長過一丈，加上魚絲金鈎，可取兩丈外的人。

那黑衣劍士出奇的冷靜，直待金鈎將要近身時，方才一揮長劍，身子向前輕輕一伏，剛好避過金鈎。

魚絲繞在了長劍之上。黑衣劍士借勢而起，有如吞下金鈎的一條大魚。

這變化，完全出人意料。俞秀凡距離最近，也不知出手攻敵。

只見那黑衣武士右手中短刀一擲，飛向了白濤，短刀去勢緩慢，有如落葉飄絮。

大家雖然都覺出這刀勢有些奇怪，但因它來勢緩慢，所以大家也不放在心上。

短刀距離白濤有三尺左右時，白濤才舉劍一封。刀勢很緩，一劍擊中了刀身之後，那短刀突然間打個橫轉，由很緩慢變成了快如閃電，一個翻轉，刺入了白濤的前胸。刀上力道奇猛，直沒及柄。

這是人身的要害大穴，白濤身子一顫，道：「你是誰？」

黑衣武士已借金釣翁魚竿的甩動之力，飛出了二門以外。他去如飄風，俞秀凡等竟然來不及有所反應。因爲，任何人都未料到，這緩緩而來的短刀，竟然會如此奇異變化。

白濤喝問出口，那黑衣武士，已然消失不見。

五毒夫人大喝一聲，道：「是他！」伸手扶住了白濤。

俞秀凡急步行了過來，道：「白兄，怎麼樣？」

白濤搖搖頭，道：「我不行啦……」閉上雙目，氣絕而逝。

五毒夫人緩緩放下白濤的身子，道：「刀中心臟要害，就算有靈丹、妙藥，也無法使人還魂重生了。」

俞秀凡輕輕吁一口氣，道：「那黑衣武士是什麼人？」

五毒夫人道：「很可能是造化城主。」

俞秀凡點點頭，道：「看來，定然是他了。」

五毒夫人道：「我在那裏布了奇毒，如若是一般的人，決不會逃過奇毒所傷。」
俞秀凡道：「這個，咱們早該知道的。」
語聲一頓，接道：「我不明白，他怎會不畏奇毒？」
五毒夫人道：「他身上有一顆避毒珠，而且，他本人也是精通用毒的人。」
俞秀凡嘆息一聲，道：「他一刀殺死了白濤，為什麼不放手和咱們一戰，卻借機逃了開去。」
五毒夫人低聲道：「他是絕對不願冒險的人，如若他沒有十成的勝算，他就不會輕易的和人拚命。」
俞秀凡道：「現在他到了何處？咱們應該如何？」
五毒夫人低聲道：「咱們也沒有把握和他們放手一拚，所以，他如肯放手，咱們也不用苦逼下去。」
俞秀凡道：「拖下去，對咱們是否有利？」
五毒夫人道：「至少，拖時間，對咱們利多害少。」
俞秀凡接道：「何以見得？」
五毒夫人道：「因為，目下江湖情形，正在覺醒之中，多拖上一些時間，咱們就可能多一些助拳友人。」
金釣翁道：「最重要的是艾九靈，艾大俠也應該重現江湖了。」
五花婆婆回顧金釣翁一眼，道：「釣魚的，你怎麼知道艾大俠還活在世上？」
金釣翁道：「艾大俠沒有死。除了造化城主之外，當令武林之世，再沒有能夠殺死他的人。」

五花婆婆道：「但艾九靈身受重傷之後，又中了七件餵毒的暗器，自然是活不成了。」

五毒夫人道：「艾大俠如若還活在世上，豈能坐視不管。」

水燕兒嘆一口氣，道：「就賤妾所知，單打獨鬥，艾大俠已非造化城主之敵了。」

金釣翁道：「但造化城主從來不會和人單打獨鬥，他一向用的以眾勝寡、圍擊合攻之法。」

水燕兒道：「但他和艾九靈，有過一場單打獨鬥。」

金釣翁道：「真有此事？」

水燕兒道：「千真萬確。自然，他事先已經有過一番很完善的布署，萬一他不敵落敗，他也不會受到傷害。」

金釣翁道：「那一戰究竟是何人敗了？」

水燕兒道：「艾九靈。兩人鬥到五百多招之後，艾九靈中了一劍。」

金釣翁道：「有這等事，老朽怎麼沒有聽過？」

水燕兒道：「艾九靈生死不明，所以，造化城主沒有宣揚這件事。艾九靈自然也不會講。因此，除了當時在場觀戰之人外，很少有人知曉。」

金釣翁道：「姑娘在場麼？」

水燕兒道：「沒有。這是七、八年前的事了，那時我武藝未成。」

金釣翁搖搖頭，道：「很難叫人相信。姑娘，有道是目睹是實，耳聽是虛。」

水燕兒道：「這件事不會錯。目下這馬王廟中人，就有一位在場。」

金釣翁道：「什麼人？」

水燕兒道：「莫風，老前輩如不相信，再見莫風之面時，你可以問問他。」

五花婆婆道：「姑娘說得倒也有理。艾大俠雖然退出了江湖很多年，但完全絕跡江湖，還是七年前的事，大約是他戰敗之後。」

水燕兒道：「不！一、兩年前，艾九靈又在江湖上出現過幾次，據說，受到圍攻，身受重傷，那一次似是在開封附近。」

金釣翁接道：「姑娘，這個不太可能。如若那艾九靈真的受了重傷，造化城主決不會放過他，就算是上山下海，也非得把他追出來不可。」

水燕兒道：「大舉搜查，整整的搜查了十餘日．方圓數百里內，都已找遍，但卻沒有搜查出來，聽說，那一次，造化城主大發雷霆，還殺了不少的人。」

金釣翁道：「老朽的看法是艾大俠不會受傷。」

俞秀凡突然嘆息一聲，接道：「水姑娘說得不錯，艾大俠受了傷，而且，受了很重的傷。」

水燕兒道：「你怎麼知道。」

俞秀凡道：「在下先救了艾九靈，以後，艾大俠救了我。」

水燕兒道：「俞少俠，可不可以把詳細情形告訴我們？」

俞秀凡道：「可以。」當下把經過之情，很仔細地說了一遍。

水燕兒嘆口氣，道：「想不到，你是艾大俠培養出來的人。」

俞秀凡微微一笑，道：「諸位，除了艾九靈之外，還有什麼人會有如此的博愛救世之心。」

水燕兒低聲說道：「俞少俠，艾大俠會不會來？」

俞秀凡道：「我很久沒有見過艾大俠，但我相信他會隨時出現。造化城主自覺他在天下安排了耳目，但他一直無法找到艾大俠，可是艾大俠對造化城中的行動，卻是十分了解。」

金釣翁道：「這麼說來，艾大俠也在準備對付造化城了？」

俞秀凡道：「這些年來，他僕僕風塵，不停地在江湖上行動。不過，他一直很隱密自己的行動，不讓造化城主在天下的耳目，找到他的行蹤。」

金釣翁哈哈一笑，道：「艾大俠如若還在江湖上，只要他登高一呼，武林之中，會有很多的人，由造化城中反正過來。」

俞秀凡忽然間發覺，所有的人，都振奮起來。艾九靈不但在武林之中，有著過人的聲望，而且，在精神上，還深入了人心。

水燕兒道：「古往今來，武林之中，大約從沒有一個人，能有艾大俠這樣的聲譽，他這一生之中，沒有做過一件錯事。」

俞秀凡嘆口氣，道：「在下慚愧得很。」

水燕兒道：「爲什麼？」

俞秀凡道：「我可能已做了很多的錯事。」

水燕兒輕輕吁一口氣，道：「你做錯了?你哪裏做錯了？」

俞秀凡道：「我沒有艾大俠那份仁慈，也沒有艾大俠那份耐心，更沒有他那份涵養，所以，我覺著做了很多的錯事。」

水燕兒道：「你沒有錯。」

俞秀凡接道：「至少，比起艾大俠來，我錯了很多，也錯得很厲害。」

水燕兒道：「你不能和艾九靈比。」

俞秀凡道：「爲什麼？」

水燕兒道：「因爲他已經不是人。」

俞秀凡臉色一變，接道：「他不是人，是什麼？」

水燕兒道：「是神。他一生之中，沒有任何錯誤，對他個人而言，那是很完滿。他一生之中，沒有一件對不起人的事，但對武林同道而言，他沒有什麼貢獻。」

俞秀凡道：「這不能算錯。」

水燕兒道：「那要看你怎麼算了。我聽造化城主批評過艾大俠一句話，如今深植內心，念念難忘。」

金釣翁冷哼一聲，道：「造化城主比起艾大俠來，那是天壤之別。自然，他要辱罵艾大俠了。」

水燕兒道：「也許是看法不同，至少，我覺著那不算是辱罵。」

語聲一頓，接道：「造化城主說那艾九靈艾大俠，已入神境，只能用來供奉，但他做事方法，那就不足取了。」

俞秀凡道：「怎麼說？」

金釣翁冷笑一聲，接道：「偏激之論。」

水燕兒道：「我對艾大俠一樣敬佩，我只是把造化城主之言，重新轉述一遍罷了。」

俞秀凡道：「請說下去。」

水燕兒道：「造化城主說艾大俠太過仁慈，所以，他放過了很多為世除害的機會。雕朽木，希望成器；放惡人，為害良善，你們說說看，他有多少錯失，因為他放縱了一個人，卻因此為害了十個人，功過相抵，究竟是有德呢，還是有錯？」

金釣翁呆了一呆，道：「這個麼，老朽倒是沒有想過。」

水燕兒嘆口氣，道：「他如能下手狠一些，除惡務盡，現在，江湖上也不會是這樣一個局面了。」

俞秀凡道：「這說法不公平，也曲解了艾大俠的為人。」

水燕兒道：「你和艾大俠有著一段相處的日子，對他的為人，你應該知道的，你說說看吧！他的為人如何？」

俞秀凡道：「他是一代仁俠，自強不息，我對他，有著仰之彌高的感覺，他能忍辱負重，威武不屈，他是一位完人。」

五毒夫人嘆口氣，道：「我贊成燕兒的說法，他是一位沒有錯誤的人，但他對江湖、對蒼生，並無大功德。」

俞秀凡道：「慷慨赴死易，從容就義難。一個人聯合一些志趣相投的朋友，在武林之中做一番轟轟烈烈的大事，並非太難；但如要他一生，沒有什麼錯誤，那就不是一件容易的事了。」

五毒夫人道：「話是不錯。但一個私德完全的人，對人世和武林道上，有些什麼貢獻，幫助人家些什麼？我認為止殺伐惡的最好辦法，就是殺盡惡人，以殺止殺。如若艾九靈不是仁慈得像聖人一樣，他怎會留下了造化城主這樣一位大奸大惡的人。」

俞秀凡心中暗道：這些話也並非全無道理，艾大哥如若早些著手對付造化城主，至少，造化城不會有如此壯大的局面。做一個完美的人是那樣困難，每人論事的尺度不同，一個私德無虧、處事縝密的人，也不一定會受到人人讚美。

俞秀凡心中念轉，話題一變，道：「夫人，你看造化城主，是否會已經撤走了？」

五毒夫人道：「會。不過，走的只是他一個人罷了，莫風和那些武士們，會留下來。」

俞秀凡奇道：「爲什麼？」

五毒夫人道：「他不會以身涉險，他有著和艾大俠完全相反的性格。所以，他決定的事，只選擇對他有利就行。」

俞秀凡道：「咱們是不是出去瞧瞧？」

水燕兒道：「要出去，咱們不能守在這裏。他化裝成一個武士，殺了白濤就跑，不肯和你一決雌雄，那證明了一件事，他已沒有殺死你的信心。」

方堃道：「燕姑娘，照那造化城主的性格而論，他也許不會就此放棄。」

水燕兒道：「不會，他會去調集更多人來。」

俞秀凡道：「最好的選擇，就是咱們立刻衝出去。」

經過大家仔細會商的決定，是暫時不突圍，集中大殿，磋商藝業。這一群患難與共的男女同道，完全消除了江湖人之間的距離，都把最得意、拿手的武功，傳了出來，那都是畢生苦練的精粹之學。

俞秀凡傳了快劍，也校正了出手的方法。這使水燕兒和方堃受益最大，兩人都是學劍有成的人，俞秀凡的刻意指點，使他們立刻進入了另一重境界。

針釵湯蘭，傳出了用針的手法，五毒夫人也傳出了一種實用、簡易，但卻絕對有效的用毒手法。

這時，強敵圍困，生死關頭，也是習武進步最快的時候。雖只有半日的功夫，但任何人都感覺到，自己有了很大的收獲，抵得平常日數年光陰的成就。自然，最主要的是，傳武功的人，一點也不藏私，受教者，也集中了全副精神去學。

天色黑了下來，大家停止了藝業的切磋。

每一個人，幾乎都已把半生習武體會出的必要手法，坦白地傳給了別人。

俞秀凡付出的最多，但他也有著滿意的收獲。劍招變化的運用，有很多是在使用時體會出的心得。不論多麼精奇的劍招、手法，不能心領神會，它的威力就會減少很多。

但收獲最大的是水燕兒和方堃。別人都停了下來，只有他兩人仍然不停地伸動雙手，比劃出體會到的劍招。兩人都陷在如痴如狂的境遇之中。

沒人打擾他們，沒有一點聲音，所有的目光都望著兩個人，臉上是一片喜悅之色，這群出身不同、年齡不同的男女同道，經過一番生死之劫後，彼此之間，已完全消失了人性間的自私意念。全場中人，都看得出水燕兒和方堃，又進了入劍道另一種境界。

直待初更過後，兩人才自動地停了下來。水燕兒香汗淋漓，直透重衣，方堃更是如剛從水中出來似的，全身上下，都爲汗水濕透。

五毒夫人微微一笑，道：「造化城主把我們困於此地，但也成全了我們藝業成就，兩位請好好休息一陣，二更之後，咱們突圍離此。」

水燕兒吁一口氣，道：「現在已什麼時候了？」

金釣翁道：「初更過後了。」

五花婆婆突然接口說道：「朝聞道夕死可矣，老婆子現才體會出這句話的意義，諸位請給老婆子一個機會。」

五毒夫人奇道：「什麼機會？」

五花婆婆低聲道：「老身想說服莫風投順過來。」

金釣翁道：「這個，只怕不是一件容易的事。」

五花婆婆道：「老婆子也知道這件事不容易，不過，莫風是一個人才，對造化城中的事物，更是知曉很多。所以，老婆子希望能把他說服。」

俞秀凡道：「聽老前輩之言，似乎是很有把握。」

五花婆婆道：「談不上什麼把握，不過，我覺著值得一試。」

突然放低了聲音，低得只有俞秀凡和五毒夫人勉強可以聽到。

只見俞秀凡搖搖頭，道：「老前輩，使不得！」

五花婆婆道：「俞少俠，給老身一個效力機會，這關係太大了。」

俞秀凡沉吟不語。

五毒夫人輕輕嘆息一聲，道：「俞少俠，讓她去吧！如若你不答應她，她會覺著是一終身大憾。」

俞秀凡點點頭，道：「好吧！老前輩執意如此，晚輩也不便再多阻攔了。」

五花婆婆站起身子，道：「多謝俞少俠給老身這個機會。」

回顧了四位義女一眼，接道：「孩子們，跟我走啦！娘如是死於敵人之手，你們就想法子逃回來，從此之後，跟著五毒夫人，她會好好照顧你們的。」

四女齊齊躬身說道：「娘！你死了，我們何忍獨生？」

五花婆婆哈哈一笑，道：「那也好，娘活的時候，沒有帶著你們做些有益於人間的事，但我卻帶你們死得轟轟烈烈，讓後世欽仰；至少，也可以洗刷去咱們母女身上的血腥。咱們走吧！」帶著四女，向外行去。

方堃低聲道：「俞少俠，她們母女開道，如何是莫風和那些劍士的敵手，在下去助她們一臂之力。」

五毒夫人道：「方堃，不用去了，成全她們吧！」

方堃道：「要她們去送死麼？」

五毒夫人道：「她們要去死，是她們的心願，她們是誠心誠意的去死，如若你要阻止她們，那也是一件大恨大憾的事了。」

方堃道：「死有重於泰山，輕如鴻毛，她們五人之死，在下看不出對大局有什麼幫助。」

五毒夫人道：「五花婆婆也是老江湖了，她如心中沒有把握，怎會白白去送死呢？」

方堃道：「夫人，你該明白，她們去了沒有用。」

五毒夫人道：「我知道。五花婆婆有五花婆婆的計劃，方兄，讓她試試吧！」

方堃欲言又止，但臉上仍然是一片不服氣的神色。

五毒夫人回顧了俞秀凡一眼，緩緩說道：「俞少俠，聽到他們招呼，咱們就衝出去。」

俞秀凡點點頭沒有說話。

五花婆婆帶著四女，離開了馬王廟之後，足足有一盞熱茶工夫，還不聞一點聲息。

俞秀凡輕輕吁一口氣，道：「夫人，怎麼聽不到一點聲息，難道她們……」

五毒夫人接道：「以五花婆婆的經驗之豐，應該是不會出事的。」

俞秀凡道：「怎的這麼久時間，聽不到一點聲息。」

五毒夫人道：「也許，造化城主真的撤離了此地。」

俞秀凡正待接口，突然一陣慘叫之聲，傳入了耳際。

五毒夫人搖搖頭，道：「求仁得仁，她們如願了。」

俞秀凡皺皺眉頭，道：「她們都已經死了？」

五毒夫人道：「死了！五花婆婆和她的四個女兒。」

俞秀凡道：「唉！夫人！她們死得真有什麼價值麼？」

五毒夫人道：「不知道。但這是她們的心願。她們雖然死了，但心願已經完成了。咱們走吧！」

俞秀凡點點頭，當先向前行去，群豪隨在俞秀凡的身後。沒有一個人說話，但每個人的臉色，卻是一片嚴肅。行出了馬王廟，群豪立刻散布開去。

俞秀凡居中而行，左右兩側是王翔、王尚。行約十餘丈，忽見幾具屍體，橫陳地上。是五具女人的屍體，只看衣服，已可以看出來，是五花婆婆和她四個女兒，五個人頭，卻已不見。

王翔冷哼一聲，道：「好惡毒的心腸，不聞呼喝搏鬥之聲，他們已是必勝，殺了人，還要把頭取去。」

五毒夫人沒有說話，臉上泛現出一種淒迷的笑意，不知是悲痛，還是得意。

過了一會兒，群豪精神煥發，每人都覺著現在技藝大進，希望遇上強敵搏殺一陣。一種拚命、保命的意志力，激起了強烈的同仇敵愾之心，和不畏死亡的勇氣，就算造化城主出現面前，也無退縮畏怯之意。

但很意外的是，造化城主並沒有布下攔劫的陣勢。似乎是造化城主帶著來人，突然間消失不見。

行約十里不見敵蹤，俞秀凡反而有些擔心起來，停下腳步，道：「事情很奇怪，難道他又退回造化城中去不成？」

五毒夫人道：「他們銳氣已挫，鬥志消迫，很可能已重回造化城中，再蓄銳氣。」

水燕兒道：「不會的，他雖然不喜做沒有把握的事，但決不放過一個機會。他知道，此刻如退回造化城，整個江湖，立刻會掀起一陣風浪，原來不敢叛離造化城的門派，亦將振奮而起，他不會讓咱們用這一股氣勢，結合一股強大的力量。」

俞秀凡道：「燕兒，你的意思……」

水燕兒道：「他們就在附近，只是隱於暗處，暫不和咱們動手。」

方堃道：「水姑娘說得不錯，造化城主不會給咱們聯合江湖同道的機會，目下，他按兵不動，可是正在調集人手，準備全力一拚。」

俞秀凡沉吟一陣，道：「咱們不能讓他們選擇決戰之地，更不能任他們布下對付咱們的陣勢。」

五毒夫人道：「咱們要主動，結成一股機動的力量，鐵蹄縱橫，來去如風，千里奔走，追殲強敵，先寒敵膽，造成一種風捲殘雲的氣勢。」
金釣翁拂髯大笑，道：「妙啊！妙啊！咱們要他由主動變爲被動，咱們高興打，就殺他們落花流水，不願打，就縱騎而去，給他個飄忽不定。」
俞秀凡道：「桃花童子，雖然死了，但他幫助咱們挑了造化城主數十個暗舵，使他們耳目失靈，咱們行動快速一些，和他來一個決戰千里。」
五毒夫人道：「對！這正是昔年造化城主對付各大門派的辦法，奇兵突現，神出鬼沒，如今咱們以其人之道，還治其人之身，也讓他嘗嘗這種味道。」
方堃道：「咱們該去買幾匹快馬，以增行速。」
群豪計議妥當，立刻行動，各選快馬一匹，開始行動。

哪知，一個從未想到的問題，頓使群豪一番計議的事，流於空談。
原來造化城中人，突然失去了蹤跡。
群豪行程數千里，苦尋十餘日，竟然未遇過一個造化城中之人。
這當真是群豪從未想到的事，大家都出身造化城，對造化城中的人人事事，都有著相當的了解，但他們苦苦尋找之下，仍是無所發現。
這日中午時分，群豪在一座小鎮上進過食物之後，五毒夫人長長嘆口氣，道：「俞少俠，這辦法不行。」
俞秀凡道：「在下亦有同感，但卻想不出適當之策。」
五毒夫人道：「咱們奔走十餘日，行程數千里，卻一直沒找到造化城中人，而且，也沒有發現他們在江湖上的行蹤。」

俞秀凡道：「不錯。咱們應該想個法子。」

水燕兒道：「造化城主是一個很有組織才能的人，咱們已使他生出警覺，整個造化城在江湖上的行動，已由明入暗了。」

俞秀凡苦笑一下，道：「這麼說來，咱們只有等他們找上了。」

五毒夫人道：「當今武林之中，只有丐幫能幫咱們忙，但不知丐幫願否插手其中。」

金釣翁道：「丐幫以忠義相傳，應該會答應咱們。」

俞秀凡道：「只要他們指點一下造化城人物行蹤，又不要他們拚命，我想他們應該答應才是。」

金釣翁道：「對！老朽去找丐幫中人談談。」

俞秀凡對江湖中事，知曉不多，忍不住問道：「聽說丐幫人數眾多，為天下第一大幫，凡是叫化，都是丐幫中人，是麼？」

金釣翁道：「不一定。不過，凡是叫化，丐幫都可以利用他們。其實，十個叫化，也不過一、二個，才是真正丐幫中人。」

水燕兒道：「金老，既然不一定都是丐幫中人，你要到哪裏去找他們？」

金釣翁道：「這就是老江湖的經驗。老朽昔年曾和丐幫中人有過往來，隱隱還記得和他們連絡之法，諸位請稍候片刻，老朽去找找看。」站起身子，向外行去。

這是不大不小的市鎮，但因地處官道要隘，是一處打尖、宿住的驛站，所以，鎮雖不太，卻是熱鬧得很。東、西兩條大街，商店林立，行入不絕。

目睹金釣翁離去之後，俞秀凡突然站起了身子，道：「不行，咱們得派兩個人一起去。」

五毒夫人道：「派什麼人？」

俞秀凡道：「方笠和水燕兒走一趟吧！」

水燕兒站起身，道：「咱們可要改扮一下。」

五毒夫人道：「最好改扮一下，對付造化城中人，不得不小心一些。」

水燕兒、方笠隨手拿起人皮面具，戴在臉上。

五毒夫人也取一副面具，套在臉上，道：「咱們三個人一道去。」急步向外追去。

三個人動作很快，但出了店門，已不見金釣翁的影兒。

方笠左右張望了一陣，仍然不見金釣翁，不禁一皺眉頭，道：「走不了這麼快，怎麼不見了人影兒？」

水燕兒道：「西面十步外，有一條巷子，咱們去瞧瞧吧！」

方笠加快了腳步，當先奔入巷口處。這是一條很短的巷子，由巷口到巷尾，只不過六、七丈的距離，一目了然。巷子兩側的住戶加起來，也不過七、八戶人家。方笠直奔到巷尾處，才發覺是一條死巷。

五毒夫人道：「事情有些不妙，咱們得先通知俞少俠一聲。」

水燕兒道：「我去告訴他。」

方笠道：「慢著！」

水燕兒停下了腳步，道：「方兄有什麼事？」

方笠道：「俞少俠派咱們來此跟蹤，那說明了他早有警惕之心，在下之意，用不著通知他了。」

五毒夫人道：「通知一聲，總是好些。」

方堃道：「不！金釣翁如是失蹤，那證明敵人就在左近，如是他沒有失蹤，咱們通知俞少俠，豈不是虛驚一場。」

五毒夫人道：「這話也是。咱們三個人合在一處，就算遇上了最強大的敵人，咱們也可以對付了。」

方堃道：「在下正是此意。」

忽然間，巷口第二家人影一閃。似乎是有個人行了出來，但探頭出來一瞧，人又縮了回去。

方堃道：「燕姑娘瞧到了麼！」口中說話，人已飛奔而至，直撲到第二家門口處。

但見木門緊閉，哪裏還有人蹤。方堃也不推門，一提氣，騰身而起，躍入圍牆。

五毒夫人、水燕兒也跟著飛入院中。這是一座很大的宅院，庭院也相當的寬敞，大廳的木門關著，靜悄悄地聽不到一點聲息。大白天，這景象，自然是叫人懷疑。

方堃抽劍護身，緩緩向廳前行去。遙發一掌，只見金釣翁端坐在一張木椅之上。

方堃一皺眉頭，道：「金老，受了什麼人的暗算？」

金釣翁端然而坐，默不作聲。

方堃喝了一聲，道：「金老，可是被人點了穴道？」

金釣翁點點頭。原來他不能言，但頭還可以活動。

五二　生死之搏

方堃道：「我先解開你的穴道。」

金釣翁顯然能夠懂得方堃的話，連連搖頭不止。那是阻止方堃入內之意。但方堃已平劍護身，一閃而入。他這一行動，使得五毒夫人和水燕兒，都隨著衝入廳中。能點了金釣翁穴道的人，自非小可，五毒夫人和水燕兒擔心方堃有失。

三人落足之處，控制得很好，都在金釣翁的身側。

方堃道：「我解了你的啞穴，金老再告訴我們是怎麼回事。」劍交左手，右手一掌，拍向金釣翁的啞穴。

忽見穴道被點的金釣翁，右手疾如電火，一翻而起，扣上了方堃的腕穴。

變出意外，方堃全然無備，被人一把扣個正著，五指力量奇重，頓然間，使方堃失去了抗拒之力。其實那人的動作很快，就算方堃有備，也未必能避開一擊。

水燕兒動作迅速，寒光一閃，長劍已斬向金釣翁的右臂。

金釣翁一吸氣，連人帶椅，陡然間向後退開三尺。這一來，方堃正在水燕兒的劍鋒之下。急急一收劍勢，劍鋒已然劃破了方堃的衣服。

五毒夫人沒有出劍，但卻無聲無息地放出一把使人聞後暈迷的奇毒。金釣翁人向後退，左手已取過方堃手中長劍。但聞一陣金鐵交鳴之聲，封開了水燕兒攻出的三劍。
五毒夫人沉聲道：「造化城主！」
金釣翁右手一帶，把方堃橫在身上，冷笑一聲，道：「不錯，正是本城主。」
水燕兒收回長劍，平護胸前，道：「哼！如若是造化城也算一個門戶，就算是少林、武當，也難及其龐大。但你做事，卻是全然沒有一點一派掌門人的氣度。」
造化城主冷冷說道：「本座行事，只問成效，不問手段。」
語聲突轉冷厲地接道：「燕兒，放下你手中兵刃！」
水燕兒搖搖頭，道：「過去，我會相信你每一句話，我覺著你武功奇博，智謀絕世，不論什麼話，我都會聽你吩咐。」
造化城主哈哈一笑，道：「現在呢？」
水燕兒道：「我懂事了，也覺著你的虛僞和殘忍。你殺人如麻，卻偏偏要僞裝一副和善的面孔，你爲一種目的，不惜拆散、屠殺了多少個美滿、歡樂的家庭，故意造成了很多的孤兒，然後，你再把他們收容下來，傳以武功，教以忠義，你要他們視你如父，盡忠盡瘁，你被他們視若神明，但你卻是殺害他們父母、拆散他們家庭的凶手。」
造化城主冷厲地喝道：「住口！」
水燕兒笑了一笑，道：「你不說也罷！事實上，在場之人，對你了解之深，哪一個都比我還多些。我數不出你十分之一、二的罪狀，我說這些話，不過是消一消我胸中之恨罷了！」
造化城主突然淡淡一笑，道：「水燕兒，放下你手中的兵刃呢，還是要老夫動手？」
水燕兒道：「我爲什麼要放下手中兵刃，我也不會像過去一樣的怕你。」

造化城主突然接道：「莫風何在？」
莫風應聲而出，由廳後閃了出來。
造化城主笑了一笑，道：「你動手擒下水燕兒呢，還是要他們動手？」
莫風道：「城主吩咐！」
造化城主笑了一笑，道：「你自己決定吧！但不論什麼人，只要最先擒到她的，就把她許給那人爲妻，而且立刻完婚。」
莫風抬頭望了水燕兒一眼，道：「姑娘姿容絕世，爲何戴了面具？」
水燕兒伸手一抹，取下了人皮面具，道：「這也是造化城主的做法，他鬼鬼祟祟，一向不肯堂堂正正出現於江湖之上，咱們也只好以其人之道，還治其人了。」
莫風雙目盯住在水燕兒的臉上，瞧了一陣，道：「姑娘容色絕世，戴上面具，實在有些大煞風景。」
造化城主冷冷說道：「莫風，水燕兒人間絕倫，不但是造化城中第一美人，就是放眼天下，也是罕得一見，你如是能把她制服，她就爲你所有了。」
莫風低聲道：「城主！她是公主的身分。屬下……」
造化城主接道：「她如未叛離造化城，自然是公主身分，如今她是造化城的敵人，哪還有什麼公主身分？」
莫風一欠身，道：「屬下遵命！」
緩步行到了水燕兒的身前，道：「燕姑娘，在下莫風……」
水燕兒冷笑一聲，接道：「我知道，你給我閃開。」

莫風道：「在下已奉命出手。」

水燕兒道：「你未必是我的敵手，不過，我要先把事情說個清楚。」

莫風道：「在下洗耳恭聽。」

水燕兒道：「你們任何人都別想碰我一下，就算我真非敵手時，我也會了斷自己。」語聲一頓，容色莊肅地說道：「如是我水燕兒真的能叫人喜歡，你們也只有一個辦法，能使我甘心獻身，答允婚約。」

五毒夫人道：「燕兒，你瘋了。對陣交手，兵刃相見，你許的什麼心願、諾言。」

水燕兒苦笑，道：「大姐姐，我們要學俞少俠獻身於江湖正義，此身應已非一己所有。」

水燕兒高聲說道：「你們聽著，誰要殺死了造化城主，我水燕兒就甘心情願的嫁給他。」

造化城主一皺眉頭，道：「水燕兒，老夫待你不薄，你為什麼要背叛老夫？」

水燕兒道：「不論你如何待我，我一樣會背離你，你的作為，完全沒有一點人性。」

造化城主冷冷說道：「莫風，殺了她！」

莫風應聲出劍，攻了一招。

水燕兒閃身避開，還了一劍。莫風舉劍封架，雙劍相觸。金鐵鳴聲中，水燕兒向後退了一步。

造化城主似是很注意兩人動手的情形，雙目凝神，盯住在兩人身上瞧著。莫風神情冷厲，劍招快如星火，一招緊過一招。水燕兒的劍勢，卻是不緊不慢，守得十分嚴密。

看上去，水燕兒似是落在下風，莫風攻出三劍，水燕兒平均十招才還上一招。五毒夫人皺皺眉頭，似是想出手，但卻又忍下未動。莫風的劍招，愈攻愈快，但水燕兒仍然保持著勉可應付的形態。

五毒夫人冷眼觀察，水燕兒劍招一直沒有用俞秀凡講述的劍法，知曉她有意地保存實力，心中一轉，目光轉注到造化城主的身上，她用毒之能，已到了爐火純青之境，但因造化城主身懷避毒珠，萬毒難傷，雖有施毒的本領，卻不能出手。

忽然間，造化城主一揮手，把控制在手的方堃，摔到了大廳一角，道：「給我拿下！」大廳後，應聲奔出了兩個白衣劍士，每人身佩三劍。

五毒夫人早已提氣戒備，就在等這一刻工夫，一語不發，忽然一個閃身，疾如鷹隼一樣，直衝了過去，人未到，一片濛濛白霧的毒粉，已飛了過去。

造化城主本來準備對付水燕兒出手，但見五毒夫人發動，立刻改變了心意，身子一轉，攻向了五毒夫人。他身法快速，雖比五毒夫人發動的晚了一步，但卻和五毒夫人同時趕到。

五毒夫人右手長劍未動，左手一抬，卻從懷中取出一把匕首，攻向了造化城主。那是全身泛現出藍色光芒的匕首。

造化城主武功雖高，也不禁駭然退後三步，道：「十毒匕首。」

五毒夫人道：「不錯。天下最毒的兵刃，只要碰到你一點肌膚，不用見血，不用破皮，你就為毒所傷，任你練成了護身罡氣，也要身化毒血。」

她口中說話，人卻未停，雙足移動，踢活了方堃身上的穴道。

右手卻暗中把手中一粒藥丸，投入了方堃的口中。她早已有了打算，所以，這幾個動作，巧妙至極，舉動之間，也配合得恰到好處，再加上還未完全散去的白色毒粉掩遮，竟然瞞過了造化城主的雙目。

只聽造化城主冷笑一聲，道：「大膽奴婢，竟敢欺騙於我。這十毒匕首，不是早已失去了麼，怎會在你的身上出現？」

五毒夫人道：「它一直在我的身上，只是我不願拿出來罷了。你自負聰明，怎不想想看，這是五毒門的門戶重寶，怎會輕易失落。」

造化城主道：「這麼說來，你早有背叛我的用心了。」

五毒夫人冷哼一聲，道：「造化城中人，哪一個不存下背叛你的用心，你又能真正的信任哪一個人？」

造化城主冷笑一聲，道：「你認爲手中多了一把十毒匕首，就可以和我動手一戰了麼？」

五毒夫人從容說道：「也許我還不是你的敵手，但這一把十毒匕首，會使你心存畏懼，它鋒利異常，雖不能切金斷玉，但可以劃鐵裂石，我不信你的內功，會比鐵石還要堅牢。」

造化城主突然一抖腰間活扣，一把寒光閃爍的軟劍，應手而出，抖得筆直，道：「五毒夫人，本來我還沒有殺你之心，現在，你是死定了。」

五毒夫人微微一笑，道：「造化城主，不論我是死是活，有這把匕首在手中，我就有可能殺死你的機會。」

造化城主冷冷說道：「好！咱們試試看吧！」忽然一抖軟劍，一道寒芒，直射過來。

他出手太快，快的叫人瞧不出招式變化。寒光一閃，劍式已到了前胸。

五毒夫人右手一揮，長劍斜裏推出。她動作夠快，仍是慢了那麼一點，劍芒掠過前胸，劃裂衣衫，雪白肌膚上，劃了一道傷口，鮮血湧出。

造化城主冷冷說道：「也許，你覺著俞秀凡在武功上的成就，已經可以和我做一搏殺，我要證明你錯了，就算他傾囊傳授出他的武功，你們也無法擋受我的一擊，造化城中一個不變的鐵則，誰敢背叛我，誰就非死不可，我要在第二劍，斬下你握著十全毒匕的左臂。」

軟劍忽然一轉，斬向五毒夫人的左臂。

這一把鋒利的軟劍，握在造化城主的手中，就如同具有靈性之物，只見劍身一轉，靈蛇一般，纏向了五毒夫人的左臂。這是很怪的一招，非刺非劈，完全脫離了劍招的範疇。

五毒夫人竟忘卻右手長劍，左手毒匕，不知如何才能封開這一劍。

軟劍寒芒眼看就要纏上了五毒夫人的左臂，忽然劍光打閃，一道寒芒，疾飛而起，噹的一聲，封開了軟劍。是方堃，挺身而起，長劍斜裏攻出，封開了一劍。

他勇悍絕倫，封開了造化城主一劍之後，立刻一個轉身，欺進了造化城主的軟劍距離之內，劍芒閃閃，攻向了造化城主，五毒夫人一咬牙，不顧前胸傷勢，也疾撲而上。

方堃學劍十年，列名造化城的十大劍主之一，劍上武功，大都爲造化城主親自傳授，所以，他對造化城主的劍路，知道不少。但造化城主爲人心機深重，雖是要他爲自己效命，但也不肯把殺手絕招，傳給屬下，所以，他很有把握，在三、五招內殺死方堃。

但方堃的劍法，經過俞秀凡的一番指點之後，完全脫胎換骨，招招蘊變，把造化城主傳授的劍法，發揮十成威力。因爲俞秀凡不藏私，盡傳所知。

俞秀凡的劍招，得自千敗老人和艾九靈的真傳，再加驚天三式劍式上的招術變化，使他融會了三家之長。他也把自己的心得精要，傳給了方堃。這就使得方堃的劍法，完全有了很大的改變。

也因此，使得方堃劍招上的變化，完全出了造化城主的意外。

他一連疾攻了五劍，竟然把造化城主逼退了三步。再加上，五毒夫人長劍助威，毒匕的威脅，使得造化城主心中又驚又怒。

方堃想不到自己竟能和造化城主動手一搏，而且，還稍佔了上風，不覺豪氣大振，劍招愈見威猛。

五毒夫人一面揮劍疾攻，一面說道：「方兄，只要咱們再支持上一刻工夫，俞少俠就可以到了。」

方堃道：「在下現在充滿著自信，夫人只管請退下去，先把傷勢包紮起來，然後，再來助在下一臂之力。」

狂傲的造化城主，此刻反而一句話也說不出來，只是全力運劍。他功力深厚，劍招純熟，這一沉著運劍，立時發揮了無比的威力，只不過四、五招，已然把局面穩定了下來。

五毒夫人半身衣服都已被鮮血濕透，逐漸地感覺著手上無力。但她仍然咬牙苦撐下去。方堃也感覺到造化城主反擊的壓力，本來銳利的攻勢，硬被造化城主的劍招給逼得收縮了回來。

五毒夫人輕輕吁一口氣，道：「方堃，我快撐不住了。」

方堃硬著頭皮道：「你下去休息吧！這裏由我一個人撐著，你失血太多，如不早些調息一下，只怕對身體的影響很大。」他口中說話，暗中卻全力運劍，想把優勢扳回來。

五毒夫人嘆口氣，道：「方兄，你誤會我的意思了。」

方堃道：「夫人是什麼意思？」

五毒夫人道：「咱們能和造化城主，動手打了這樣久的時間，也算是一件傳誦江湖的大事，縱然戰死，也是心中無憾了。」

方堃道：「是啊！如若江湖知曉了我方堃能接他數十劍，而且還會把他逼退四、五步，只怕江湖上沒有人再怕他了。」

五毒夫人道：「話是不錯，但咱們如是能做出一件更轟動的事，那豈不是更爲人所敬重麼？」

方堃道：「什麼事。」

五毒夫人突然一咬牙，長劍護身，欺了上去，十全毒匕猛地向前一送，刺向了造化城主的小腹。

造化城主對那毒匕首十分畏忌，竟然被迫的又向後退了一步，手中的劍招也爲之一緩。

方堃本來已撐不下去了，但造化城主這一退讓，立刻又借機搶過來先機，扳平劣勢。

五毒夫人道：「我手中這十全毒匕，就算是金剛不壞之身，但只要中了我一擊，也是一樣會被化作濃血而死。咱們找個機會，拚著死於他的劍下，給他一匕首，鬧他個同歸於盡。」

方堃道：「好啊！你看什麼時機恰當，打個招呼給我，我們合力猛攻。」

這時水燕兒已殺了莫風，轉身支援方堃。

她具有了練劍的天才，不拘泥劍法連綿的變化，以自己的才慧，把所學的劍法融通於心中，卻又能把那些不同的劍招，連續在一起應用。

造化城主的武功，本以博雜見稱，他有著過人的才慧，也有著穩實的基礎，學劍之時，只擇精要不屑全學。所以，他傳授水燕兒的劍法，也是博大精奇，很少有綿連一貫的劍法。

他生性冷酷，學劍用心，就在殺人，所以，他學的劍招，大都是精奇致命絕招。

水燕兒是造化城主的義女，一身所學，都是造化城主親自所授。

造化城主爲人雖然奸詐，但他絕未想到水燕兒也會背叛於他，所以，在傳授水燕兒的劍法，不像傳授別人劍招時，故意在重要變化，留下破綻。

再加上俞秀凡轉授了驚天劍招，使水燕兒的劍法，有了更上層樓的成就。

水燕兒用以退爲進的手法，誘使莫風生出輕敵之念，卻在突然的反擊，傷了莫風。那正是五毒夫人陷入窘境的時刻，水燕兒卻及時而至施援。

對付造化城主的打法，水燕兒完全採另一種方式，一上就是全力出劍，招招都是拚命以赴的殺著，她沒有妄想勝過造化城主，只求能多打上一招就是一招。

這一來，把一個博通奇技的造化城主，也給鬧得無可奈何。

水燕兒、方堃的全力搶攻，竟和他打成了平分秋色的局面。造化城主心中的忿怒，已到了無法忍受的地步，已決心不擇手段，要殺死兩人。但兩人似是早已知道造化城主的用心，雙方攻勢也愈來愈凌厲。

五毒夫人閉目休息了片刻，體力稍復，立刻從懷中取出一個玉瓶，倒出兩粒藥物吞下，匆匆把傷口包紮了一下。

這時，隱於大廳之後的從衛，都已進入大廳中。但他們只是靜靜地站在大廳四周，沒有出手。

造化城主平日太森嚴，這些眾衛劍士，都是聽他令諭，縱然見危，亦是不救。

事實上，造化城主也未存要從衛劍士出手之意，他心中太恨水燕兒和方堃，要親手殺死他們，才能消胸中之氣，他已經逐漸地冷靜下來，手中的軟劍更見靈活，逐漸恢復了優勢。

五毒夫人挺身而起，右手長劍一振，也攻了上去。造化城主手中軟劍一展，把五毒夫人也圈入了一片劍芒之中。這時，三個人合攻造化城主一個。但水燕兒的感受之中，已不如自己剛剛出手時具有威力。

造化城主冷笑一聲，道：「你們全力施力吧！我再讓你們三十六招。你們全力合攻也好，兩人搶攻，一人接應也好，但在三十六招之後，我就要執行門規，親手把你們三人殺死。」

方堃冷哼一聲，道：「咱們已打過百招，那是雖死猶榮的事了。」

水燕兒道：「如若造化城主和我們動手的情形，傳揚於江湖之上，我想此後，武林之中，不會再有怕你的人了。」

造化城主的心情，已經完全穩定了下來，聽了兩人激諷之言，不再有焦慮浮躁之感。手中的劍勢，有如長江大河一般，源遠流長，一招緊過一招，綿密的劍光，由擴展到逐漸地收縮，把三個人困入劍光之中。整個劍勢，像一面緩緩收縮的網子，強大的壓力，迫使方堃、水燕兒、五毒夫人三個人的劍勢，逐漸地施展不開。

這是真功實學，一點也取巧不得，造化城主在劍上的深厚造詣，實有過人之處。

水燕兒、方堃等雖然極力想揮劍反攻，但卻一直無法突破那收縮的劍網。

五毒夫人輕輕吁一口氣，道：「方兄，咱們還能支持好久？」

方堃道：「看來不會太久了！」

水燕兒道：「不要緊，我想咱們再支持二十招，俞秀凡應該來了。」

五毒夫人道：「燕兒，不要期望著俞少俠來支援我們，我們要憑藉自己的力量，和他一決勝負。」

水燕兒道：「大姊，看樣子，咱們勝他的機會不大了。」

五毒夫人道：「這個我也感覺到了，咱們如若和他同歸於盡，不知是否可以？」

水燕兒道：「這個，倒是有幾分可能。」

方堃道：「對，我和水姑娘全力封開他的劍勢，你用十全毒匕全力攻出一招。」

五毒夫人道：「我也是這個主意。聽說他自己練成了護身罡氣，別的兵刃，已無法傷他了。」

水燕兒道：「毒匕一定能夠傷他麼？」

五毒夫人道：「這個，你請放心。這毒匕不但鋒利，而且匕上劇毒，爲世上奇毒之最，沾著他點皮膚，那就非死不可。」

造化城主哈哈一笑，道：「諸位的算盤打得很好，只可惜你們沒有這個機會了。」

劍勢又一緊，把三個人完全圈入一片劍光之中。凌厲的劍勢，逼得三個人如走馬燈一般，轉來轉去。

造化城主哈哈一笑，道：「也許你們認爲我只是浪得虛名，今日讓你們開開眼界，見識一下我的真本領。」

這時，三人已被劍光逼住，完全沒有了自主的能力。五毒夫人雖然想以言語激起方堃和水燕兒的鬥志，但她心中也明白，目下三個人，已到了無能爲力的地步。就算三個人真的都打算豁出了命幹，但也無法取得以命換命的機會。

造化城主不但招術奇幻，而且他強勁的內力，也似是用之不盡，取之不竭。包括水燕兒在內，也感覺到手中的長劍，逐漸地變得沉重起來，有些運轉不靈。方堃和五毒夫人，更是感到氣力將竭，有著無以爲繼的感覺。

忽然間，造化城主冷厲一笑，道：「方堃，你背叛本座，是五劍分屍的大罪，我要先斷你的左臂。」語聲甫落，寒光疾閃，方堃一條左臂，已然血淋淋地脫肩而落。

這時，造化城主已然完全控制大局，長劍落處，果然齊肩斬下了方堃的左臂。

方堃一咬牙，忍住氣，沒有出聲。

造化城主冷笑一聲，道：「五毒夫人，你除了背叛本座之外，又敢欺騙於我，我要斬下你一條右臂。」

水燕兒突然厲叱一聲，全力攻出三劍。這三劍，用出她所有的氣力，劍光如冷芒飛灑，竟然把造化城主的劍勢攔住。

五毒夫人逃過一劫，突然一咬牙，棄去手中的長劍，雙手握著匕首，尖叫一聲，硬向造化城主衝了過去。

造化城主封開了水燕兒拚命三招，眼看五毒夫人執著匕首衝了過來，完全是一副不要命的樣子，心中大大的一震。他心中有把握，一劍能把五毒夫人生劈兩截，但他卻沒有把握，把五毒夫人那全力攻出的一把匕首封開。

他爲人謹慎，從來不冒一點風險，原本可以十招殺死一個人的，但因他自保之心太強，門戶也太過緊嚴，所以，寧可化去十五招，再把對方殺死。五毒夫人這拚命一擊，竟然逼得他向後退了兩步。

水燕兒香汗淋漓，雙手痠軟，但她心中明白，已面臨著死亡的關頭，能多攻出一劍，就多活一刻。強烈求生感，激起她生命的潛力，大喝一聲，又揮劍攻出一招「生死同命」。這一招，完全是不顧自己的硬拚打法，門戶大開，全無防守之意，劍招卻直取造化城主的咽喉。

造化城主冷哼一聲，退步閃身，避開了五毒夫人的匕首，軟劍疾飛，震開了水燕兒的長劍。那雖是一柄軟劍，但卻含蘊了強大的力道，水燕兒筋疲力盡之時，握手長劍，已被震脫落地。

造化城主哈哈一笑，道：「這就是背叛本座的下場了。」

方堃在力道用盡之時，又被斬去一臂，已無再戰之能。五毒夫人早已失血過多，勉力苦戰，攻了最後一招之後，也已到了全身虛脫之境，水燕兒苦戰之後，已然無能再戰。

三個人此時此情，已完全如待宰的羔羊。

這當兒，忽然間閃起了一道寒芒，由大廳外直射而入。鏘然一聲，震開了造化城主劈向水燕兒的長劍。劍光收斂，現出一個人來——俞秀凡。

只見他橫劍而立，神華內蘊，臉上是一片冷肅之色，緩緩說道：「在下來的正是時候。」

造化城主冷冷說道：「不錯，閣下再晚來一刻，他們就受到了門規制裁。」

原來，水燕兒手中長劍被震飛之後，已知再無還擊之能，索性雙目一閉，等待死亡。俞秀凡一劍封開了對方的長劍，水燕兒才睜開了雙目。已然倒臥在地上不動的五毒夫人，突然滾動身軀，到了俞秀凡的身邊。

方堃忽然吁一口氣，道：「俞少俠，想不到方某仍見到閣下一面。」

俞秀凡緩緩說道：「方兄，振作一些。大批的趕援人手，都已經到了此地。」

他口中雖然在對方堃說話，但兩道眼神，卻一直盯注在造化城主的身上。

造化城主冷然一聲，道：「俞秀凡，你帶了什麼人來？」

他天性多疑，一聽到俞秀凡帶了很多人，忍不住問了一聲。

俞秀凡道：「很多人，你一向狡猾，向不輕身涉險，這一次，你是馬失前蹄了。」

造化城主嗯了一聲，道：「俞秀凡，你瞧到這大廳四周的人麼？」

俞秀凡道：「故作神秘，穿著不同的服色，多佩了幾支長劍，這就是你仗以行凶的武士了。」

造化城主道：「他們的人手也許不是太多，但他們每一個人，都可以和當今武林第一流高手對抗。」

俞秀凡冷笑一聲，道：「不論他們哪一個，也接不了我三劍。」

造化城主冷冷說道：「你可想試試看？」

俞秀凡道：「如是你覺著這些人，是你縱橫江湖的本錢，在下倒是願意試試！」

造化門主冷笑一聲，道：「我這二十四名劍衛，各擅勝場，每人在劍上都有他們獨特的成就，你如以一人之力，真能勝了他們，那就具有了和本座一拚的實力。」

他爲人謹慎小心，力戰了水燕兒、五毒夫人和方堃之後，亦有耗力不少的感覺，如若再和俞秀凡動手，心中實無制勝的把握；能使俞秀凡和他苦心訓練的劍衛一搏，不論勝敗，至少可以耗去俞秀凡不少的真力。

但聞俞秀凡冷笑一聲，道：「城主，在下可以先和你苦心訓練的劍衛一搏，不過，在下也有條件。」

造化城主目光轉動，四顧了一眼，發覺俞秀凡正凝神蓄勢，準備出手。這時，就算造化城主立刻下令，也沒有辦法適時攔擋俞秀凡全力的一擊。最好的辦法，就是和俞秀凡暫時妥協。

冷笑一聲道：「什麼條件？」

俞秀凡道：「我要方堃、五毒夫人、水燕兒等三人，先行離開這座大廳，然後在下能和你這些劍衛們一一動手。」

造化城主道：「他們三人都已無再戰之力，只要我舉手之間，就可以取了他們的性命，如若你希望他們還能幫助你，那只怕是一種妄想了。」

俞秀凡道：「這是在下的事，用不著你爲俞某費心。」

造化城主道：「好吧！你如若覺著他們有助你之能，那就讓他們去吧！」

俞秀凡目光一掠方堃等三人，道：「三位可以退出去了。」

五毒夫人當先掙扎而起，道：「咱們走！」舉步向外行去。

水燕兒低聲道：「方兄，要不要我扶你一把？」

方堃搖搖頭，伸手撿起地上的斷臂，舉步向外行去。

水燕兒沒有再撿起造化城主震飛的長劍，緊隨方堃身後行去。

眼看著三個人離去後，俞秀凡也緩緩向後退了兩步，道：「造化城主，俞某人說出的話，一言如山，你要他們上吧！」

造化城主點點頭，道：「要他們一起上麼？」

俞秀凡道：「廳中的地方不大，如是城主認爲他們一起上，對他們有利，就不妨請他們一起上吧！」

語聲一頓，接道：「俞秀凡還想請問一事，金釣翁是死是活？」

造化城主道：「他還有一口氣沒有絕。」

俞秀凡道：「那是說，他還活著了。」

造化城主道：「他雖然還活著，但已和死去並無太大的不同。因爲，他只比死人多一口氣罷了。」

俞秀凡劍眉聳動，冷冷說道：「你把他怎麼樣了？」

造化城主哈哈一笑，道：「背叛我的人，自然會遭到很悲慘的報應。金釣翁、水燕兒、五毒夫人、方堃，都不會有好的結果，」

俞秀凡道：「那是不是也包括在下了？」

造化城主道：「如是你肯改變主意，現在還來得及。」

俞秀凡道：「你自己心中也明白，這是不可能的事。」

造化城主道：「俞秀凡，你可曾仔細的想過這件事？一個人活在世上，應該有些成就，像你閣下和在下，都是人上之人。」

俞秀凡道：「在下從沒有這樣想過，我覺著自己很平凡。」

造化城主道：「俞秀凡，你再想想看，我們一合作，整個武林都會在我們的掌握之中。」

俞秀凡道：「在下的想法，剛好和閣下相反。」

造化城主道：「你的想法是……」

俞秀凡接道：「做一些有益於人間的事。」

造化城主冷笑一聲，搖搖頭，道：「看來，咱們是很難合攏了。」

俞秀凡道：「我們之間，非要有一個人死不可。」

造化城主道：「俞秀凡，我一生之中，從沒有和人談過這些事。對你是第一個人。」

俞秀凡長長吁一口氣，道：「閣下，你沒有說服我的機會，不過，在下也無法說服閣下。」

造化城主道：「好吧！閣下既然決定了，咱們只好在武功上一分勝負了。」目光一掠餘下的四個黑衣武士，道：「你們過來，和這位俞少俠走幾招。」

四個黑衣人緩步行了過來。造化城主向後退了兩步，四個黑衣人把俞秀凡圍了起來。

俞秀凡冷笑一聲，道：「我殺了他們四個人後，是否能和你一戰？」

造化城主道：「你和他們動手之時，我就有足夠的時間，調動另外三組劍士，對付你們。」

俞秀凡哈哈一笑，道：「造化城主，我並不吃虧，你雖然在時間上沾了很多的光，但我也有我的算盤。我的出現，救了水燕兒、方堃和五毒夫人。在下可以奉告城主，我俞某人並不孤單，我們所有人手，都已經趕來了此地，他們都在庭院中埋伏著。」

造化城主這人的疑心最重，聽到俞秀凡說庭院中有埋伏，立刻問道：「都是什麼人？」

俞秀凡道：「他們都是你造化城主的人，你應該知道了。」

造化城主微微一笑，道：「就是他們幾個人麼？」

俞秀凡心中一動，道：「自然是還有別人。閣下這些隨身劍衛，如若戰死了，這個名不見經傳的地方，也就是你造化城主的埋骨之所了。」

造化城主道：「哼！就憑你們這些人，只怕連我隨行的劍衛，也無能勝過了。」

俞秀凡道：「我們這些人，也許力量不夠，但如再加上幾個人，只怕就非你能拒抗了。」

造化城主道：「本座想不出，當今武林之世，還有什麼人，能夠和我一戰。」

俞秀凡道：「金筆大俠艾九靈，再加上一個花無果，夠不夠？」

造化城主呆了一呆，道：「你認識花無果。」

俞秀凡道：「不錯。」

造化城主搖搖頭，道：「他不可能再出江湖，更不可能和艾九靈合作。」

俞秀凡道：「如是艾九靈去找花無果，他會不會給艾大俠一個面子？」

造化城主道：「會！不過，他們兩個人，誰也不會去找誰，誰也不願意先低頭。」

俞秀凡笑了一笑，道：「如若他們要防止一次江湖大劫，挽救千萬人的性命，他們不會再管那些固執不關緊要的面子。」

造化城主沉吟了一陣，道：「俞秀凡，你少不更事，對人性的了解不夠。他們兩個都是英雄人物，所有的英雄人物，都犯了一個很大的毛病，那就是不願低頭。」

俞秀凡道：「不錯，你的看法，也許你有理，但別忘了英雄人物，都會顧識大體，他們爲了千秋的盛名，會放棄了個人的恩怨。」

造化城主冷笑一聲，道：「俞秀凡，不論你如何解說，我都不會相信你的這些話。」

俞秀凡道：「很快就可以證明給你看了。」

造化城主探首向廳外瞧了一眼，道：「本座不信，但我倒很希望，你能證明一些什麼給我瞧瞧。」

他是生來疑心很重的人，雖然感覺到俞秀凡這些話，意在恐嚇，但又覺得不無可能。至少，俞秀凡說出花無果這個人，大出了他的意料之外。

花無果和艾九靈，是兩個完全不同的人，艾九靈名滿天下，無人不知，無人不曉，花無果卻是很少在江湖上走動，知他之人，少之又少。

造化城主能在短短的二十年，建立了造化門，網羅了江湖上許多大豪、英雄，成功之道，正在他把握了人性的弱點和隱藏了自己。

但他一旦脫去了隱藏自己的神秘之衣，立刻暴露出他自己的缺陷，那是超越常人很多的疑心病。

俞秀凡冷笑一聲，道：「閣下，真敢見那艾九靈艾大俠了？」

造化城主道：「不錯。本座找他很多年，不知他躲向了何處。」

語聲一頓，話題突轉，道：「你和艾九靈有何關係？」

俞秀凡有意在拖延時間，淡淡一笑，道：「閣下的看法呢？」

造化城主道：「如果在下的推斷不錯，閣下可能是艾九靈培養的一株奇葩。」

俞秀凡心中暗道：這個人疑心很大，倒不如騙騙他了，兵不厭詐，這也不算是什麼錯事。

心中念轉，口中說道：「如你城主猜對了，又將如何？」

造化城主哈哈一笑，道：「艾九靈這些年來，躲的不敢在江湖上露面，原來，他是在培植反抗我的人才，你閣下只是其中之一罷了。」

俞秀凡心中暗道：這倒好，不用我說，他倒替我想出一番情節出來，用不著我再去編造什麼了。主意拿定，哈哈一聲，默然不語。

造化城主嗯了一聲，道：「俞秀凡，世人都認爲艾九靈是個仁義大俠，其實，都不知道他爲人的陰險，像你閣下這樣的人，我相信艾九靈決不會只培養一個出來。」

俞秀凡道：「照閣下的看法，艾大俠培養出幾個像我這樣的人？」

造化城主道：「這個麼，就很難說了。也許有十個、八個，少則三個、五個。」

俞秀凡笑了一笑，道：「我一個俞秀凡，就使你城主窮於應付，如是艾大俠培養出我這樣十個、八個的人，豈不是把造化城一舉毀滅了麼？」

造化城主淡淡一笑，道：「艾九靈可以培養出你這樣十個、八個的劍手，但我相信，他培養不出你這樣性格的人。」

俞秀凡接道：「在下想不出有何不同，艾大俠能培養出我一個俞秀凡，也就能培養出十個俞秀凡來。」

造化城主道：「他可以培養出像你這樣的武功人才，但卻無法培養你同樣的氣質和性格，這世上，畢竟只有你一個俞秀凡，不可能有第二個同樣的人。」

輕輕吁一口氣，接道：「一個人的武功，可以苦練得到，在良師陶冶下，衝破某些體能的限制，但他生具的領袖才能，和使人傾服的器度，卻不是輕易培養得出來，所以你能和我為敵，是因為你具有了這種統馭人的才能和氣質，才能把我苦心羅致、培養的人才，為你所用。」

俞秀凡淡淡一笑，道：「難得閣下如此看重俞某，就當今武林之世而論，閣下算是一位人才；但如論你的作為，卻是滿身罪惡，兩手血腥。」

造化城主淡淡一笑，接道：「何以見得？」

俞秀凡道：「你設九刑室，布置了人間地獄，把活生生的一批武林高手，變得瘦骨嶙峋，無法離開那人間地獄一步，聽憑你的宰割。」

造化城主接道：「芙蓉膏具異香，他們如若意志堅決一些，那就不會受到芙蓉膏的誘惑了。」

俞秀凡冷冷說道：「你為使一些人安於人間地獄工作，用藥物合以金屬，把他們變成了一個似人非人的怪物，讓他們在不見天日的環境中，習慣那種陰暗的地獄生活，甚至，你把他們必須的食用之物，也製得古裏古怪，形如斷肢、殘軀，要他們食用，活生生的造成了一處人間鬼獄。」

造化城主哈哈一笑，道：「你不覺著那是超異常人的傑作麼？」

俞秀凡冷笑一聲，道：「也是前無古人的惡毒設計。」

造化城主又大笑一聲，道：「人性太貪，我不過是給他們一點報應罷了。」

俞秀凡道：「人間地獄，被關的，未必全都是惡人。」

造化城主接道：「就算有一、兩個身遭冤枉的人，實也不算什麼。」

俞秀凡道：「照在下的看法，閣下才是惡人中的惡人。」

造化城主突然哈哈一笑，道：「俞秀凡，你似乎已經忘記了。」

俞秀凡道：「忘記什麼？」

造化城主道：「艾九靈和花無果，也到了此地。」

俞秀凡道：「兵不厭詐，這一點，恕在下不予奉告。」

造化城主一揮手，道：「殺！」

四個黑衣人四柄長劍、四柄短刀，一齊出手，攻了過去。俞秀凡已領教了這些黑衣殺手的厲害，手中長劍，只是用來誘人耳目，短刀才是取人性命的毒招。

長劍一揮，閃起一道寒虹，封住了四人的短刀攻勢，人卻由交錯的長劍，脫身而出，退到了大廳門口。他心中知曉這些黑衣人的厲害，讓他們圍在四面動手，很難對付，如若能佔地理之便，擋在大廳門口，減少背後受敵之危，應付起來方便多了。

四個黑衣人的合圍之勢，本是極難破解，但俞秀凡卻輕而易舉地閃了出來。這奇異的身法，得自驚天劍譜之上，看得造化城主也不禁暗暗地一皺眉頭。

四個黑衣武士圍攻無效，但卻未能使他們心中有所警惕，四把長劍，潑水流星一般，攻了過來。

這一次，四個人竟把武功用於長劍之上，但見一片寒芒閃抖，攻勢十分凌厲。對這些黑衣武士，俞秀凡早已心動殺機，交手數招之後，看出了他們劍法變化的路數，突然展開反擊。他數次在搏鬥受到了傷害，內心之中已生出了很大戒懼，不敢再輕視這些從衛劍士。他們的武功之高，決不在江湖上一流高手之下。所以，直到看清了四人劍路的門道，才施展快劍手法。

但見寒光連閃四閃，四個黑衣人全部倒了下去。四個人全都是劍中咽喉。俞秀凡雖然極盡小心，左腿上仍被劃了一刀，鮮血淋漓而下。

造化城主哈哈一笑，道：「俞秀凡，好快的四劍！」

俞秀凡道：「誇獎了。」

造化城主道：「如若他們分站在四個不同的方位之上，你縱然能夠殺了他們四個，只怕閣下付出的代價還要大些。」

俞秀凡冷笑一聲，道：「但他們四個人畢竟是死於我的劍下。」

造化城主道：「閣下的腿傷如何？」

俞秀凡道：「幸未傷及筋骨。」

造化城主目光轉注到紅衣劍士身上，舉手一揮。

八個紅衣劍士，一齊舉步行了過來。紅衣劍士，用的是雙劍。十柄長劍，一齊出鞘。

造化城主輕輕吁一口氣，道：「俞秀凡，可要再試試他們的雙劍變化？」

俞秀凡冷笑一聲，道：「閣下最大的本領，就是指令他們群上群攻。」

這時，一個低沉的聲音，傳了過來，道：「俞少俠，咱們也有很多的人手，為什麼你要單獨拒敵？」

俞秀凡嗯了一聲，突然飄身而退，退到了大廳以外。

八個紅衣劍士，忽然一合，兩人一排，向廳外追來。

俞秀凡站在大廳外面四丈左右處，橫劍而立，冷冷地不發一言。

第一排行出的兩個紅衣人，剛剛出手，突然由側飛來數十道銀線寒芒。這是針釵湯蘭施放飛針的手法，最凌厲的「漫天花雨」。

不過，這不是湯蘭一個人打出的飛針，而是很多人一起打出的飛針。

兩個紅衣劍士，雖然同時拔出了長劍擊出，但卻無法全擊落那疾湧而至的寒芒。一陣輕微的波波之聲傳入耳際，飛針被擊落了一半，但仍有很多的飛針，擊中了兩個紅衣人。

需知，由不同的人手中，打出飛針，力道不同，但手法都凌厲無匹。就算是造化城主親身臨敵，也未必能用手中之劍，擊落這麼多飛針。兩個紅衣劍士，各中了數枚。

針上的奇毒，是出自五毒夫人所調製，毒性強烈無比。兩個紅衣劍士立刻倒了下去。但第二波，兩個紅衣劍士，又行出大廳。兩側的毒針，又飛了過來，同一的手法，同樣的凌厲。兩個紅衣劍士，又倒下去。就這樣，第三波紅衣劍士，又倒了下去。

俞秀凡只看得大感奇怪，暗暗忖道：眼看到前面的人倒下去，為什麼後面的人還要跟了上來，這等不畏死亡的豪氣，固然可佩，但這等不知死活的傻勁，卻是叫人想不明白了。

倒下六個紅衣劍士，第四波紅衣人，終於有了警覺，沒有再行出大廳。

耳際間，響起了造化城主的聲音，道：「俞秀凡，你好毒辣的手段！」

俞秀凡冷冷說道：「在下也覺著奇怪，第一波紅衣劍士，可以死在毒針之下，為什麼第二波、第三波，仍然有人出來。難道他們都已失去了控制自己的神智不成？」

造化城主道：「本座律令森嚴，他們未得令諭，不會停下。」

俞秀凡冷笑一聲，道：「你要他們活活送死，如何能怪得在下。」

造化城主道：「針釵湯蘭的手法，傷了他們，本座也覺著他們死得奇怪。」

俞秀凡道：「一個湯蘭傷不了他們，但不知幾個湯蘭，才能傷他們？」

造化城主道：「至少要四個湯蘭，才能傷他們。」

俞秀凡嗯了一聲，道：「不敢相瞞，咱們所有的人，都有著針釵湯蘭一般的發針威力。」

造化城主道：「這似乎是不太可能。」

俞秀凡道：「我們用的和你一樣的方法，不同的是，咱們是以坦誠相處，各自把數十年體會到的竅要，傳授出來，只要具有了發出飛針的功力，很快就會學到了發針的手法，這中間沒有欺騙，沒有隱瞞，只要短短數日，就有成就。」

造化城主沉吟了一陣，道：「你也把你出劍的手法，和劍招精微的變化，傳授了他們？」

俞秀凡道：「不錯，他們也傳授給我，只要我們有時間，很快就可能變成十個俞秀凡、十個湯蘭，甚至十個五毒夫人。」

造化城主道：「我不該留下你的性命，十個湯蘭、十個五毒夫人，也未必對我構成什麼威脅，但十個俞秀凡……」

俞秀凡冷冷接道：「怎麼樣？」

造化城主道：「可能對造化城構成一個威脅。」

俞秀凡冷笑一聲，道：「造化城主，我曾是你手下的敗將，但我一直沒有畏懼之心，如是今生，你還有一個殺死我的機會，現在是唯一的機會了。」

造化城主沉吟了很久，道：「俞秀凡，你可是想和老夫挑戰麼？」

俞秀凡道：「在下一直有這樣心情，但不知你敢否應戰？」

造化城主道：「你是說咱們單打獨鬥？」

俞秀凡道：「不錯。」

造化城主冷笑一聲，道：「俞秀凡，我想到了一件事，你說得不錯。」一頓，接道：「這一次，我可能是僅有一次殺死你的機會了。」

俞秀凡道：「所以，你不願意放棄這個機會，準備和我動手一戰，是麼？」

造化城主道：「正是如此，而且，我可以和你公平的作一次決戰。」

俞秀凡道：「好！在下也有此意。」

造化城主道：「咱們一言爲定，本座要出來了。」果然緩步行了出來。造化城主這個從來不守信用的人，此刻竟然大反常情。

俞秀凡打出手勢，示意隱蔽在兩側的人，不要再施毒針。所以，造化城主，一直未遇飛針偷襲，兩人相距五尺左右時，造化城主停了下來。俞秀凡緩緩抽出長劍，平橫胸前，臉上是一片誠毅之色。

造化城主打量了俞秀凡一眼，道：「我希望你能再想想咱們合作的事。」

俞秀凡道：「這件事在下已經想過了很多次，用不著再想了。」

造化城主點點頭，道：「俞秀凡，在下又多加了一分殺死你的決心。」

俞秀凡右手長劍一探，忽然一劍，刺向了造化城主的眉心。口中卻說道：「閣下想必要自持身分，不肯出手，我就先攻了。」

說完這一句話，手中長劍，一連攻出了一十二次。這十二劍凌厲快速，當真是如閃電一樣。

造化城主原地未動，揮腕出劍，封開了一十二劍，道：「俞秀凡，你似乎是又有了一些進步。」

俞秀凡道：「誇獎，誇獎。」

造化城主長劍疾轉，忽硬忽軟，一支劍有如一條靈蛇般，變化萬千，叫人不可預測。這一輪疾攻，完全是真才實學。俞秀凡施出驚天劍法，長劍疾如輪轉，隱隱地帶起了風雷之聲。交手百招，兩人都在原地未動。

但百招過後，俞秀凡已然無法穩住身形，造化城主劍上的力道，愈來愈是強猛，俞秀凡被迫的不得不加上閃避功夫，以避對方凌厲的攻勢。又過五十招，兩人已進入了全力相搏的境界。但見劍光飛繞，已然失去兩人身形，只見到一團寒芒在轉動。

忽然間，寒芒收斂，劍氣消失，又可清晰看到了俞秀凡和造化城主。此刻兩人的形勢，和初動手時大體上局面相同。但見兩人對峙而立，四目交注，俞秀凡擺出了一招很奇怪的劍勢，阻止了造化城主的攻勢。

但片刻之後，俞秀凡似是站立不穩，忽然間，向後退了七、八步。他很想把身子穩定下來，但卻無能爲力，身子搖了兩搖，倒摔在地上。

造化城主忽然哈哈大笑起來，高聲說道：「俞秀凡，你的英雄氣概都哪裏去了？你本來可能是主宰武林命運的一位首腦，因爲你的固執，失去這份權威和榮耀。」

他自言自語之中，兩條人影疾如飛鳥般落入場中。兩把長刀，在日光下閃芒。是王翔、王尙，兩個分站在俞秀凡的身側。造化城主對這兩人的出現，似是根本未放在心上，緩移腳步，向前行去。

俞秀凡雖然倒了下去，但知覺未失。似是想掙扎站起身子。可惜的是，體力已有所不能，竟然無法站起。

王翔、王尙，舉起了手中的長刀，已準備出手。但這形勢，構不成阻止造化城主的威勢，望也未望兩人一眼，居然不停地向前行來。

忽然間，長嘯震耳，一條人影，天馬行空一般直落下來，擋在俞秀凡身前。只見他穿著一件月白長衫，胸前白髯飄動，右手中執著一支金筆。正是武林人人敬仰的金筆大俠艾九靈。

艾九靈神情嚴肅，緩緩說道：「玉笙師弟，別來無恙？還認識我這個大師兄嗎？」

造化城主突然間停下了腳步，雙目神光如電，但臉上卻是一種很奇怪的表情，輕輕吁一口氣，道：「你真的還活著？」

艾九靈點點頭，道：「我還活著，我不能眼看著武林造成大劫，這一口氣支持著我，度過你三次襲殺的厄難。」

造化城主人已恢復鎭靜，淡淡一笑，道：「大師兄，還想我這個師弟認你麼？」

艾九靈道：「你應該悔悟了。我這個師兄，願以一身作爲，擔起你造成的罪惡。」

造化城主道：「那一定還有別的條件了？」

艾九靈道：「有！解散造化城，放出人間地獄囚禁的人，交出你派在各大門派的臥底奸細名冊，我可以求他們饒你一命。但你要從此面壁清修，不得再在江湖上走動。」

造化城主哈哈一笑，突然抹去臉上的僞裝，露出本來的面目。

那是個劍眉星目、面如冠玉，皮膚白裏透紅，看上去不過二十三、四的人。

艾九靈怔了一怔，道：「你，你是……」

造化城主接道：「我是誰，你還能認識嗎？」

艾九靈道：「依稀相辨，你還是四十年前的樣子。」

造化城主淡淡一笑，道：「四十年，不算短，多少人身化白骨，多少人黑髮變白，我還記得四十年前，你是鬚鬢如墨的壯年，但這四十年，你老邁了不少。」

艾九靈嘆口氣，道：「你修成歸元神功，返老還童，脫胎換骨了！」

造化城主道：「不錯，你如不苦苦追查不休，我再等二十年，讓你死去之後，我再發動爭霸江湖的大業。我要全武林中人，對我臣服；我要全江湖，對我朝拜；我要完成千百年來，人人祈求而未能完成的江湖霸業。」

艾九靈道：「多少梟雄、才人，因一念之差，淪入萬劫不復之境，難道前車之鑒的教訓還不夠麼？」

造化城主道：「因人成事，他們和我有著很大的不同。古往今來，沒有一個人，有我這樣的一身成就；也沒一個人，有我這樣龐大的實力。艾九靈，念咱們一場師兄弟的份上，我可以等到你百年之後再圖霸業。但你竟不知好歹，培養出俞秀凡這樣的人才，和我作對。」

艾九靈嘆息一聲，道：「你既能念咱們同門一師的情誼，為什麼不肯聽師兄勸說呢？我要你罷兵息爭，苦海回頭。」

造化城主冷笑一聲，道：「艾九靈，我的大師兄！歸元神功，是當今武林最難練的一種武功，但我練成了。內功、劍道上，我都已高出一籌，你自忖是我的敵手麼？」

艾九靈道：「江湖上受人敬重，武功並非是唯一的憑藉，你的作為，如不受人敬重……」

造化城主道：「我就是不用人敬重於我。我明白，行俠仗義，傾我畢生之力，也難有你同樣的成就。玉珠在前，我不想再費這份心機。我要征服武林，稱霸江湖，順我者生，逆我者死，咱們各走極端，各登極峰。你已享譽數十年，難道還不滿足麼？你該早死的，但你卻活了下來。」

艾九靈道：「我如能看到你改過向善，重新為人，承繼師門仁俠衣缽，我已是古稀之年，死而何憾？」

造化城主冷笑一聲，道：「你不死，阻礙了我的大事，我幾次遣人圍殺於你，難道你還不明白麼？」

艾九靈搖搖頭，道：「但你幾次都未得手，功敗垂成，你可知為了什麼？」

造化城主道：「算無遺策，戰則必勝，談何容易，但我十成八、九，也足以自豪江湖了。」

艾九靈道：「師弟！放眼看看你建立起來的勢力，網羅到的人才，哪一個是真正的傾向於你。他們對你恨之入骨，但卻又不敢不聽命行事，一旦有機會，他們卻會離你而去，背棄於你。事實證明，斑斑可考，難道你還不肯相信麼？」

造化城主仰天大笑三聲，道：「艾九靈，你可是認爲我敗定了？」

艾九靈道：「不錯。放下屠刀，立地成佛。師弟，你爲惡已多，雙手血腥，但現在還來得及。」

造化城主冷哼一聲，接道：「住口！」這一聲大喝，用的是獅吼神功，場中都聽得心頭一震。

但俞秀凡卻被這一聲獅吼，震動了心神，霍然站起了身子。

原來，他疲勞過度，一口真氣，岔不回來，有如被制住了穴道一般，站立不起，被造化城主這聲大吼，助他使真氣歸經。

艾九靈嘆口氣，道：「師弟，你真的執迷不悟麼？」

造化城主厲聲喝道：「艾九靈，你不用口是心非，擺出一副仁俠的面孔，難道你這等俠名聲譽，還不夠麼？你還要在臨死之前，把我這個做師弟的用做墊背，以增長你的聲望？」

艾九靈臉色一變，冷冷接道：「師弟，你這般沉迷不醒，至死不悟。爲了江湖正義，我這個做師兄的，也不能再姑息養奸了。」

造化城主道：「那很好，今日咱們做一個了斷，你如把我殺了，可以更增加你的聲望，也可以爲江湖除害。艾大俠，不過，我不會束手待斃，殺人要有真實本領。」

艾九靈點點頭，道：「我知道，咱們之間，不是你改過自新，重新做人；就是箕豆相煎，兵刃相見，免不了這一場生死搏殺。」

造化城主完全恢復了鎮靜，笑了一笑道：「艾大俠，你老邁了。那就由你先出手吧！」

艾九靈仰天長嘆一聲，道：「恩師陰靈有知，請恕弟子之罪，兄弟搏殺，手足相殘，實非弟子之願。但形勢逼人，弟子逃避了數十年，仍無法逃過此劫。」

造化城主冷冷說道：「艾九靈，別做戲，你和老鬼，早商量好了。」

艾九靈大聲喝道：「住口！你敢罵師父老鬼？」

造化城主道：「爲什麼不罵他。如若他肯傾囊相授，我早就把你制服，用不著我多等了三十年，花盡了我心機，才練成了一身超過你的武功。我知道，你耳目靈敏，手段狠辣，不論我在哪裏組幫立教，都無法逃過你的耳目，以你艾大俠的聲譽，定然會大義滅親，除了我這個師弟，倍增了你的俠譽。可惜的是，我看穿了你。所以，我不輕舉妄動，我走五湖，遊四海，進深山，跑大澤，求名師，學絕技，直到我可以勝過你時，我才組織造化城。」

艾九靈冷冷道：「我一直念咱們同門一場，我也一直希望你能有悔悟的一天。所以，我雖然知道你組織了造化城，也沒有找過你，直到你有了惡跡。」

造化城主仰天打個哈哈，接道：「艾九靈，多動人的甜言蜜語啊，多美麗的謊言啊！爲什麼不說你沒有發覺我組織了造化城。你知道的時候，我已經十成七、八，羽翼將豐，我根本就不怕你了。你可知道，我們第一次動手時，打了五百招，未分勝敗，而你根本就不知道是我。」

艾九靈道：「你錯了。我第一次和你動手，不到十回合，我就發覺你的身分。」

造化城主道：「你胡說！」

艾九靈仍然接了下去，道：「雖然，你盡量避免施出師門的武功，但你每於處下風的時候，就露出了馬腳。你如不健忘，應該還記得我告訴你的話，但想不到，你竟完全未放在心上。」

造化城主道：「艾九靈，你大放馬後炮，倒是振振有詞，你如真知我是什麼人，爲什麼不當場揭穿？」

艾九靈搖搖頭，道：「我不揭穿你，只因爲我希望你能夠改過向善，但我未想到你陷溺如此之深。」

造化城主冷笑一聲，道：「艾九靈，你不用再逞口舌之利了，也別想用一些甜言蜜語，使我放下兵刃。」

艾九靈接道：「師弟……」

造化城主接道：「你如真的把我做爲師弟看待，那就答應我一件事。」

艾九靈道：「什麼事？」

造化城主道：「成全我，先殺了你培養出來的俞秀凡，再自刎一死，我才能相信你說的是真實之言。」

艾九靈回顧了俞秀凡一眼，搖搖頭，道：「他不是我培養的人，他是救我之命的恩人。」

造化城主淡淡一笑，道：「艾九靈，這樣的謊言，你真的會要我相信麼？」

艾九靈道：「你師兄一生沒有說過一句謊言，我說的句句是真。」

長長吁一口氣，接道：「爲了師門的聲譽，不容玷污，我願一死。但你要解散造化城，放出人間地獄囚禁的人，不再和武林同道爲難。」

造化城主笑了一笑，道：「你真的會自絕一死麼？」

艾九靈道：「只要你能辦到解散造化城，歸隱山林，我就自絕一死。」

造化城主道：「好！你先死吧！」

艾九靈道：「不行，我要眼看到你完成了解散造化城，遣散人間地獄中人，我才會死。」

造化城主道：「欺人之談。那時候你再率各大門派高手，合力對付於我。艾九靈，你想的不錯啊！」

俞秀凡經過一陣調息，力氣漸復，大聲喝道：「大哥！這人已陷瘋狂，和他沒有什麼好談的了。」

造化城主點點頭，道：「艾九靈，你也代師父收了一個弟子？」

艾九靈道：「沒有，不是咱們同門。」

造化城主道：「他如不是咱們同門，爲什麼會本門武功？」

艾九靈道：「我傳授他的。」

造化城主道：「他非本門弟子，你敢傳他武功，豈不是有背師門之規？」

艾九靈道：「師弟，你應該知道，我如不傳他本門的武功，只怕早已死於你的手中了。」

造化城主沉吟了一陣，道：「艾九靈，你這一生出盡風頭，而且，已經活了八十多歲，無論如何，你該滿足了。」

艾九靈道：「我早該退出江湖了，但你組織造化城，耽誤了我的退休之年。師弟，跟我走吧！你已經享盡了榮華，受盡了富貴，你還要如何，這是你……」

造化城主縱聲大笑一陣，接道：「艾九靈，你看一看我這樣的面貌，是不是當今之世英俊的男人之一。我的體能，也似三十許人。師兄，長江後浪推前浪，你還有什麼好留戀的。別人不知道歸元神功的厲害，你心中應該明白。久戰不疲，就算你和俞秀凡合手對付我，也非我之敵。」

目光凝注俞秀凡的臉上，瞧了一陣，接道：「我也給你一個機會，帶著水燕兒走吧！水燕兒人間絕色，足夠你一生享用不盡；五毒夫人、方堃，都是獨當一面的人物，我可劃一片地盤給你，不受造化城的統治，你也可在那裏頤養天年。」

俞秀凡冷笑一聲，道：「造化城主，我什麼也不要，我只要你釋放了人間地獄的武林同道，解散造化城。」

造化城主雙目暴射出兩道森寒的目光，道：「俞秀凡，人貴自知，你太不自量力了。」

這時，水燕兒、五毒夫人都已經調息復元，緩步行了過來。

造化城主舉手一揮，高聲說道：「給我圍起來！」

大廳中的從衛劍士，應聲而上，把艾九靈等圍在中間。

造化城主一揮手中軟劍，道：「艾九靈，咱們一對一呢，還是你們一起上？」

艾九靈道：「看樣子，這些年來你確有很大的成就。但你該明白，人外有人，天外有天。」

造化城主厲聲接道：「住口！我不要再聽你這些說教。」

俞秀凡看艾九靈銀髮在風中飄動，忍不住低聲說道：「大哥！這一陣，讓給小弟吧！」

艾九靈道：「我們師兄弟，已無法避過這一戰，由我來吧！」

俞秀凡新傷未癒，自知和造化城主動手一戰，決非敵手，只好向後退下。

造化城主也欺到艾九靈的身前，冷冷說道：「你先出手呢？還是我先出手？」

艾九靈道：「不管如何，我總是你的師兄，自然由你先出手了！」

造化城主冷哼一聲，忽一抬腕，手中之劍，有如靈蛇尋穴一般，飛了過來。

艾九靈長劍由一側飛出，封開了造化城主的劍勢。

這師兄弟兩入，藝出同門，一交上手，全都用的本門武功相搏。

但見寒芒飛閃，劍氣橫空，兩個人展開了一場劇烈的惡鬥。兩條人影，全都陷入一片劍芒之中，無法看出兩人搏鬥的經過情形。

這時，五毒夫人、水燕兒、冷萍、湯蘭、王翔、王佾等，也全部由暗影中行了出來，各執兵刃、暗器，隨時準備出手。雙方面劍拔弩張，任何一方，只要一聲令下，立時將展開一場群毆。

俞秀凡退到了五毒夫人的身側，低聲道：「夫人，你的功力恢復了幾成？」

五毒夫人道：「六成！但不知俞少俠的體能如何了？」

俞秀凡道：「我恢復了一半的功力，只要再給我半個時辰，我可以恢復九成功力，可以和他再打一陣。」

五毒夫人低聲道：「俞少俠，艾大俠能不能勝過他？」

俞秀凡道：「在年紀上，艾大俠吃了很大的虧，雙方的勝負，在下不敢妄言；但咱們決不能讓造化城主得手，傷了艾大俠。」

語聲一頓，接道：「他這些隨行的從衛劍手，一個個都有著很高的成就，如若咱們一旦出手接應，必將展開一場混戰，咱們最好能先對付了這些劍手。」

五毒夫人微微一笑，道：「俞少俠可是要賤妾用毒？」

俞秀凡道：「這手段不夠光明，但對付造化城主的機會不能錯過！」

五毒夫人道：「有一件事，只怕俞少俠還不清楚。」
俞秀凡道：「什麼事？」
五毒夫人道：「賤妾已經暗中用過毒了，但這些人不怕。」
俞秀凡道：「那是爲什麼？」
五毒夫人道：「他們都已經服過了解毒的藥物。除非能使他們破皮見血，否則毒不倒他們。」
俞秀凡道：「你精擅百毒，難道他們都服過百種以上的解藥麼？」
五毒夫人道：「那是一種可解多種毒性的解藥，出自本門。但我卻被造化城主逼著交出了煉製之法。」
俞秀凡沉吟了一陣，道：「見血之毒，和入喉之毒，有些不同麼？」
五毒夫人道：「完全不同。那順著血液入侵之毒，就算服過解藥的人，也難抗拒，除非對症下藥。因爲，毒性是隨血液流入心臟。」
伸手取出了十全毒匕道：「這把匕首，稱爲十全毒匕，以造化城主的功力，也對此畏懼極深。鋒刃尖利，中人無救，縱然是服過解毒之藥的人，也無法抗拒這上面淬毒。」
緩緩交入俞秀凡的手中，接道：「這把毒匕，如若執於你手中，會對造化城主構成極大的威脅。俞少俠請收下吧！」
俞秀凡接過毒匕，藏於懷中，道：「造化城主授首後，在下自當物還原主。」
五毒夫人道：「刀上淬毒，太過凶厲，但希望它能用於維護武林正義之上，也好減去它一番凶厲之氣。」

俞秀凡吸一口氣，閉上雙目，運氣調息，因爲，場中的惡戰，已然隱見凶兆，造化城主的劍勢，光圈愈見擴大，艾九靈手中的筆影，卻逐漸縮小。

不但是俞秀凡，就是五毒夫人和水燕兒等，也瞧出場中的形勢對艾九靈而言，是愈來愈見不利。冷靜的俞秀凡，立刻閉目調息。

他心中明白，能夠對付造化城主的，是自己，艾九靈如不幸敗了下來，自己是唯一能夠力挽狂瀾的人。

力搏艾九靈之後，造化城主在功力上亦必大打折扣，自己能多恢復一分功力，就多一分勝算。所以，他立刻爭取這調息的機會。

水燕兒、五毒夫人，雖然是造化城主手下的敗將，身中的劍傷血跡還未乾，但她們經過這一番搏殺之後，內心中對造化造主的畏懼，反而減少了很多。斷臂包紮剛好不久的方堃，居然大步行了過來。他失血過多，臉色還是一片蒼白。

五毒夫人低聲道：「方兄，快去休息。你斷臂雖然敷藥，只怕還在滲血，體能未復，不宜此刻出手。」

方堃笑了一笑，道：「我方某人，名不見經傳，如若能在今日一戰，死於造化城主的劍下，名留武林，有何不好。」

水燕兒接道：「方兄，不要太逞強！」

方堃道：「人活百年也是死，但錯過今日，再想死得轟轟烈烈，只怕是機會難再了。」

水燕兒還要再勸，五毒夫人卻搖搖頭，道：「燕姑娘，別勸他了。如若咱們沒有這一份必死之心，如何能對付造化城主。雖然他武功高過咱們，但咱們氣勢和精神，卻一直蓋過他，這就是咱們能和他惡鬥百招的原因。」

王翔、王尚，已然各執長刀，向前欺進了數尺。這兩兄弟，早已經商量好了，如若艾九靈一旦敗下，兩個即將雙刀合璧，聯手而出。

激烈的搏殺，和這種人人求死的決心，形成了一股悲壯、蒼涼的氣氛。在場之人，都明白自己決非造化城主的敵手，但人人都有全力一擊的決心。把生死置於度外，讓性命發出光輝。沒有人爲艾九靈即將落敗惋惜，也沒有覺著他不應該敗，更不會因他的敗陣，減少了對他的敬重。

天下沒有永遠不敗的人。

造化城主淩厲的劍勢，高強的武功，竟構不成對人的威脅。艾九靈金筆的光圈更小了，完全陷入了造化城主的劍光包圍之中。

王翔、王尚，也舉起了手中長刀。

忽然間，一個清冷的聲音，傳了過來，道：「你們兩個幹什麼，還不給我退下來！」

王翔回頭看去，只見俞秀凡雙目大睜，正在瞪著自己。

輕輕吁一口氣，王翔低聲說道：「主人既然叫咱們了，咱們怎能不應。」

兩人收刀而退，行到俞秀凡身前，一欠身，道：「見過主人！」

俞秀凡道：「造化城主是何等人物，你們兩個人，怎能應付下來，還不給我退下去。」

五三　返璞歸真

王翔道：「在下自不量力，但艾大俠是我們兩代恩人……」

俞秀凡道：「我知道，你們凝神運力，等待著機會吧！」舉步向搏殺中行去。

水燕兒低聲說道：「相公，不敢阻止你，但望珍重，記著，你如是不幸死了，賤妾不會獨自活下去。」

這時間，這情景，刀光劍氣，殺機瀰空，水燕兒竟會表達出了情愛心意，只那麼低微的兩句，卻說明了生死相隨之心。俞秀凡心頭震動一下，忽然回頭望了水燕兒一眼，微微頷首。

兩個人的婚約，就這樣決定了，沒有媒妁之言，也沒有山盟海誓，但卻在生死存亡的邊緣上，靈犀相通，綰結同心。水燕兒原本冷肅的臉色，忽然間綻開了如花笑容。那是耐不住的喜悅，超越生死的甜蜜。

俞秀凡行到了王翔停身位置，左手握住了十全毒匕，右手握住了長劍。

噹的一聲金鐵交鳴，劍光、筆影，同時斂收。場中突然間靜了下來。

只見造化城主的長劍，繞在艾九靈的脖子之上。但艾九靈手中金筆，也抵在造化城主的心口要害。雙方都陷入了生死一髮的危機之中。雙方準備出手接應的人，也都僵在了當地，不敢貿然出手。

造化城主冷笑一聲，道：「艾九靈，你一筆能不能洞穿我護身神功？」

艾九靈道：「我如全力施爲，金筆可以洞穿鐵石，我不信你的武功，已經練到了身體比鐵石更堅硬的地步。」

造化城主淡淡一笑，道：「就算你金筆能夠傷我，也不足傷我之命，但我一劍可以割下你的人頭。」

俞秀凡冷冷接道：「聽說護身氣功，見血即破，只要你氣功破去，我就可以取你之命。」

造化城主冷冷說道：「俞秀凡，咱們已動手兩次，你根本非我之敵，還誇什麼海口。」

俞秀凡冷笑道：「造化城主，至少我還有再戰的勇氣。」

造化城主道：「一個人不怕死，並非是不能死。」

俞秀凡道：「艾大哥刺你一筆，我傷你一劍，還有別的人，會取你性命。」

造化城主哈哈一笑，道：「艾九靈死了，你再亡命於我的劍下，我想不出這世間還有什麼人，能夠取我之命。」

只聽一人遙遙接道：「我！」

隨著回答之言，一條人影，疾如流星而至。

是一個髮髯如銀的老者，臉色紅潤，有如童子。

造化城主身軀微微一震，道：「花無果！」

花無果道：「正是老夫，你想不到吧！」

造化城主道：「你要和艾九靈合手對付我麼？」

花無果道：「老夫和艾九靈之間，並非是不能合手，只是天下沒有值得我們合手的人罷了，但你小子有了這份榮幸。」

造化城主略一沉吟，冷然說道：「你們如早五年聯手制我，也許可以迫使我就範，但五年後……」

花無果接道：「這一筆賬，老夫也算過了。我武功成就不如艾九靈，合手出戰，也許對你構不成什麼大威脅。但你小子別忘了，還有一個俞秀凡，老夫能在片刻之間，使他增進一倍的內力。」

造化城主冷冷接道：「花無果，這個絕無可能。」

花無果道：「能！老夫立刻做給你看！」

突然由懷中取出一個玉瓶，交給了俞秀凡，道：「娃兒，喝下去。」

俞秀凡不敢不接，但卻未立刻服下，仰頭接著問道：「前輩，這是什麼？」

花無果道：「我老夫如是想毒死你，也不會當著這麼多人的面前下毒，你小子喝下去，老夫自會告訴你那是什麼。」

俞秀凡哦了一聲，拔開瓶塞，一飲而盡。

花無果哈哈一笑，道：「娃兒，喝出味道沒有？」

俞秀凡望望艾九靈和造化城主，劍、筆仍相持不下，心中十分擔心，縱然艾九靈和造化城主拚個同歸於盡，亦非他之所願。

但在花無果緊緊迫問之下，又不能不回答，只好緩緩說道：「這味道清幽甜香，晚輩從未用過，實不知是何物。」

花無果笑了一笑，道：「仙物通靈，實非欺人之談，你放了的那株芝仙，日前突然見我，自願贈你仙液一瓶，助你功力。」

俞秀凡接道：「那芝仙還會說話麼？」

花無果道：「話是不會說。不過，它已到通靈境界，比手劃腳，說了一陣，總算把事情說通了。」

俞秀凡道：「植物還知酬恩之情，但這世上，偏有很多人不如物的忘恩負義之徒。」

花無果道：「娃兒，閉目調息一陣，使藥力行開。」

俞秀凡道：「老前輩，艾大哥身陷危境，晚輩如何能夠閉目調息！」

花無果道：「娃兒，這機會是千年難逢。艾九靈死了，還有老夫擋他一陣，老夫用毒，至少可以對付這些劍手，就算是我們都死了，也要換得你這點時間。娃兒，老夫這一生，對武林同道貢獻的太少，如今風燭殘年，忽然動了慈悲心腸。老夫言盡於此，你可明白老夫的意思麼？」

俞秀凡道：「晚輩明白。」

花無果道：「你明白就好了，閉上眼睛調息吧！」

俞秀凡臉上是一片嚴肅之色，緩緩說道：「諸位老前輩大義凜然，晚進也不拘小節了。」閉上雙目，運氣調息。

造化城主輕輕吁一口氣，道：「花兄，兄弟有幾句話，你可願聽聽？」

花無果道：「好！你請說。」

造化城主道：「你本可取得艾九靈的地位，但因爲有了艾九靈，所以你就永遠無法出頭，但如若艾九靈被我殺了，當今之世，自然首推你老人家了。」

花無果道：「不錯。艾九靈誤我很多，壓了我十年不能出頭，這份仇恨相當深。」

造化城主接道：「對！如若花兄願和在下合作。」

花無果道：「怎麼一個合作法？」

造化城主道：「條件由花兄提，兄弟只要能答應，決不推辭。」

花無果笑了一笑，道：「老弟，這就說得有些滑頭了。」

造化城主道：「兄弟言出衷誠，只要花兄的條件不太苛刻，兄弟定可給花兄一個滿意的答覆。」

花無果哈哈一笑，道：「老弟，如若這些事我們能早談二十年，那就情況不同了。」

造化城主道：「怎麼說？」

花無果道：「二十年前，我渴望有人助我一臂之力，壓制下艾九靈。」

造化城主接道：「你們都還沒有死，艾九靈，近年來雖然很少在江湖上走動，但他的聲譽，依然是如日中天，還來得及。」

花無果道：「但那時卻沒有人幫助我，如今我心已灰、意亦懶，但卻遇上了這等事情。」

造化城主冷冷說道：「花無果，你可是有意在拖延時間？」

花無果哈哈一笑，接道：

「事實上，你百密一疏，自覺行蹤隱密，無人知曉。卻不知武林一股正義結合的力量，也施展出以隱密對付隱密的手段，他們易容改裝，廣布眼線，追蹤著你，現在，很多武林高手早已聞風而至了。」

造化城主道：「在下行蹤隱密，我不信真有人會找來此地。」

花無果道：「你非信不可，老夫和艾九靈，也是接到了他們的通知而來。」

造化城主哦了一聲，道：「什麼人，本座一生之中，從未有遇過這等事情。」

花無果笑了一笑，接道：「今天你遇上了。」

突然提高了聲音，道：「諸位，請進來吧！這小子，一直認爲只有他才能飄忽自如、行不留痕。讓他見識一下這並不是什麼神奇的事，只是別人不屑爲之罷了。」

隨著那未絕的語聲，一個全身白衣的少女，當先而入。

造化城主目光一掠白衣少女，一皺眉頭，道：「金玉蓉。」

金玉蓉冷笑一聲，道：「果然是你！」

花無果道：「老夫很慚愧，沒有能及時趕往璇璣宮，救活金成山。」

造化城主淡淡一笑，道：「金成山真死了？」

金玉蓉道：「你應該比誰都清楚，他是死於你暗算之手。」

造化城主搖搖頭，笑道：「不是暗算，他死在藝業不精之上。他不該逼我動手的。」

金玉蓉道：「你承認了是殺我爹的凶手？」

造化城主道：「承認了你又能怎樣？丫頭，你可知曉，你爹爲何而死麼？」

金玉蓉道：「我知道，所以，我更應該替他報仇。」

造化城主道：「就憑你麼？」

金玉蓉道：「整個璇璣宮的精銳，大都已隨我而來。」

語聲甫落，神猿丁橫、白龍商標，已飛躍而入，分站在金玉蓉的身側。緊接著飛釵荊鳳，帶著八個佩劍的勁裝少女，行了進來。璇璣宮外務總管郭華堂，帶著四個身體魁梧，手執流星錘的大漢，行了進來。

造化城主暗暗驚心，口中卻冷漠一笑，道：「只有這些麼？」

花無果淡淡一笑，道：「這只是一座小鎮，但卻有個很雅致的名字，也即將因我們這一戰，而揚名天下了。地以人而名於世，咱們也不算負它了。」

造化城主冷冷說道：「這叫什麼村？」

花無果道：「三義集。西面五里是孝女廟。有一段孝女復仇的傳說，老夫不相信神鬼之說，但世上事就有這樣個巧法，你羅致了當今之世一大半武林人物，但今日決戰之場，你只有幾個隨行的從衛劍士，他們遠在千里之外，想來是無法趕來助戰了。」

造化城主四顧了一眼，道：「你們還有多少人？」

金玉蓉冷冷說道：「凡是不顧受迫害的人，都已經趕來了此地。」

造化城主道：「就算天下武林精英人物，盡集於此，也無法阻攔我破圍而出。」

金玉蓉道：「千夫所指，無疾而終。你在人間製造的罪惡，又何止是千夫所指！」

造化城主道：「本座倒是不信，就憑你們這些人，真的能攔得住我。」

花無果道：「試試看！這才是最好的證明。」

這一陣說話的工夫，俞秀凡已經完全調息醒來，霍然睜開雙目，直對造化城主行了過來。

金玉蓉正要伸手攔阻，卻被花無果勸止。行近造化城主四尺左右時，突然，擺出了一個劍式。

花無果哈哈一笑，道：「造化城主，你再試試俞秀凡的劍勢，看看他是不是有了很大的進步？」

造化城主為人謹慎多疑，一生都是在算計別人，可說是從沒有遇上過被人圍困的事，這是他生平第一次遇到了這樣的事，因此，一時間沒有回答花無果。

花無果接道：「造化城主，你小子敢不敢試試？」

造化城主暗道：我能一劍殺死艾九靈，但也勢難逃他金筆穿胸之危。那時，無花果、俞秀凡再合手而上，我在重傷未癒之下，只怕是難逃兩人毒手。

心中念轉，口中卻道：「試試又將如何？」

花無果道：「如若你還能勝過他，我們都無能攔阻於你了。」

造化城主道：「你敢和我打賭麼？」

花無果道：「老夫一生最喜歡打賭，只要有三成把握，我就敢賭。」

造化城主道：「如是我敗在俞秀凡的手下，甘願束手就縛。」

花無果道：「你能勝過俞秀凡，老夫就作主放你離去。」

造化城主道：「君子一言。」

花無果道：「快馬一鞭。」

造化城主道：「我和艾九靈這僵持不下之勢呢？」

花無果道：「你收回艾九靈脖子上的劍，老夫擔保艾九靈不會傷你。」

造化城主道：「本座不信你們能守信諾。」

花無果道：「此地任何一個人說話，都比你小子有信用。」

造化城主道：「你敢擔保艾九靈和這些人，不出手助戰？」

花無果冷冷說道：「老夫一言九鼎，在場之人，都可作證，你和俞秀凡放單對搏，問題是你這些劍衛們，也不許出手相助。」
造化城主道：「此時此情，區區不會自找麻煩。」
目光一掠俞秀凡，道：「你怎麼說？」
俞秀凡道：「我和你，單打獨鬥直到分出生死爲止。」
造化城主冷笑一聲，道：「分出勝負就行了，用不著鬧得鮮血淋漓。」
俞秀凡道：「你想逃回造化城中去，是麼？」
造化城主道：「虎入深山，龍歸大海，整個江湖，立刻將掀起血雨腥風。」
俞秀凡道：「你以殺人爲樂，但自己卻又是極爲怕死的人。」
造化城主道：「因爲我常殺人，才知道被殺的痛苦，因爲我常奴役人，才知道受奴役者的悲慘。」
俞秀凡接道：「己所不欲，勿施於人，你卻偏要反其道而行之。」
造化城主哈哈一笑，道：「那是聖人的話，但本座不是聖人，我也不要做聖人。」
俞秀凡道：「你不願做聖人，卻願做惡人。」
造化城主冷冷說道：「俞秀凡，現在，咱們不是爭辯是非的時候，咱們在談條件。」
俞秀凡道：「我已經答應了。」
造化城主道：「艾九靈，你聽到了我們的說話麼？」
艾九靈道：「聽到了。」
造化城主道：「那就好，收回你的金筆，我也收回軟劍。」
艾九靈略一沉吟，收回金筆。

造化城主收回軟劍後，吁一口氣，道：「艾九靈，我感覺到一件事。」
艾九靈道：「什麼事？」
造化城主道：「你的運氣，似乎是比我好一些。」
艾九靈道：「師弟，這不是運氣，而是必然的結果。」
造化城主道：「怎麼說？」
艾九靈道：「你聽說過，善有善果，這句話吧！你現在已陷重圍，你一生謹愼無比，仍有這一步失算，這也是給你一個回頭的機會，你如放下屠刀，小兄還願爲你擔當。」
造化城主冷冷說道：「夠了！你剛由死亡中撿回一命，又賣起你的仁俠之論了。」
艾九靈嘆口氣，道：「師弟，師父一生，只收你我兩人，師兄很慚愧。」
造化城主冷冷說道：「你慚愧什麼？」
艾九靈道：「我慚愧，師父故去之後，太過忽略於你，沒有好好的照顧你，致使你……」
造化城主冷笑一聲，道：「住口！你不過憑仗師門藝業，在武林之中，博得一點虛名罷了。如講發揚師門的威望，造成的江湖形勢，我比你高明多了，師父如若泉下有知，也未必就贊成你的作爲。」
艾九靈苦笑一下，道：「師弟，哀莫大於心死，你完全迷失在權欲和霸主的美夢之中了。」
金玉蓉冷冷說道：「艾大俠，你是武林人人敬仰的高人，但我想不通，令師爲什麼會收了這一個狼子野心的弟子，他何止迷失於江湖霸主的權欲，其作爲的凶殘，簡直和禽獸一般。」
艾九靈怔了一怔，接道：「姑娘這話，從何說起？」

金玉蓉道：「你可知道，他爲什麼殺了我爹爹？」

艾九靈道；「這個老朽不知。」

金玉蓉道：「爲了我……」

造化城主哈哈一笑，接道：「玉蓉姑娘，你如要說明內情，在下倒希望你能說得一字不漏。」

金玉蓉道：「你認爲我不敢說麼？」

造化城主冷笑一聲，道；「璇璣宮中，仍有本座耳目，你的一舉一動，本座無不知曉，你不怕俞秀凡這小子心中難過麼？」

金玉蓉回顧了俞秀凡一眼，花容慘淡，冷然說道：「他是他，我是我，爲了揭發出你這個魔頭的卑下作爲，我什麼都不會顧忌。」

造化城主臉色一變，道：「好！你說吧！說的要真真實實。」

金玉蓉道：「你不用激迫我，我如要說，就會說得點滴不遺。」

艾九靈道：「姑娘，老朽已經了然了十之七、八，不用再說了。」

金玉蓉道：「爲什麼不說，我說得清清楚楚，讓世人都明白，造化城主，究竟是一個什麼樣的人物……」

造化城主接道：「姑娘說在下究竟是一個怎麼樣的人物？」

金玉蓉道：「你連下五門的採花大盜也不如，他們還守一點門規、戒訓，你什麼都可以不守，仗憑一身武功，無所不爲。」

造化城主淡淡一笑，道：「玉蓉姑娘，你爲什麼不說得清楚一些？」

金玉蓉道：「我會說的。你以那副俊俏的面孔，和一口甜言蜜語，騙了我。」
造化城主接道：「但不知在下騙了姑娘些什麼？」
金玉蓉道：「騙去了我的情。」
造化城主冷冷說道：「但姑娘對本座並無情意。」
金玉蓉道：「騙術拆穿，我恨不得食你之肉，喝你之血，還有什麼情意可言！」
造化城主道：「只有這些麼？」
金玉蓉神情激動，臉色蒼白，冷冷說道：「你認爲我不敢說麼？我可揹上個不潔不貞之名，但我也要揭發你醜陋的面貌，卑下的手段。」
造化城主哈哈一笑，道：「金玉蓉，你承認了。」
金玉蓉接道：「爲什麼不承認。你騙了我的情感，也佔有我的身體。你以造化城主之尊，扮裝成了一個江湖人，混到璇璣宮去，根本就沒存好心。」
造化城主笑了一笑，接道：「說起來，本座還得感謝你姑娘了。多虧你賞識、提拔，使本座能留住在璇璣宮不足三個月的時間內，升上了文案總管，花前月下，又得姑娘噓寒問暖，想起來那段日子，倒也充滿著詩情畫意。」
金玉蓉咬牙出聲，道：「你人面獸心。騙了我的人，又害死了我父親。」
造化城主笑了一笑，接道：「姑娘你如不固執，我會把你收留身側，做一房妻小；你如不太任性，璇璣宮早變成了造化城主一處號令天下武林道的重要分舵。」
金玉蓉道：「清白玷污，我早該以死遮羞，我活著只是爲你。」
造化城主接道：「現在還來得及，造化城雖然美女無數，但像你這樣有擔當的女人還未見到。你如願和我攜手合作，不但可鴛夢重溫，而且可以把你扶爲正房妻室，武林道上，已然有大半人由我掌握，只要殺去眼下這幾個人，江湖就再沒有抗拒我的人了。千百年來，無數豪傑、梟雄，夢寐以求的武林霸業，即將在區區手中建立起來。」

金玉蓉激動的神情，突然間平復了下來，無限溫柔地說道：「你這話當真麼？」

造化城主笑道：「姑娘難道要在下對天起誓麼？」

金玉蓉道：「那倒不用了。但你一向言而無信，要我如何信得過你？」

造化城主道：「不瞞你姑娘說，對那一段美好的時光，我也有著很深的眷戀。天下美女雖多，但像你這樣具有才慧的人，卻不多見。」

金玉蓉道：「如此過獎，妾身倒不敢當，但我清白爲你所奪，此生自非君子莫屬了。」

造化城主笑了一笑，道：

「我度過今日之危，武林霸業可期。我會廣邀天下豪傑，各大門戶掌門，爲你舉行一次世所無匹的豪華婚禮。我要勒令往賀之人，各盡所能，帶上一件珍寶異物；我要你一夕之間，擁有人世間半數珍奇寶物。」

金玉蓉臉上泛起歡愉的笑容，道：「這些話，不會再是花言巧語吧？」

造化城主道：「這一席話，句句出自衷誠，決無半點虛假。」

金玉蓉道：「果真如此，我將是……」

俞秀凡看她眉目間喜氣洋溢，忍不住冷冷接道：

「果真如此，天下不知有多少個家庭遭遇慘變；果真如此，不知還有多少人無辜被送入在死城；姑娘如是真的擁有了無數異物珍寶，那也是件件沾滿血腥。」

金玉蓉目光一掠俞秀凡，雙目中是一種很奇特的神情。

但那神情一閃即逝，緩緩垂下頭去，道：「俞少俠，你的仁俠之行，賤妾很敬佩。不過，我和你不同。」

俞秀凡道：「什麼不同？」

金玉蓉道：「你是男子漢大丈夫，我只是一個弱女罷了。」

俞秀凡道：「江湖大業，是非分明，男女都有責任，豈能以性別不同推托。」

金玉蓉道：「俞少俠，我被他玷污了清白，這一生一世，都無法洗刷了。」

俞秀凡道：「那也不算什麼，執大義不拘小節，難道你要助紂爲虐不成？」

金玉蓉道：「一失足成千古恨，再回頭已百年身。我……我已經別無選擇了。」

五毒夫人冷冷說道：「你怕嫁不出去？」

金玉蓉道：「這位大姊說得是，誰會要一個殘花敗柳，不潔之軀的女子。」

五毒夫人冷哼一聲，道：「沒有人要，不嫁就是，難道女子不嫁人，就活不下去？」

金玉蓉道：「你不是我，怎知道我的心情。」

五毒夫人道：「不幸的丫頭，父仇不報，以身侍敵，你還有何顏生於人世？」

金玉蓉花容慘變，黯然一嘆，道：「這位大姊，你可是想叫我死麼？」

五毒夫人道：「其實，你早該死的。你死了比活著有價值，你失身那天如若立刻死，可落一個貞潔之名，但你活下來了……」

語聲變得十分冷漠，接道：「現在你若是拔劍和造化城主一拚，爲父報仇，就算戰死了，也可落一個孝女之名，但你卻不敢和造化城主動手。」

金玉蓉黯然一嘆，道：「這位大姊，我心中很苦，既痛父仇，又憐個郎。」

五毒夫人怔了一怔，道：「你說什麼？」

金玉蓉道：「你們這麼多人，把他圍了起來，我怎能坐視不管？」

俞秀凡道：「姑娘，你來此的用心是什麼？」

五毒夫人道：「俞少俠，別和她多說話了，我見過不少下賤的女人，但比起這小丫頭，卻是小巫見大巫了。」

金玉蓉道：「不論你們說什麼，我的心志已決，不會改變。」

五毒夫人道：「你帶的這些人，都是璇璣宮金宮主的多年屬下，只怕他們不會聽你擺布。」

造化城主冷笑一聲，道：「五毒夫人，你不用挑撥，這些都是金姑娘的心腹，他們不會背叛主人，只怕你這些心機白用了。」

五毒夫人冷笑一聲，道：「大是大非之辨，豈是私情可左右，我想，他們會有抉擇。」

造化城主恨透了五毒夫人，兩道目光，冷冷地看著五毒夫人，道：「有一天，你如再犯到我的手中，我會使你嘗一下，百日活罪的滋味。」

五毒夫人冷笑一聲，道：「我不會再落你手中，真有那麼個時候，你也只是得到一具屍體罷了。」

造化城主道：「就算你死了，我也要把你挫骨揚灰。」

五毒夫人微微一笑，道：「小妹何幸，能得城主如此痛恨！」

突然間，寒光一閃，一團劍影，直向五毒夫人捲了過去。像大海一波巨浪，挾無比凌厲的威勢而至。造化城主實是恨透了五毒夫人，這一擊，威勢無匹。五毒夫人一咬牙，竟不閃避，揮起長劍，向上迎去。

但斜刺裏，一道寒虹飛起，俞秀凡突然出手。只聽一陣金鐵交鳴，寒光收斂，人影重現。凝目望去，只見俞秀凡和造化城主相對而立，兩個人，保持了三尺左右的距離。

五毒夫人這一劍，及時收住，但劍尖也只差兩寸，沒有刺中俞秀凡。

原來，俞秀凡後發先至，擋住了五毒夫人的身前，背後的空門，完全落在了五毒夫人的劍勢之下。

俞秀凡冷笑一聲，道：「造化城主，咱們這一次，希望能打個生死出來，不是你死，就是我亡。」

對俞秀凡突然間增長的內力，造化城主有著極大的震驚。呆呆地望著俞秀凡，臉上是一片訝異的神色。

兩人的劍術造詣，不相上下，但造化城主的內力，卻強過了俞秀凡很多。但這一招硬接，俞秀凡的內力，似乎是陡然間增加了很多。幾乎和造化城主平分秋色。

沒有回答俞秀凡的話，目光卻斜到花無果的身上，道：「你用的什麼手段，能使他在片刻間，內力增加了如此之多？」

花無果道：「老夫如若說我的醫道高明，只怕你不會相信。事實上，煉製的丹藥，沒有一種能夠有這等神速的效力，只有秉天地靈氣而生的成形仙芝液，具有此等神效。」

造化城主道：「你真的給他吃了成形仙芝液？」

花無果道：「剛才你們對拚一劍，難道還不夠證明。」

造化城主道：「世上真有這等奇物麼？」
花無果道：「你不信？」
造化城主道：「我走遍了深山大澤，苦等二十年，怎的未能找到？」
花無果道：「別羨慕，這是福緣。像你那樣的人，永遠不會有這種福緣。」
造化城主嘆口氣，道：「花無果，聽說你除醫道之外，對相人術，也有些研究，是麼？」
花無果道：「看好的未必會準，但看壞的，那是一猜就中了。」
造化城主道：「你看看我能不能脫過你們今日的圍攻？」
花無果笑了一笑，道：「實話實說，你不能。生有處，死有地，那可是沒有法子的事。」
造化城主目光突然轉到金玉蓉的身上，道：「玉蓉，你過來！」
金玉蓉應了一聲，緩步行了過去。神猿丁橫、白龍商標，一皺眉頭，似是想伸手攔阻，但他們終於又忍了下去。
飛釵荊鳳沉聲道：「姑娘，你……」
金玉蓉回頭一笑，接道：「我怎麼樣？」
荊鳳道：「你忘記了老宮主的仇恨？」
金玉蓉道：「沒有，但老宮主已經死了，我又遇上了自己的丈夫。」
俞秀凡冷然接道：「你說什麼，造化城主是你的丈夫？」
金玉蓉流下淚來，緩緩說道：「俞少俠，你知道麼，他佔有了我的身體，清清白白的身體，我已是殘花敗柳，難道他還不算我的丈夫麼？」
俞秀凡道：「就算他是你的丈夫吧，但你還報不報殺父之仇？」

金玉蓉搖搖頭，道：「不報了，我沒有了爹娘，不能再沒有了丈夫。」

俞秀凡嘆口氣，不再多言。她說得雖非道理，但你也不能說她全無道理。

造化城主微微一笑，道：「玉蓉，我本來不相信世上男女之間，真的會有什麼情意，但現在，我相信了。」

金玉蓉臉上的淚痕未乾，嘴角間卻泛起了微微的笑意，接道：「你以後要好好的待我就是。」

造化城主道：「你放心，如若我能脫了今日之危，今後，我必會全心全意地待你。」

金玉蓉笑了一笑，道：「聽你這句話，我心中好快樂。」慢慢地行到了造化城主的身側。

造化城主望望丁橫、商標等，說道：「玉蓉，爲什麼不把他們也帶過來？」

金玉蓉道：「只怕他們不恥我的舉動，不會再聽我之命。」她說的聲音很高，幾乎是所有的人，都聽得很清楚。

造化城主道：「試試看吧！把他們叫過來。」

金玉蓉輕輕吁一口氣，道：「夫君之命，不敢不從，我試試吧！」

提高了聲音，接道：「荊鳳，你們……一起過來吧！」

造化城主道：「荊鳳姑娘，誰要同金姑娘一齊過來，我必會重賞於他。」

荊鳳冷冷說道：「姑娘，我們是來報仇，你竟然改變了心意！」

金玉蓉接道：「荊鳳，咱們相處很久，難道你還不知道我的爲人麼？」

荊鳳道：「正因爲我知道你的爲人，所以，我才覺著很奇怪。」

金玉蓉道：「你們無法了解我的心情。」

荊鳳道：「姑娘，我很佩服你的爲人，你年紀雖輕，但智謀過人。我們愛護你，也對你忠心耿耿，爲老宮主報仇，我們會不惜血流五步，橫死沙場。但如若要我們跟你同入造化門，妾身不敢苟同。我們沒有出手攔阻你，那是因爲你是我們的主人。算了，姑娘，璇璣宮會爲遭這一變，在江湖上除名，宮中的人手，也會煙消雲散。」

金玉蓉目光斜注到郭華堂的身上，道：「郭總管，你……」

郭華堂冷冷接道：「咱們滿懷悲忿，爲老宮主報仇，如今是仇未復，反事敵。少宮主，我們做屬下的，不便說你什麼，那恐怕很難聽，但我們決不會跟你同歸造化門。」

金玉蓉點點頭，黯然一嘆，道：「良禽擇木而棲，我不想說服你們，也不能說服你們。」目光轉到了造化城主的身上，接道：「我已盡了心力。」

造化城主冷笑一聲，道：「真是虎落平陽，龍逢淺灘，哼！哼！別說我還有十之七、八的實力未用，單是這些劍手，也可以和他們一決生死。」

金玉蓉道：「咱們能夠突圍出去麼？」

造化城主道：「突圍，並不是最好的辦法，再說，咱們的實力並不很弱。」放低了聲音，道，「玉蓉，你能不能影響到璇璣宮中人，不出手參與此戰？」

金玉蓉道：「你的勁敵，不是艾九靈和俞秀凡麼，難道他們也很重要？」

造化城主道：「如若他們能不出手，至少可以使我這些從衛劍手，全力對付艾九靈和俞秀凡，就可纏住他們。」

金玉蓉接道：「你呢？」

造化城主道：「我會出盡全力，在五十招內，搏殺五毒夫人和方堃等一干叛徒。然後，再全力對付俞秀凡、艾九靈、花無果。但如你帶的這些人，參加動手，攔阻了我的劍勢，我很可能會被艾九靈和俞秀凡合手圍攻。」

金玉蓉點點頭，道：「如若璇璣宮中人不出手，你會有幾成勝算？」

造化城主道：「十之六、七。」

金玉蓉道：「只怕他們不會再聽我的。」

造化城主微微一笑，道：「試試看吧！」

他笑得很瀟灑，有著一種眉目傳情的韻致，有著一種使女人著迷的味道。

金玉蓉溫柔地點點頭，緩步行近飛釵荊鳳，一躬身，道：「荊姑娘，小妹給你見禮。」

荊鳳一皺眉頭，但卻也急急還了一禮，道：「宮主，奴婢不敢當，你有什麼吩咐？」

金玉蓉道：「我知道，你們心中恨我，也看不起我，我有我的想法，道不同難相爲謀，我也不敢抱怨你們。」

荊鳳道：「什麼事，你明說了吧！」

金玉蓉道：「你們幫我一個忙，咱們袖手旁觀，不理會他們動手的事，不知諸位，可不可以給小妹一個面子？」

荊鳳道：「咱們對姑娘，一向敬重，也有著效死之心．只是這件事，叫我們有些爲難。」

金玉蓉道：「怎麼說？」

荊鳳道：「我們不幫助俞秀凡等對付造化城主，但如造化城主勝了俞秀凡等，是不是要對付我們？」

金玉蓉道：「我想不會吧？」

荊鳳道：「姑娘敢保證麼？」
金玉蓉道：「好！我要他給你們保證。」
回目望了造化城主一眼，道：「你聽到了？」
造化城主點點頭，高聲說道：「我答應你們，只要你們不出手，本城主這一生不和你們爲敵。」
荊鳳嘆口氣，道：「宮主，你真的會相信他麼？」
金玉蓉點點頭，道：「我別無選擇。」
荊鳳道：「你信他一次，被他害了老宮主，你還要信他，只怕連自己的性命，也保不住了。」
金玉蓉道：「我失身於他，命該如此，那也是沒有法子的事了。」
神猿丁橫一皺眉頭，冷冷說道：「宮主一向言出法隨，決斷果敢，今日，怎的變成了這樣畏首畏尾。」
金玉蓉道：「你們非我，怎知我心中感受，只望你們念在咱們相處的份上，答應我一次請求。」
郭華堂朗朗說道：「姑娘，你可以不理會你父親的死亡，但我們放不下老宮主的仇恨，你可以爲情所迷，我們卻不能不顧義理二字。」
金玉蓉道：「這麼說來，你們是不肯答應了。」
郭華堂道：「是！我們不能答應你，還望姑娘原諒。」
金玉蓉道：「咱們相處這樣長久的日子，難道你們連一點情意也沒有麼？」

郭華堂道：「無情無義的是你金宮主，你不但背棄了老宮主，也騙了我們。」

金玉蓉道：「我騙了你們，哪裏騙了你們？」

郭華堂道：「我們來此之時，宮主是告訴我們，來此是爲老宮主復仇的，但到了此地，姑娘卻變了主意。」

金玉蓉道：「諸位和我相處了很多年，難道全無一點故舊之情麼？」

郭華堂道：「沒有故舊之情也是你姑娘。你不肯爲父報仇，是爲不孝，棄我們不顧，是爲不義；不孝不義的人，叫我們做屬下的，怎能夠心生敬服呢？」

金玉蓉道：「爲了幫助我的丈夫，求求你們成麼？」

飛鈸荆鳳一皺眉頭，道：

「金宮主，我們以往對你，極爲敬重，但我們想不到，你竟然是這麼樣子一個人，我們好痛心、好悲傷。姑娘，想不到你竟然會當這麼多人之面，說出這不顧羞恥的話，叫我們做這屬下的，聽得好生爲你羞愧。」

金玉蓉雖然極力在忍耐著，但仍然感覺到一陣無法忍受的羞愧浮上心頭，雙手蒙臉，突然轉身而去，直奔到造化城主的身側，掩面低位。

造化城主哈哈一笑，道：「玉蓉，他們既然完全沒有情意，咱們內心之中，也不用顧慮了。脫去今日之危，我們就血洗璇璣宮，一出今日之氣。」

金玉蓉雙手放下，抹一下臉上的淚痕，緩緩說道：「但願有此一日，才消我心中之氣。」

造化城主臉上湧上了一片殺機，冷笑一聲，道：「我相信必有此一日，你耐心等候吧！」

水燕兒緩步行到五毒夫人的身側，道：「大姊，這個女人的臉皮之厚，可算得前無古人，後無來者了。」

五毒夫人道：「女人心，海底針。璇璣宮天下聞名，但你怎能想得到璇璣宮的女宮主，竟然是這樣一副德行麼？」

水燕兒低聲道：「大姊，我看金玉蓉，怎麼也不像一個糊塗人，為什麼，她竟然如此不明事理？」

五毒夫人道：「情字誤人，十分可怕，金玉蓉已為情所迷，哪裏還會顧及到父親仇恨。」

水燕兒的聲音更為低微，道：「大姊，我在想，一旦是他，處此情景，我又如何？」

五毒夫人道：「你說俞秀凡？」

水燕兒道：「正是說他。」

五毒夫人道：「不可能。俞秀凡如若不具有極高的品格、情操，你又怎會對他傾心相許？」

水燕兒沉吟了一陣，道：「姊姊說得也是。」

這時，造化城主已然下令，隨行劍衛一齊出手。

紅、黃、黑、白四色劍衛，全部亮出了兵刃，扇面一般，向前殺來，這些人，名不見經傳，江湖上完全無人識得。但他們劍上的造詣，卻是精深詭異，叫人防不勝防。

但見寒光如電，攻殺凌厲至極。未待艾九靈和俞秀凡的吩咐，群豪也一齊出手。

璇璣宮弟子，也都是百中選一的精銳，是金玉蓉為復仇，苦心訓練出來的人手。丁橫、商標、荆鳳、郭華堂四人一齊出手，方堃、水燕兒、王翔、王佾、五毒夫人、湯蘭、冷萍，再加上璇璣宮帶來的人手，論人數，水燕兒等並不比對方人少，而且也都是一流高手，這一場慘烈的搏殺，實是武林罕聞罕見的惡鬥。

造化城主的劍衛，比起這些武林高手，毫不遜色，尤以那白色劍手，左手單劍，右手單刀，攻勢怪異至極。劍影交錯，雙方都似乎忘了生死，忘了自己是血肉之軀，寒芒流轉，血珠濺飛。只要是還有再戰之能的人，縱然是身上受了劍傷，也是不肯向後退避。倒下的，不是重傷的無法再動，就是早已死亡。有人死，但卻無人退。

艾九靈冷眼觀戰，看得搖頭嘆息，道：「我一生身經百戰，凶殘搏鬥，經過不少，但卻從沒有見過，像這樣慘烈的搏殺，真是捨死忘生之鬥。」

俞秀凡低聲道：「大哥，小弟要出手了，我們傷亡太重。」

艾九靈道：「他心已死，難再新生，這些劍手又都是他訓練的冷血、亡命殺手，以殺止殺，情非得已，你既出手，也不用劍下留情了。」

俞秀凡道：「小弟遵命！」

突然長嘯一聲，飛騰而起，懸空打了一個轉，疾向一群白衣劍士撲去。

原來，他發覺那些白衣劍士，在四色劍衛中最是凶悍，劍法詭異，也是傷人最多的一群劍手。俞秀凡身劍合一，直撲而下。但見寒光閃轉，立時把兩個白衣劍士斬斃劍下。

緊接著劍勢回轉，劃出了一道冷虹，又把一個紅衣劍手攔腰斬成兩半。

俞秀凡殺機已動，長劍絕招連綿出手。但見血雨濺飛，片刻間已被他連斬七人。

這時，針釵湯蘭也開始施展飛針，只見寒芒連閃，又傷了三劍手。

這一來，水燕兒、冷萍等也開始施展飛針。

他們原還擔心俞秀凡責怪他們心狠手辣，有欠光明，但見俞秀凡連發快劍，劍劍傷人，才知他已動殺機，暗器也連綿出手。這些飛針上，都已經五毒夫人淬過奇毒，中人必死。快劍、飛針，強烈的殺傷之下，不大工夫，四色劍衛，全數死去。

造化城主眼看著隨行劍衛，沒有一個活口，心中甚是驚駭，但他卻沒有出手援救。在他的計算之中，這些劍衛，就算全部犧牲了，至少也可換得對方十之八、九的人手。

但卻未料到，俞秀凡的劍招威力如此強大，一劍一個，連斃七人。這就是毫釐之差，千里之失。這些劍士們武功很高，但比俞秀凡差了那麼一級，就無法封避俞秀凡的快劍。

造化城主很懊惱，懊惱他傳授這些人的劍招時，未能盡傳所有，留下了那麼一點。就是那麼一點，使這些人簡直無法封閉俞秀凡的快劍。

雖然盡殉了造化城主的隨行劍衛，但俞秀凡這方面，也有很大的傷亡。璇璣宮中隨來的劍女、武士，也全數死光，飛釵荊鳳斷去左手四指，丁橫、裔標，各負三處劍傷，郭華堂腿上中了兩劍。王翔、王尙，也受了數處劍傷。

幾乎是所有參與這一陣搏殺的人，都或輕或重地受了傷。

花無果、艾九靈沒有出手，自然無傷，動手的只有俞秀凡和水燕兒，身上未見血傷。

目睹橫陳的劍衛屍體，造化城主微微抬腕，軟劍直挺而起，冷冷說道：「俞秀凡，又該咱們一決勝負了。」

俞秀凡點點頭，道：「這一次，希望是不死不休。」

造化城主道：「不錯。殺不了你俞秀凡，我今日也很難生離此地了。」

目光一掠艾九靈和花無果，接道：「兩位是聯手合上，還是等我殺死了俞秀凡之後，車輪大戰？」

艾九靈道：「咱們不用合擊。」

花無果卻笑了一笑，道：「艾九靈，名氣大，不肯和人聯手。但我老頭兒，卻不理這些世俗之見。你該死，我們就要殺死你，不論用什麼方法，也不論多少人出手。你儘管先和俞秀凡拚命，我老頭該出手的時候，自會出手，用不著你擔什麼心！」

造化城主道：「人無信不立，你花無果也是一代高人，怎會說出這樣的話？」

花無果道：「你居然還知道世上有信義二字。你一生行事，不忠不孝，不信不義，師道倫常，和你全無關係，你乘隙蹈暇，混出了今日這點成就，你自己想想看，你這一生，哪一件事合乎了信義二字。」

造化城主還未及答覆，大門外魚貫行進來僧、道、俗三種不同的人來，目光一瞥間，造化城主心頭大大地震動了一下。這些人，都是武林極有身分的人，魚貫行來，足足有三十位之多。

一個身著青衫，白髯飄胸的老者，突然急行兩步，走到前面，遙遙一抱拳，道：「這就好了，艾大俠也在此地。可以評斷一下是非了。」

艾九靈道：「松老也出山來了！」

白髯老者道：「老了，老了！四十年未聞江湖事務，少林掌門玄莊，還未忘記老朽，遣派弟子，送上了邀函一封，想不到艾大俠的金筆點將之下，江湖上還有這等事情發生，當真是道高一尺，魔高一丈。」

艾九靈道：「在下慚愧得很。」

一個身披黃色袈裟的僧人，越眾而出，道：「貧僧玄莊，見過艾大俠。」

少林寺掌門大師合掌一禮，使得身後群僧十餘人，齊齊躬身合掌。

艾九靈一抱拳，道：「不敢當。」

玄莊大師目光轉動，四顧了一眼，道：「哪一位是造化城主？」

造化城主哈哈一笑，道：「在下就是。你這老和尙，和我見過三次面，竟然還不認得在下麼？」

玄莊大師道：「咱們見過？」

造化城主道：「不錯，你一點沒有記憶了？」

玄莊大師道：「老衲絕沒有見過你。」

俞秀凡道：「大師，他易容精妙，化身百變，經常在江湖上走動。」

玄莊大師雙目注視在造化城主的臉上，緩緩說道：「俞少俠，這就是造化城主的真正面目麼？」

俞秀凡道：「不錯，這就是他。他已練成了一種神功，返老還童了。」

玄莊大師嘆口氣，道：「像他這樣才慧、武功的人，如是不爲惡江湖，必將是極爲受人敬重的才人。」

俞秀凡道：「大師，造化城主的惡跡，已經罄竹難書，佛門雖廣，只怕也無法度他了。」

玄莊大師道：「俞少俠，老衲不敢再妄動善心。」

語聲一頓，接道：「老衲奉命行事，已把四周通路封鎖了。」

俞秀凡哦了一聲，道：「奉命，奉何人之命？」

玄莊大師道：「老衲接到一種傳書，一直還認爲是俞少俠指導著我們的行蹤了。」

俞秀凡道：「不是，在下不敢掠美。」

玄莊大師怔了一怔，道：「不是俞少俠，那是什麼人呢？」

俞秀凡道：「這個，在下不知。」

花無果輕輕咳了一聲，道：「娃兒，用不著說這些了，你不是要和造化城主動手麼？」

俞秀凡哦了一聲，抽出長劍，慢步向造化城主行去。

造化城主伸手拍拍金玉蓉，低聲道：「玉蓉，你讓開一些。」

金玉蓉沒有讓開，反而更向造化城主身側偎近了一些，低聲道：「你能夠勝過他麼？」

造化城主道：「玉蓉，我有十之七、八的致勝把握。」

金玉蓉點點頭，道：「那就好了。」

只聽一聲佛號，傳了過來，道：「俞少俠，這一陣讓給老衲如何？」

說話的正是少林寺的掌門玄莊大師。但見他手橫禪杖，大步而來。玄莊很快地超過了俞秀凡。

俞秀凡低聲道：「大師，晚進如若不成，大師再請出手，如何？」

玄莊大師道：「不，俞少俠，這一陣，讓給老衲吧！我久聞造化城主之名，一直未曾會過。今日很想見識一下，這個人有何能耐，竟把武林鬧成這樣一個局面。」

俞秀凡還待阻止，玄莊已單掌立胸，道：「老衲向閣下討教！」

造化城主冷冷說道：「很好，很好，少林派一向被武林尊為泰山北斗，一代掌門人，自屬不凡，在下也希望見識一、二。」

玄莊大師道：「施主請！」手橫禪杖，凝神待敵。

造化城主道：「大和尙先打頭陣，不覺著不自量力麼？」

玄莊大師修養很深厚，笑了一笑，道：「施主勝過老衲之後，再誇口不遲。」

造化城主右手微振，不見他揮手掄臂，手中的軟劍，已然筆直地飛了出去。

玄莊大師右手一抬，禪杖橫擊，封當劍勢。哪知軟劍如蛇，忽然之間，纏到了禪杖之上。

玄莊雖然功力深厚，武功高強，但他從未在江湖上走動過。除了師兄弟們過招試功之外，可以說絕少和人動手，也從未遇上過這樣詭異的武功。

眼看對方筆直的長劍，忽然纏在了禪杖之上，不禁心中大急，雙手舉杖，用力一帶，一股強大的力道，連造化城主的人劍，一齊帶了起來。

艾九靈道：「糟了！玄莊大師要吃虧。」

語聲未完，耳際間已響起玄莊大師的一聲冷哼，忽然間，雙手鬆杖，人也向後退開了五步，張嘴吐出了一口鮮血。

原來，玄莊大師揮杖甩動時，身前門戶大開，造化城主借玄莊大師帶動之力，欺進身側，一掌擊在了玄莊大師的胸腹之間。內家真力透出，震傷了玄莊內腑五臟。

造化城主卻一借勢，身子直拔而起，飛了兩丈多高，半空打一旋身，才落著實地。玄裝大師那禪杖一甩之力，也十分強大，造化城主如非借那懸空一個旋轉，卸去了大部分的力量，恐怕也要被摔出數丈之遠。

少林群僧已然迅快地奔了過來，圍守在玄莊大師身側。一招之間，擊敗了少林寺的掌門方丈，不論他用的什麼方法、詭計，都是驚世駭俗的事。

造化城主冷然一笑，道：「大師，得罪了！」

玄莊臉色蒼白，僧侶扶他站起身子，說道：「你……」

花無果飛身而至，彈指間，把一粒丹丸送入玄莊大師的口中，接道：「吃下去！你內腑受傷很重，不宜說話，他武功已到爐火純青之境，對付不易，大師任重道遠，身體要緊。」

玄莊大師也感覺著內腑氣血，翻動得十分劇烈，立刻吞下丹丸，閉目調息。

俞秀凡緩步而出，道：「造化城主，咱們這一戰，不宜再拖了。」

造化城主一招擊敗了玄莊大師之後，豪氣大振，冷笑一聲，道：「俞秀凡，艾九靈和花無果，把全部的希望，都寄於你一人身上，你如敗在了區區手中，他們只怕會很失望了。」

俞秀凡冷笑一聲，道：「別認爲你一掌擊敗了玄莊大師，那是因爲他沒有江湖經驗所致，如若他江湖經驗豐富一些，決不致敗在你的手中。」

造化城主道：「但他已經敗了，兵不厭詐，就算在下運用了一些手段、方法，那也不算什麼不登大雅之堂的事。」

俞秀凡冷冷說道：「造化城主，咱們可以動手了，你先出手呢，還是讓我先機？」

造化城主道：「咱們誰也不用讓誰。」

兩個人幾乎在同一時間，長劍出手。

一交手，就展開了一場以快制快的搏殺。雙劍流轉，有如電光石火一般。

造化城主的軟劍，更是變化多端，忽而舒展如翼，忽而化作一圈光影，忽而長刺而出，忽而捲襲而至。但俞秀凡的劍勢總能及時而至，或點、或封，擋開了造化城主的攻勢。

這是武林罕得一見的搏殺，劍勢的變化，似是尤快過旁觀人目光的轉動。百招交接，不過是片刻之間。俞秀凡由快劍的搶攻，逐漸地轉變成了一場有系統的劍法——驚天劍法。

劍法逐漸展開，威勢也漸漸增加，數十招過後，綿綿的劍法，化作一團白光，隱隱間，挾帶著風雷之聲。好一場凌厲的搏鬥。

看上去，似乎是造化城主已處於劣勢，完全被俞秀凡那凌厲的劍勢所包圍。但在場之人，都看得出來，造化城主的軟劍，收縮成一圍光圈，把全身都隱入了那一團光圈之中。任是俞秀凡劍如潑雨，但始終無法攻入那光圈之中。

花無果輕輕咳了一聲，道：「艾九靈，俞秀凡這一套劍法，可是你傳授於他的麼？」

艾九靈道：「不是，老實說，我也很驚異他這套劍法。」

花無果道：「很像失傳的驚天劍法……」

艾九靈點點頭，接道：「嗯！不錯，在下亦有同感。」

花無果道：「這套劍法凌厲無匹，全是出手攻人招數，但它真正的精華，只有三招……」

艾九靈接道：「驚天三劍式。」

花無果笑了一笑，道：「看來，你對劍術一道，確有著非凡的造詣。」

艾九靈道：「好說，好說！你大部精力，用於醫學，但對天下劍道，仍然有著如此精深的了解，那的確是一件不平凡的事。」

忽然間，響起了一聲大喝之聲，俞秀凡突然飛身而起，攻出一劍。

這一劍威勢強大，一片劍影，直捲而下。

造化城主的繞身劍氣，突然收斂，手中的長劍直挺而起，有如一把尖錐向俞秀凡迎擊過去。

艾九靈一皺眉頭，低聲道：「一柱擎天，這是師父絕學之一，竟被他練會了。」

但聞錚錚錚三聲輕響，俞秀凡向下疾落的劍勢，硬被造化城主給擋了回去。懸空一個翻轉，俞秀凡飄落在七、八尺之外。

第一個段落的激戰，就這樣暫時停了下來。雙方雖然未再立刻出手，但四道目光，卻是互相凝注。經過了這一場激烈的搏殺之後，雙方都明白了，這是一場實力十分接近的生死之鬥。

兩個動手人，固然是神情嚴肅，就是觀戰的人，也都看得個個神情緊張。

俞秀凡突然彈劍一笑，豪氣萬丈地說道：「閣下！這一次，由你先出手了！」

造化城主道：「一念仁慈，留患無窮，看來，我的失策很大。」

俞秀凡道：「你不是一念仁慈，而是你算計錯誤，如是你早知今日，決不會留下我俞某人的性命了。」

造比城主道：「不錯，早知你能有今日成就，我早已把你碎屍萬段了。」

語聲甫落，手中之劍，已到了俞秀凡的前胸。

俞秀凡早已凝神戒備，大喝一聲，橫劍一封，身子忽然之間，欺近了造化城主的身側。左手疾探而出，一把抓住了造化城主的腕上脈穴，用力一帶。

照常情而言，造化城主脈穴受制，這一帶，必然會把造化城主帶了一個跟斗。哪知這一帶，竟然未能帶動造化城主，反被造化城主屈肘一撞，擊中後胳，被震得摔出了八、九尺外。

但俞秀凡身子著地，立時向右側一翻，避開了造化城主的劍勢，人卻一挺而起。

造化城主冷笑一聲，道：「俞秀凡，你好大的命啊！」

俞秀凡冷冷說道：「你左腕沒有穴脈。」

造化城主冷笑一聲，道：「俞秀凡，你可以學會這樣的擒拿法，在下難道練不會移脈之功麼？」

艾九靈高聲說道：「俞兄弟，我忘記告訴你了，練過歸元神功的人，都可以轉移脈穴。」

造化城主冷笑一聲，道：「艾九靈，你告訴他又有什麼用處，練成了歸元神功，又何止只能轉移脈穴。」

艾九靈道：「師弟，我已經看到了俞秀凡和你動手的情形，如打下去，你未必一定能勝過他。」

造化城主冷冷說道：「艾九靈，你不用假慈悲了，你真的還把我當師弟看待，那就叫他們讓開去路。」

艾九靈冷冷說道：「你如真的有悔過之心，那就請放下兵刃，束手就縛，我會盡力試試看。」

造化城主冷冷說道：「你不用試了，貓哭耗子假慈悲，我不領這個情。」

艾九靈道：「哀莫大於心死，你的靈魂已死，餘下的只是一具行屍走肉了。」

俞秀凡長劍一揮，冷冷說道：「造化城主，咱們這一戰還未分出勝敗。」

挺劍刺出，直取造化城主的前心，兩個人又展開了一場激烈絕倫的惡鬥。

這一戰打得凶猛，更過上一陣。金玉蓉雙目凝注著兩人動手的情形，神情嚴肅。

艾九靈眉宇之間，也泛起了一片殺機。顯然，他已經對這位師弟，失望、灰心，到了極點。

花無果淡淡一笑，道：「艾兄，如若俞秀凡死在了造化城主手下，你準備如何？」

艾九靈道：「俞秀凡的成就，已不在我之下，老實說，俞秀凡如若勝不了造化城主，我和他單打獨鬥，也一樣勝不了他。」

花無果道：「我的武功雖不如你們，也能瞧出一點苗頭，這一場惡戰，雙方一直是一個平分秋色之局，老朽目下還瞧不出誰勝誰負，你在武功造詣上，強過兄弟很多，不知是否瞧出了一點勝負的關鍵？」

艾九靈搖搖頭，道：

「俞秀凡一代奇才，老實說，他的成就，似已凌駕於我之上。驚天劍法使他劍術上的造詣，更進入一層境界，如是我預料不錯，俞秀凡在這場搏鬥中，定然會施展驚天三式，這三招武功，如若無法勝得了造化城主，那十之八、九必敗。」

花無果道：「劍道上的修養，我自承不如你艾兄，但我想那驚天三式的威力，必可降服造化城主。」

艾九靈道：「花兄，歸元神功，大約是當今武林之中，最爲玄奇的一種內功了，可使人返老還童，脫胎換骨，比起達摩《易筋經》上伐毛洗髓，大約還要高明一些。」

花無果道：「拋開武功上的成就不談，單就醫道而言，世上沒有不會死亡的人，不論多高深的武功，也只能使自己多活幾年而已。」

艾九靈道：「是的，人總是血肉之軀，不論什麼精深的奇功，也無法把血肉之軀，變成金剛不壞之身。」

花無果道：「如若你能想通了這個道理，就會明白，人的體能，總會有一個極限，就算能打通任、督二脈，返老還童，也不過是駐顏之術，但卻不能完全把歲月留下的老邁帶走。白日飛升，長生不老，我不敢斷言沒有，至少我自己沒有見過。」

兩人談話之間，俞秀凡已然施展出驚天三劍。第一招「驚天動地」，劍招出手，長劍化一道白虹，直射過去。

造化城主突然一收劍勢，漫散的劍氣，突然間收縮成一團白光。

兩團劍光一接之下，交錯而過。白光斂收，又恢復了一個對峙之局。

俞秀凡輕輕喘息，造化城主的頂門，也見了汗水。

雙方相持了一陣，俞秀凡長嘯一聲，飛身而起，第二招「石破天驚」，連綿出手。

這一招劍勢的凌厲，比起第一招更為凶猛。造化城主臉色凝重，右腕疾揮，化成了一團白芒。整個的身子，完全隱於那一片劍芒之中。

俞秀凡攻出的劍招，有如千鈞一鎚般，竟然衝破了造化城主的護身劍氣。聽不到金鐵交鳴之聲，但見白光閃了幾閃，一切又歸沉寂。這一下，見到了鮮血。造化城主的左臂，連衣服帶肉被削下了一片。

貫注了強大內勁的凌厲劍勢，已然破去那造化城主的護身罡氣。

造化城主雖然受了傷，但他的神情，卻反而輕鬆了很多，笑了一笑，道：

「俞秀凡，驚天劍法，只有三式最凶狠的劍招，我已經見識了兩招，還有一招，你可以施出來了。」

俞秀凡道：「不錯，還有最後一招，也是最凶厲的一招，這一劍，是我們生死存亡的一招。」

造化城主冷冷說道：「俞秀凡，驚天三式，威力相似，你兩招不能傷我，難道最後一式，一定能夠傷了我麼？」

俞秀凡道：「試試看吧！」

造化城主道：「如是你傷不了我呢？」

俞秀凡道：「傷不了你，我死；殺了你，可以為江湖除一大害。」

造化城主道：「俞秀凡，你殺不了我呢。我過去說的活，繼續有效，你不妨再想想。閣下，人生不過數十年！」

俞秀凡厲聲喝道：「住口！除非你立刻解散造化門，放出人間地獄中人，聽候武林公議裁決，咱們才可以免去這一戰。」

造化城主冷冷說道：「俞秀凡，你認為我敗定了麼？」

俞秀凡冷冷說道：「沒有，我只是不願意見到你這種人活在世上。」

造化城主道：「哦！」

俞秀凡道：「這只有兩個辦法，不是我把你殺了，就是你把我殺死。」

造化城主道：「這麼說來，咱們是誓不兩立了？」

俞秀凡道：「眼下的情勢，確是如此。」

造化城主道：「好！我再接你一劍。」

俞秀凡一吸氣，突然飛身而起。手中長劍，幻起了一道白色的光芒，直向造化城主捲了過去。這一劍威勢強大，直似百丈巨浪一般，倒捲而下。

造化城主手中軟劍，忽然繞身而起，化成了一圈光芒，迎向了俞秀凡。

長虹、白芒，接觸一起。一場從未見過的搏鬥奇觀，展現在眼前。

俞秀凡的劍勢，有如靈蛇一般，繞著那一團白芒轉動。相持了大約有一盞熱茶工夫，兩團光影，突然分開，人影重現，兩個人都變了樣子。

兩個人，都似是從水中出來一般。是汗水，透濕了所有的衣服，這一陣纏鬥，似乎是用了兩個人所有的精力，一時間，兩個人都失去了再戰的力量。兩張蒼白的臉，四隻失神的眼睛。

造化城主似是復元的較快，片刻間，臉上已浮起了紅潤之色。

俞秀凡也已夠快，臉色很快地有了好轉。

這時，站在造化城主身後的金玉蓉，突然快步行到了造化城主身側，道：「你怎麼了？」

造化城主道：「咱們勝了。你此刻出手，一舉就可以擊斃俞秀凡。」

金玉蓉哦了一聲，道：「我用匕首刺死他如何？」

造化城主哈哈一笑，道：「都是一樣，你出手吧！」目光轉注到艾九靈等的身上，接道：「俞秀凡完了。歸元神功，能使一個人有著生生不息的內力。也能在極短的時間，使耗去的氣力恢復。驚天三劍式，也不過如此罷了，我相信你們之中，再沒有勝過俞秀凡的人了。」

的確沒有，在場之人，心中都很明白。

金玉蓉取了一把匕首，一把金色的匕首。忽然間，金芒一閃，刺了過去。

但不是刺向俞秀凡，匕首卻刺向了造化城主的前心。近在咫尺，全無防備，造化城主閃身欲避時，已來不及。但他一吸氣，硬將心脈移開了半寸。

金玉蓉這一刀，用盡了生平之力，夠快速，也夠強勁。如若不是俞秀凡早破了造化城主的護身罡氣，這一刀自然傷不了造化城主。金玉蓉這一刀刺入了造化城主的前胸，深沒及柄。但卻沒有刺入造化城主的心臟。

這意外的變化，全場人都看得一呆。

造化城主也呆了一呆。深厚的功力，使得造化城主在重傷下仍然能保持著頭腦的清醒。一怔之後，冷冷說道：「好賤婢！」揚手一掌，直劈下去。

金玉蓉這一刀用力太猛，但造化城主運氣行功，全身堅硬如鐵，金玉蓉一下竟未能拔出匕首。

就在她拔刀一緩的一瞬間，已爲造化城主左手的掌勢罩住。

靈芝仙液，帶給了俞秀凡超越的體能，造化城主體能恢復時，他也在迅速的恢復。眼看金玉蓉被罩在掌勢之下，救援已自不及，一側身，左肩背硬接了造化城主的掌勢，右手長劍，卻直劈而下。

寒光閃動，鮮血濺飛，造化城主身體被斜著劈成兩半。

但俞秀凡也無法避開那致命的一掌，被掌力擊中了左後肩背。身子離地，直向前面衝去，正好撞向金玉蓉。

金玉蓉放開匕首，一把抱住了俞秀凡，兩個人摔跌在八尺之外。

金玉蓉緊抱著俞秀凡的雙手緊緊不放，本身完全承受了這一掉的撞擊之力。歸元神功果然是非同凡響，身軀被劈成兩半，仍然被一股暗勁撐著，過了一盞熱茶工夫，才倒摔下去。

這時，群豪才想起了俞秀凡，急急奔了過去。

金玉蓉已然扶起了俞秀凡，自己卻吐出一口鮮血。

俞秀凡不見傷勢，也未吐血，但他的臉色卻是一片艷紅。

花無果伸出手去，一把拉住了俞秀凡，道：「娃兒，你覺著怎麼樣？」

俞秀凡道：「晚輩並無不適之感。」

花無果怔了一怔，道：「內腑氣血呢？」

俞秀凡道：「也沒有翻動的感覺。」

花無果道：「這就奇怪了。」伸手按在俞秀凡的脈搏之上。

俞秀凡忽然間，感覺到站得好累好累，緩緩坐了下去。

花無果微閉著雙目，右手中、食、無名三指，搭在俞秀凡的脈穴上，足足有一刻工夫之久，才緩緩睜開雙目，這時，場中所有的人，都圍在俞秀凡的四周，所有的目光，都投注在花無果的臉上。

花無果神情嚴肅，緩緩說道：「歸元一掌，垂死之擊，力道奇絕，幸好俞少俠的身體未傷。」

四周此起彼落地響起了吁氣之聲，似乎都放開了緊張的心弦。

花無果黯然一嘆，接道：「但這一掌，打散了他一身功力，封死了他任、督兩脈。」

金玉蓉接道：「璇璣宮藏了一粒十全大還丹，願意奉獻俞少俠，仗憑你花前輩絕世醫道，定然可使他功力復元。」

花無果搖搖頭，道：「不論有多少靈丹妙藥，也無法使他功力恢復，從此之後，俞少俠不能再練武。」

艾九靈道：「用佛門開頂大法，可傳薪火，如是他再練武，也非難事。」

花無果道：「歸元一掌，專破人身武功。造化城主那一掌，完全破壞了俞秀凡的機能潛力，讓他從此須放棄練武。老夫一瓶丹丸藥，可保他壽過花甲，若是勉強練武，只能促使他體內受傷的機能崩裂，速其死亡。」

五毒夫人緩緩說道：「難道，就沒有醫治之法了？」

花無果道：「沒有。任何妙手，都無法重造他內體機能。」

五毒夫人道：「這麼說，他無法再行走江湖了？」

俞秀凡突然站起身子，瀟灑一笑，道：「我原非江湖中人，亦不戀江湖中事，禍首被殲，還我本來面目，是何等快樂的事！」

花無果低聲道：

「返璞歸真，重讀詩書。這一段江湖經歷，給你幫助不少。以閣下之相，仕中極品，但願牧民府州時，能多爲民間洗雪埋恨沉冤，勝過你隻劍天涯，行俠積善。」

俞秀凡笑了一笑，道：「但願如此。必不負前輩雅望，只可惜人間地獄中，還有千百位被囚的武林高手……」

金玉蓉接道：「璇璣宮是以機關埋伏揚名於世，賤妾對此，下過一番功夫，釋放人間地獄被囚之人，賤妾一身承擔。」

俞秀凡一抱拳，道：「多謝姑娘，得此一言，俞某人心中無憾，我要去了。」

對著艾九靈一抱拳，緩步向前行去。

望著俞秀凡的背影，艾九靈眼中有些濕潤，說道：「俠心義膽，捨弟何人，艾九靈好生慚愧！」

水燕兒突然低聲對五毒夫人道：「夫人，我要去保護他，他武功已失，一旦遇上了仇人，如何自處？」

五毒夫人笑了一笑，道：「燕兒，你們已有夫妻情分，好好的去吧！我解散了湘西五毒門，也會找你們敘敘舊情。」

王翔、王尙沉聲道：「艾大俠，我們要跟著俞大哥。」兩個人，一躬身，快步離去。

不知是什麼人，突然舉步向前行去，直到門口，群豪齊步相隨。

凝目望天，只見俞秀凡長衫飄飄，在落日晚風中，是那樣輕逸。

他偶然的際遇，踏入了江湖，短短的兩年時光，像一道強烈的閃光，照亮了武林。

不再是劍氣漫空，但將會再聽到那朗朗的讀書聲。

《金筆點龍記》全書完

臥龍生武俠經典珍藏版 32

金筆點龍記（四）大結局

作者：臥龍生
發行人：陳曉林
出版所：風雲時代出版股份有限公司
地址：10576台北市民生東路五段178號7樓之3
電話：(02) 2756-0949　　傳真：(02) 2765-3799
執行主編：劉宇青
美術設計：許惠芳
行銷企劃：林安莉
業務總監：張瑋鳳
出版日期：臥龍生60週年珍藏版 2023年3月
版權授權：春秋出版社呂秦書
ISBN ：978-986-5589-85-1
風雲書網：http://www.eastbooks.com.tw
官方部落格：http://eastbooks.pixnet.net/blog
Facebook：http://www.facebook.com/h7560949
E-mail：h7560949@ms15.hinet.net
劃撥帳號：12043291
戶名：風雲時代出版股份有限公司

風雲發行所：33373桃園市龜山區公西村2鄰復興街304巷96號
電話：(03) 318-1378　　傳真：(03) 318-1378
法律顧問：永然法律事務所 李永然律師
　　　　　北辰著作權事務所 蕭雄淋律師

行政院新聞局局版台業字第3595號 營利事業統一編號22759935

國家圖書館出版品預行編目資料

金筆點龍記／臥龍生 著. -- 臺北市：風雲時代出版股份有限公司，2021.06- 冊；公分（臥龍生武俠經典珍藏版）

ISBN：978-986-5589-82-0（第1冊：平裝）
ISBN：978-986-5589-83-7（第2冊：平裝）
ISBN：978-986-5589-84-4（第3冊：平裝）
ISBN：978-986-5589-85-1（第4冊：平裝）

863.57　　110007333